SAGE UND SCHREIBE

Übungswortschatz Grundstufe Deutsch in 99 Kapiteln

Christian Fandrych   Ulrike Tallowitz

Ernst Klett Sprachen
Stuttgart

Redaktion: Eva-Maria Jenkins, Wien
Layout / Herstellung: Andreas Kunz, Stuttgart
Zeichnungen: Dorothee Wolters, Köln
Satz: Jürgen Rothfuß, Neckarwestheim

Abkürzungen:

A	= Österreichischer Standard
CH	= Schweizer Standard
süddt.	= Standard in Süddeutschland
U	= Umgangssprachlicher Ausdruck
⌒	= Wörter mit besonderer Aussprache, phonetische Umschrift in der alphabetischen Wortliste
jd.	= jemand
jdn.	= jemanden
jdm.	= jemandem

1. Auflage €1 ^{8} ^{7} ^{6} ^{5} ^{4} | 2009 2008 2007 2006 2005

Alle Drucke dieser Auflage können im Unterricht nebeneinander benutzt werden,
sie sind untereinander unverändert.
Die letzte Zahl bezeichnet das Jahr des Druckes.

Druck: Schnitzer Druck, Korb
Printed in Germany

ISBN 3-12-675345-0

ISBN 3-12-675345-0

9 783126 753456

Vorwort

Liebe Lernerinnen und Lerner,

Die circa 2400 Wörter des Grundwortschatzes – wie sage und schreibe ich sie richtig?

Mit **SAGE UND SCHREIBE** üben Sie
- Schritt für Schritt
- Kapitel für Kapitel
- den Wortschatz der Grundstufe
- auf je einer Doppelseite.

Auf der linken Seite eines Kapitels finden Sie den Wortschatz thematisch geordnet. Bilder und Beispielsätze illustrieren und verdeutlichen die Bedeutung der Wörter. Kurze Dialoge und Texte zeigen typische Verwendungsweisen. Wichtige österreichische und Schweizer Varianten werden angegeben. Verweise zeigen die Verbindungen zwischen den Themen.

Die Übungen finden Sie immer auf der rechten Seite eines Kapitels: Szenen und Gespräche aus dem Alltag sind die Basis für Einzel- und Partnerübungen. Rätsel machen die Arbeit mit dem Wortschatz spannend und abwechslungsreich.

SAGE UND SCHREIBE passt zu jedem Lehrwerk. Die Kapitel sind
- progressiv (von einfach bis komplex) angeordnet und
- folgen in der Themenwahl den gängigen Lehrwerken.

Kapitel zur Unterrichtssprache, zur Wortbildung und zu wichtigen Redestrategien ergänzen die thematischen Kapitel.

Mit **SAGE UND SCHREIBE** können Sie auch gut allein arbeiten.

Im Buch finden Sie auch
- Hinweise auf Besonderheiten bei der Aussprache und Verwendung des Wortschatzes,
- eine alphabetische Wortliste zum Nachschlagen im Anhang.

SAGE UND SCHREIBE enthält den gesamten Wortschatz, den Sie für die Prüfung *Zertifikat Deutsch* brauchen, und entspricht den Niveaustufen A1, A2, B1 des *europäischen Referenzrahmens*.

Viel Spaß und Erfolg beim Lernen mit **SAGE UND SCHREIBE** wünschen Ihnen

Autor, Autorin und Verlag.

Inhalt

Rund um die Person

Alltag und Freizeit

Inhalt

Inhalt

Miteinander reden

Haus, Wohnung und Auto

Kommunikation

Ausbildung und Beruf

Inhalt

Inhalt

Staat und Verwaltung

Redestrategien

Gesellschaft

Inhalt

Logische Verbindungen

Welt und Raum

▶ Die Farben finden Sie auf der letzten Seite des Buches.

Anhang

„Frau Lange? Guten Tag, und
herzlich willkommen in Hannover!"

GRUSSFORMELN

höflich / formell
Guten Morgen, Herr Artuk! (5 h – ca. 11 h)
Guten Tag, Frau Lange!   (11 h – ca. 18 h)
Guten Abend!   (18 h – ca. 22 h)
kurz: Morgen! Tag!

freundschaftlich / informell
Hallo, Ute, wie geht's?
Hi! *(Jugendsprache)* ⌒

regional
Grüß Gott! (A, süddt.)
Grüß dich, Toni!
Servus! (A)
Grüezi! (CH)

• „Tschüs, Marja, mach's gut!"
◇ „Du auch, Monika, bis bald!"

ABSCHIEDSFORMELN

höflich / formell
(Auf) Wiedersehen! (Auf) Wiederschaun! (A, süddt.)
Gute Nacht! *(ab ca. 22 Uhr)*

freundschaftlich / informell
Tschüs! Bis bald! Adieu! ⌒
Tschau! Ciao! *(Jugendsprache)*

regional
Baba! (A, *freundschaftlich*)
Servus! (A, süddt.)

Sie und du

• „Guten Tag, Frau Doktor
  Belmer, wie geht es Ihnen?"
◇ „Danke, gut. Und Ihnen?"

• „Hallo, Jan, wie geht's?"
◇ „Hi Bea, danke, gut. Und dir?"
• „Es geht."

Sie • mit fremden Erwachsenen
     • in formellen Situationen (Amt, Einkaufen, …)
     • wenn man sich nicht sicher ist: *du* oder *Sie*?

du / ihr • in der Familie, mit Kindern (bis ca. 15)
     • mit Freunden; unter Studenten
     • manchmal mit Kollegen

1) Was fehlt? Ergänzen Sie die Buchstaben:

1. Guten Tag, Herr Merz, wie geht es Ihnen?
2. Auf Wiedersehen, Frau Doktor Pelz!
3. Mach's gut und bis bald!
4. Guten Abend, Herr Dupont!
5. Grüß Gott!
6. Hallo, Miriam, wie geht es dir?

2) Begrüßung oder Abschied?

Begrüßung	Abschied
Hallo!	Bis bald
Grüezi	Adieu
Guten tag	Baba
Grüß dich	Auf Wiedersen
Guten abend	Ciao

> ~~Hallo!~~
> Grüezi!   Bis bald!
> Guten Tag!   Grüß dich!   Adieu!
> Ciao!   Grüß Gott!   Baba!
> Auf Wiedersehen!   Guten Abend!
> Gute Nacht!

3) Was passt zusammen?

1. Guten Tag, Frau Panislov, *herzlich willkommen!*
2. Tschüs Uli, bis bald !
3. Auf Wiedersehen, Herr Seebald, und mach's gut !
4. Hallo Christian, wie geht's ?

wie geht's
~~herzlich willkommen~~
mach's gut
bis bald

4) Zwei Dialoge

Sortieren Sie die Sätze zu zwei Dialogen.

> ~~„Grüß dich, Klaus, wie geht es dir?"~~   „Auch gut, danke, aber ich bin in Eile."
> „Ja dann – mach's gut!"   „Danke, ebenfalls! Auf Wiedersehen!"
> „Ja, gern – hier ist ja schon ein Café. Oh, es ist heute geschlossen."
> „Na dann – vielleicht morgen? Auf Wiedersehen und einen schönen Tag noch!"
> „Du auch, tschüs!"   „Hallo, Ute, danke gut. Und dir?"
> „Guten Tag, Frau Doktor Welke! So ein schöner Tag – haben Sie Zeit für einen Kaffee?"
> ~~„Tag, Herr Wuttke!"~~

Dialog 1:
⬦ *Grüß dich, Klaus, wie geht es dir?*

Dialog 2:
⬦ *Tag, Herr Wuttke!*

5) Wen begrüßt man wie?

Sie sind Student / Studentin und treffen diese Leute am Nachmittag. Wie begrüßen Sie sie?

1. Sven Möller, 9 Jahre, Sohn der Nachbarn → *Hallo Sven, wie geht's? /*
2. Vera Maczevski, 23 Jahre, Studentin → Hallo Frau M wie geht es ihnen
3. Karoline Mertens, 22, Polizistin → Hallo Frau M Wie geht es ihnen
4. Dr. Karl Melcuk, 35, Arzt → Hallo Herr M Wie geht es ihnen
5. Peter Petersen, 21, Ihr bester Freund → Hallo Peter wie geht's

FRAGEN ZUR PERSON

- Stellen Sie sich bitte (kurz) vor!
- Wie heißen Sie?
- Woher kommen Sie?
- Wo wohnen / arbeiten / leben Sie?

ANTWORTEN

- Mein Name ist Karin Pandke./
  Ich heiße Karin Pandke.
- Ich komme aus .../ Ich bin aus Essen.
  Ich lebe momentan in Essen, aber eigentlich
  komme ich / bin ich aus ...
- Ich arbeite in Essen, aber ich wohne in
  Dortmund.

- „Und hier ist unser nächster Gast –
  stellen Sie sich bitte kurz vor!"
- „Mein Name ist Karin Pandke, ich
  wohne in Potsdam.

PERSÖNLICHE ANGABEN

Familienname:	*Walbaum*	Ihre Adresse:	
Vorname:	*Ernst Ludwig*	Straße, Hausnummer:	*Ruhrtalstrasse 117*
Alter:	*23 Jahre*	Postleitzahl:	*45239*
Beruf:	*Industriekaufmann*	Wohnort:	*Essen*
Sprachkenntnisse:	*Deutsch, Englisch,*	Telefon:	*(0201) 41 54 67*
	Russisch		Vorwahl Durchwahl
Familienstand :	☐ ledig ☐ verheiratet	Fax:	*(0201) 173 33 99*
	☐ geschieden	E-Mail:	*E-L_Walbaum@fantasia.de*

der Bindestrich   der Unterstrich [ät] der Punkt

In Österreich:

Frau Marietta Fischler
Porzellangasse 14 / 2 / 12
A – 1090 Wien
Österreich

Frau Fischler wohnt in der Porzellangasse,
Hausnummer 14, Stiege 2, Wohnung 12.

der Familienname	das Telefon
der Vorname	die Telefonnummer
das Alter	die Vorwahl
der Beruf	die Durchwahl
die Sprachkenntnisse (*Plural*)	das Fax
der Familienstand	die/das E-Mail ↩
die Straße	ledig/verheiratet sein
die Hausnummer	sich vorstellen
die Postleitzahl	wohnen/leben/arbeiten in
der Wohnort	kommen aus
die Stiege (= der Eingang, der Treppenaufgang)	

Berufe und Tätigkeiten ⦙⦙⦙➤ 3

1) Was passt?

1. Wie heißt du?
2. Wo wohnst du?
3. Was bist du von Beruf?
4. Woher kommst du?
5. Bist du verheiratet?

a. In Berlin.
b. Ich bin Studentin.
c. Nein.
d. Maria Mantzakos.
e. Ich bin aus Thessaloniki.

2) Was passt nicht?

1. ledig – geschieden – ~~höflich~~ – verheiratet
2. wohnen – ~~grüßen~~ – leben – arbeiten
3. Wohnort – Hausnummer – ~~Beruf~~ – Postleitzahl
4. ~~Adresse~~ – Bindestrich – Punkt – Unterstrich

3) der – das – die?
Sortieren Sie die Wörter nach ihrem Artikel.

der _Beruf, Name, Wohnort, Punkt_

das _alter, telefon_

die _telefonummer, vorwahl, fax, addresse, straß_

Telefonnummer Alter Vorwahl Beruf Name Fax Adresse Wohnort Punkt Straße Telefon

4) Kombinieren Sie:

-name:
der Familienname
Vorname

-nummer:
die Telefonnummer
Hausnummer

-strich:
Unterstrich
Bindestrich

Telefon- Binde-
Familie(n)- Haus-
Unter- Vor-

5) Ergänzen Sie das Formular:
BEWERBUNG FÜR EIN STIPENDIUM

	Klaus		K.Meyert@uni-muenchen.de
	Meyertaler		25 Jahre
	Geigerstr. 19		Student
	80689		☐ ledig ☐ verheiratet
	München		☐ geschieden
	(089) 55 68 71		Deutsch, Englisch,
	(089) 55 68 71-90		Tschechisch (Anfänger)

6) Kennen lernen

Notieren Sie die Fragen. Stellen Sie die Fragen dann Ihrem Nachbarn / Ihrer Nachbarin.

Familienname, Vorname   _Wie heißt du? / Wie heißen Sie?_

wohnen in, kommen aus, arbeiten / studieren in   _Wo ... wohnst du_

Adresse, Telefon, E-Mail-Adresse ...   _Was ist deine Adresse_

„Ich bin Ärztin, kann ich Ihnen helfen?"

„Ich bin Schauspieler, aber momentan bin ich arbeitslos."

• „Sind Sie Lehrerin?"
◇ „Nein, ich bin Studentin, ich studiere Geschichte."

BERUFE VON FRAUEN UND MÄNNERN

	Singular	Plural	Singular	Plural	Singular	Plural
maskulin	der Student	die Studenten	der Arzt	die Ärzte	der Bankkaufmann	die Bankkaufleute
feminin	die Studentin	die Studentinnen	die Ärztin	die Ärztinnen	die Bankkauffrau	

HINWEIS
Der Plural von Student / Studentin ist auch oft „die Studierenden".
(Das ist neutral: Männer und Frauen.)

EINIGE TÄTIGKEITEN UND BERUFE

der Bäcker, die ~in   der Verkäufer, die ~in   der Kaufmann, die Kauffrau
der Friseur, die ~in   der Polizist, die ~in   der Hausmann, die Hausfrau
der Lehrer, die ~in   der Ingenieur, die ~in ⌒
der Schüler, die ~in   der Rentner, die ~in / der Pensionist, die ~in (A)

                            der Postbote, die Postbotin
der Arzt, die Ärztin   der Biologe, die Biologin
der Krankenpfleger, die Krankenschwester   der Bauer (der Landwirt), die Bäuerin

DIE ARBEIT   DER BERUF

der Job ⌒

Man macht die Arbeit nicht sehr lange.

Sie sucht einen Ferienjob.

die Stelle

fester Arbeitsplatz

Er hat jetzt eine Stelle als Lehrer!

die Arbeit

im Sinne von Tätigkeit

Er hat noch sehr viel Arbeit – er kann leider nicht ins Kino geh'n!

DER BERUF

was man gelernt / studiert hat

Sie ist Mechanikerin von Beruf, aber momentan arbeitet sie als Verkäuferin.

WORTFAMILIE ARBEIT

Sie **arbeitet** zu Hause.
          in einem Schuhgeschäft.
          bei VW.
          halbtags / ganztags.

eine **Arbeit** suchen   **arbeits**los sein
       finden   die **Arbeit**slosigkeit
eine **Arbeit** haben   die **Arbeit**
(= berufstätig sein)   das **Arbeit**samt
der **Arbeit**splatz   der **Arbeit**er, die ~in
die **Arbeit**szeit die Haus**arbeit**, die Zeit-**Arbeit**, die Nacht**arbeit**

(Arbeit und Einkommen ▷ 71)

1) Finden Sie die Berufe und Tätigkeiten:

Malen Sie einen Kreis um die Wörter und schreiben Sie sie mit dem Artikel in die Liste.
Es gibt neun Wörter.

D	A	F	S	F	M	O	V	B	I	O	L	O	G	E	R	O
E	U	H	A	U	S	M	A	N	N	U	A	S	E	B	N	K
R	S	S	J	M	O	U	R	E	O	X	Z	O	N	A	G	A
P	C	E	P	O	L	I	Z	I	S	T	I	N	L	W	A	U
S	H	C	A	N	I	E	T	S	K	L	T	I	A	Q	N	F
Z	Ü	R	S	C	V	J	W	Z	A	T	R	H	D	M	I	F
M	L	E	H	R	E	R	I	N	Y	F	R	I	S	E	U	R
E	E	S	A	L	X	H	F	L	Q	O	K	G	D	K	U	A
K	R	A	N	K	E	N	S	C	H	W	E	S	T	E	R	U
U	R	S	U	C	E	K	E	N	T	O	T	S	I	Z	T	S

der Arzt _____

die Polizistin _____

_____

_____

_____

_____

_____

_____

2) Ergänzen Sie:

1. *der Arzt*	*die Ärzte*	~~Ärzten~~	*die Ärztinnen*
2. *der* Retner	*die* Retner	*die Rentnerin*	Rentnerinnen
3. *der* Verkäufer	Verkäufer	Verkäferin	*die Verkäuferinnen*
4. *der* Lehrer	*die* lehrer	*die Lehrerin*	die lehrerinen
5. *der Schüler*	*d* Schüler	Schülerin	Schulerinen
6. *der* S	*die Studierenden*		

3) Sagen Sie es anders:

Achten Sie auf die Verbform!

1. Ich habe keine Arbeit. → *Ich bin arbeitslos.*
2. Ich arbeite. → ~~berufstätich~~
3. Ich bin Studentin. → studieren
4. Ich bin zu Hause bei den Kindern. → Hausfrau bin
5. Ich habe Medizin studiert. → Ärzt

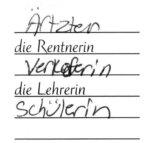
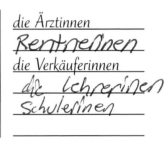

berufstätig sein

Hausfrau / Hausmann sein

~~arbeitslos sein~~   studieren

Arzt / Ärztin sein

4) Pläne

Ergänzen Sie die passenden Ausdrücke. Manche Wörter passen zweimal. Achten Sie auf den Kasus!

1. Maria Melzer, 18: „Ich suche *einen Job*, keine feste Stelle ₁, denn
   ich will erstmal Geld verdienen. Beruf ₂ kann ich später lernen."
2. Marek Malew, 23: „Ich studiere Geschichte. Ich bin gerne Student ₃!
   Später will ich Lehrer ₄ werden, das ist ein schöner Beruf ₅.
   Hoffentlich finde ich dann auch feste Stelle ₆ in einer Schule.
   Zur Zeit sind leider viele Lehrer arbeitslos ₇."

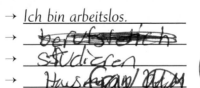

Lehrer   Student

~~Job~~   arbeitslos

feste Stelle   Beruf

5) Prestige

Welche Berufe haben in Ihrem Land ein hohes oder ein niedriges Prestige? Machen Sie eine Liste (+++: sehr hohes Prestige, - - -: niedriges Prestige) und vergleichen Sie mit Ihrem Nachbarn / Ihrer Nachbarin.

Zur Hannover-Messe kommen Menschen aus allen Kontinenten: aus Amerika, Afrika, Australien, Asien und Europa.

der Kontinent

der Amerikaner, die ~in
der Afrikaner, die ~in
der Australier, die ~ in
der Asiate, die Asiatin
der Europäer, die ~in

- „Woher sind Sie?" ✧ „Ich bin aus der Schweiz und meine Kollegin ist aus Polen. Und Sie?"
- „Ich bin Amerikaner, aber ich arbeite für eine Computerfirma in Österreich."

WO WOHNEN SIE? – WAS SIND SIE? – WOHER KOMMEN SIE?

Wo wohnen / leben / arbeiten Sie?	Sind Sie Deutscher / Deutsche?
– in Deutschland	Nein, ich bin
– in Frankreich	– Österreicher / ~in
– in der Schweiz	– Schweizer / ~in
– in den USA (in den Vereinigten Staaten)	– US-Amerikaner / ~in
– im Iran	Ich bin
– in Düsseldorf	– Düsseldorfer / ~in
– in Zürich ...	– Münchner / ~in ...

Woher kommen Sie? Woher sind Sie?
Ich komme aus Deutschland / aus Österreich /aus der Schweiz, ... Ich bin aus Italien / aus den USA, ...

HINWEIS

Ich fahre **nach** Deutschland. (ohne Artikel)
Aber: Ich fahre **in die** Schweiz / Türkei / USA (mit Artikel)

EINIGE LÄNDER UND STÄDTE

	das Land	die Leute	die Stadtbewohner
ohne Artikel:	Deutschland	der Deutsche, die Deutsche ein Deutscher, eine Deutsche	Berlin: der Berliner, die ~in
	Österreich	der Österreicher, die ~in	Wien: der Wiener, die ~in
	Frankreich	der Franzose, die Französin	Paris: der Pariser, die ~in
	Polen	der Pole, die Polin	Warschau: der Warschauer, die ~in
	Belgien	der Belgier, die ~in	Brüssel: der Brüsseler, die ~in
	Großbritannien	der Brite, die Britin	London: der Londoner, die ~in
	Italien	der Italiener, die ~in	Rom: der Römer, die ~in
	Russland	der Russe, die Russin	Moskau: der Moskauer, die ~in
	Marokko	der Marokkaner, die ~in	Fez: der Einwohner / die ~in von Fez
	China	der Chinese, die Chinesin	Peking: der Einwohner / die ~in von Peking
mit Artikel:	die Schweiz	der Schweizer, die ~in	Bern: der Berner, die ~in
	die Türkei	der Türke, die Türkin	Istanbul: der Einwohner / die ~in von Istanbul
	die USA	der (US-)Amerikaner, die ~in	New York: der New Yorker, die ~in
	(die Vereinigten Staaten von Amerika)		
	der Iran	der Iraner, die ~in	Teheran: der Teheraner / die ~in

1) Zu welchem Kontinent gehören diese Länder?

1. Asien: *Ukraine, China, Indien, Afghanistan, Japan, Indonesien, Mongolei*

2. Afrika: *Südafrika, Ägypten, ~~???~~ Nigeria, Namibia*

3. Europa: *Dänemark, Griechenland, Island, Italien, Luxemburg, Rumänien*

4. Amerika: *Peru, Ecuador, Guatemala, Kanada, Argentinien,*

~~Argentinien~~ ~~Ukraine~~ ~~Dänemark~~
~~Griechenland~~ ~~Südafrika~~ ~~Ägypten~~
~~Mongolei~~ ~~Guatemala~~ ~~Kanada~~ ~~Island~~
~~China~~ ~~Ecuador~~ ~~Nigeria~~ ~~Indien~~ ~~Italien~~
~~Luxemburg~~ ~~Rumänien~~ ~~Afghanistan~~
~~Japan~~ ~~Peru~~ ~~Namibia~~ ~~Indonesien~~

2) Wie heißt der Kontinent / das Land / die Stadt?

1. die Französin → *Frankreich*
2. der Russe → *Russland*
3. der Brite → *Großbritannien*
4. die Römerin → *Rom*
5. die Türkin → *die Türkei*

6. der US-Amerikaner → *die USA*
7. der Pole → *Polen*
8. der Schweizer → *die Schweiz*
9. die Asiatin → *Asien*
10. der Wiener → *Österreich*

3) Ich bin ...

1. Kommen Sie aus Amerika? (Ja, Chile) → *Ja, ich bin Chilene / Chilenin.*
2. Und woher kommen Sie? (Deutschland) → *Ich bin deutscher*
3. Sie kommen sicher aus Österreich! (Nein, Schweiz) → *Nein, ich bin Schweizer*
4. Sagen Sie, woher sind Sie eigentlich? (Russland) → *Ich bin Russe*
5. Kommen Sie auch aus Kanada? (Nein, USA) → *Nein ich bin Amerikaner*

4) Wie heißt die Hauptstadt von ...?

1. Belgien *Brüssel*
2. Portugal *Lissabon* ~~...~~
3. Deutschland *Berlin*
4. Südafrika *Kapstadt*
5. Polen *Warschau*

6. Österreich *Wien*
7. Schweden *Stockholm*
8. China *Peking*
9. der Schweiz *Bern*
10. Kanada *Ottawa*

a. Stockholm   f. Lissabon
b. Bern   g. Berlin
c. Warschau   h. Wien
d. Peking   i. Ottawa
e. ~~Brüssel~~ j. Kapstadt

5) Und Sie?

a. Schreiben Sie die Namen in deutscher Form – wenn es sie gibt.

Ich bin in ___NY___ (Geburtsort) geboren, das ist in ___USA___ (Land).

Ich lebe zur Zeit in ___KY___ (Ort), das ist in ___USA___ (Land).

Mein Traumland ist ___~~Deutschland~~___, mein Traumort ist ___~~German~~ Deutschland___

Hier möchte ich nicht wohnen: ___China___ (Land), ___Peking___ (Stadt).

Diese Menschen finde ich besonders interessant: ___USA___ (Land/Stadt).

Dieses Land / diese Stadt möchte ich gerne besser kennen lernen: ___Italy___ .

b. Vergleichen Sie jetzt mit einem anderen Kursteilnehmer / einer anderen Kursteilnehmerin.

Wo bist du / sind Sie geboren? In welchem Land ist das? Wo lebst du / leben Sie zur Zeit? Was ist dein / Ihr Traumland / Traumort ...? Welche Menschen findest du / finden Sie besonders interessant? Welches Land möchtest du / möchten Sie besser kennen lernen?

5 Müssen Sie auch Ihr Visum verlängern?

• *„Müssen Sie auch Ihr Visum verlängern?“*
✧ *„Nein, zum Glück nicht, ich bin EU-Bürgerin, da brauche ich kein Visum. Ich warte auf einen Freund. Er ist fremd hier.“*

VISUM UND AUFENTHALTSGENEHMIGUNG

ein Visum beantragen → ein Visum bekommen → einreisen → das Visum läuft ab → das Visum verlängern / ausreisen

Ebenso:
eine Aufenthaltsgenehmigung beantragen / bekommen / verlängern
eine Arbeitsgenehmigung beantragen / bekommen / verlängern

die Genehmigung, die Erlaubnis: *Etwas ist erlaubt, man kann etwas machen.*
→ die **Arbeits**genehmigung: *Man kann arbeiten.*
→ die **Aufenthalts**genehmigung / **Aufenthalts**erlaubnis: *Man kann (länger) im Land bleiben.*

das Visum, der Ausländer, die ~in; der EU-Bürger, die ~in
nach Deutschland einreisen, die Einreise (nach Deutschland)
ausreisen, die Ausreise (aus Deutschland); etwas [Akkusativ] verlängern, die Verlängerung

Das sagt man oft:
Er / Sie ist fremd hier. Ich bin fremd hier – können Sie mir helfen?
Für die Einreise nach Deutschland braucht man ein Visum / kein Visum.
Das Visum ist 36 Monate gültig. Ist Ihr Visum noch gültig? Haben Sie ein gültiges Visum?
Wo kann ich ein Visum beantragen? Mein Visum läuft bald ab – kann ich es noch mal verlängern?
Ohne Arbeitsgenehmigung können Sie hier leider nicht arbeiten!

• *So, die Pässe bitte! Und haben Sie etwas zu verzollen?*
✧ *Nein, nichts.*
• *In Ordnung. Gute Weiterreise!*

die Grenze / die Staatsgrenze, der Grenzbeamte, die Grenzbeamtin
der Pass / der Reisepass
der Ausweis / der Personalausweis
der Zoll, etwas verzollen, der Zollbeamte, die Zollbeamtin
die Reise, die Weiterreise

Verwaltung und Amt ➔ 79; Gesellschaftliche Gruppen (2) ➔ 89

1) Wie heißen die Substantive?

1. einreisen   →   *die Einreise*   3. (etwas) verlängern → _____
2. (etwas) erlauben → _____   4. ausreisen   → _____

2) Kombinieren Sie:

Manchmal gibt es mehrere Möglichkeiten.

(ein-   be-   ver-   aus-   ab-)   (-zollen   -reisen   -laufen   -längern   -kommen   -antragen)

einreisen, … _____

3) Welcher Artikel?

a) Notieren Sie.

der *Pass,* _____

das _____

die _____

(Aufenthaltserlaubnis   Arbeitsgenehmigung   Reise   Pass   Grenze   Ausreise   Verlängerung   Zoll   Visum)

b) Ergänzen Sie.

Substantive mit der Endung *-ung* haben immer den Artikel _____ .

Substantive mit der Endung *-e* haben meistens den Artikel _____ .

4) Was stimmt?

Streichen Sie die falschen Wörter durch.

1. Mein Visum ist noch 2 Monate   valide – möglich – gültig – üblich.
2. An der Grenze muss man seinen Pass   geben – nehmen – halten – zeigen.
3. Ich habe ein Visum beantragt, aber leider habe ich es nicht   genommen – bekommen – gekommen.

5) Wie sagt man?

1. An der Grenze zwischen Deutschland und der Schweiz muss man noch seinen Pass *zeigen.*
2. Ich brauche ein Visum – wo kann ich es _____ ?
3. Karel hat gestern endlich seine Arbeitsgenehmiung _____ – er hatte so lange darauf gewartet!
4. Läuft Ihr Visum ab? Dann müssen Sie es _____ .

6) An der Grenze

Sortieren Sie die Dialogteile.

„Nein."   „Danke sehr."   „Na dann – gute Fahrt!"   ~~„Guten Tag, die Ausweise bitte."~~   „Haben Sie etwas zu verzollen?"   „Einen Moment – hier bitte."

• *Guten Tag, die Ausweise bitte!* _____

FAMILIENVERHÄLTNISSE

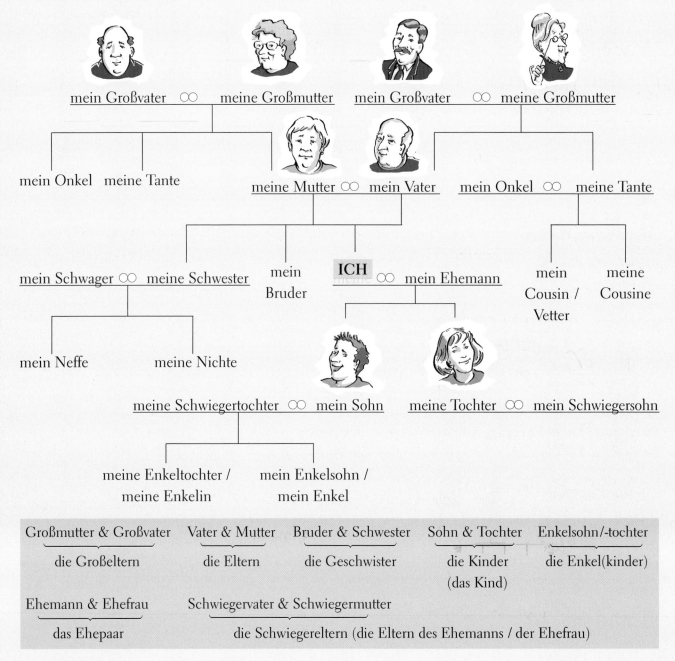

mein Großvater ∞ meine Großmutter   mein Großvater ∞ meine Großmutter

mein Onkel   meine Tante

meine Mutter ∞ mein Vater   mein Onkel ∞ meine Tante

mein Schwager ∞ meine Schwester   mein Bruder   ICH ∞ mein Ehemann   mein Cousin / Vetter   meine Cousine

mein Neffe   meine Nichte

meine Schwiegertochter ∞ mein Sohn   meine Tochter ∞ mein Schwiegersohn

meine Enkeltochter / meine Enkelin   mein Enkelsohn / mein Enkel

Großmutter & Großvater	Vater & Mutter	Bruder & Schwester	Sohn & Tochter	Enkelsohn/-tochter
die Großeltern	die Eltern	die Geschwister	die Kinder (das Kind)	die Enkel(kinder)

Ehemann & Ehefrau	Schwiegervater & Schwiegermutter
das Ehepaar	die Schwiegereltern (die Eltern des Ehemanns / der Ehefrau)

Kinder sagen ...
zur Großmutter: Oma, Omi; zum Großvater: Opa.
zur Mutter: Mama, Mami, Mutti; zum Vater: Papa, Papi, Vati.

FAMILIE UND VERWANDTSCHAFT

die Familie: meist Eltern / Ehepartner und Kinder   Er arbeitet so viel – da hat er wenig Zeit für die Familie.
„Schöne Grüße auch an Ihre Familie!"

die Verwandtschaft: alle Verwandten   Die ganze Verwandtschaft war da! (Eltern, Geschwister, Großeltern, Onkel, Tanten, Schwiegereltern, ...)

Familie und Verwandtschaft (2) ‖▶ 7

1) Ergänzen Sie:

die Großeltern		
der Großvater _____	_____ die Mutter _____	der Sohn _____

die Enkel		
_____ _____	_____ die Schwester _____	die Schwiegermutter _____

2) Ordnen Sie die Generationen aus der Perspektive von „ICH":

alt   Generation 1 _____

 ↑   Generation 2 _____

 | Generation 3 **ICH** _____

 ↓

jung Generation 4 _____

> Mama   Sohn
> Eltern Tochter Bruder
> Oma Vater Schwester
> Großeltern Kinder

3) Wer ist das?

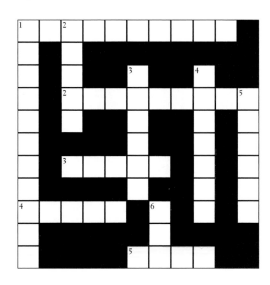

Waagrecht:
1. Mutter der Mutter
2. Sohn der Tochter
3. Kinder der Kinder
4. Schwester des Vaters
5. So ruft das Kind den Vater:

Senkrecht:
1. Brüder und Schwestern
2. Mann der Schwester der Mutter
3. Sohn des Onkels und der Tante
4. Tochter des Onkels und der Tante
5. Tochter der Schwester
6. anderer Name für Großmutter

4) Familienverhältnisse

1. Maria Moser: „Markus ist mein _Sohn.“_
2. Hermann Moser: „Paul ist mein _____.“
3. Markus Moser: „Maria und Hermann sind meine _____.“
4. Irene Moser: „Maria und Hermann Moser sind meine _____.“
5. Silke Moser: „Ingrid, Paul und Irene sind meine _____.“

Maria Moser ∞ Hermann Moser

Markus Moser ∞ Silke Moser (geborene Werner)

Irene Moser   Paul Moser   Ingrid Moser

5) Wie sieht Ihre Familie aus?

Sprechen Sie mit Ihrem Nachbarn / Ihrer Nachbarin oder notieren Sie auf einem Zettel:
Haben Sie Geschwister? Haben Sie noch alle Großeltern? Wo leben sie? Wo leben Ihre Eltern? Haben Sie schon Kinder? Wie viele? Haben Sie einen Lieblingsbruder / eine Lieblingsschwester / ...?

Verliebt, verlobt, verheiratet ... und geschieden?

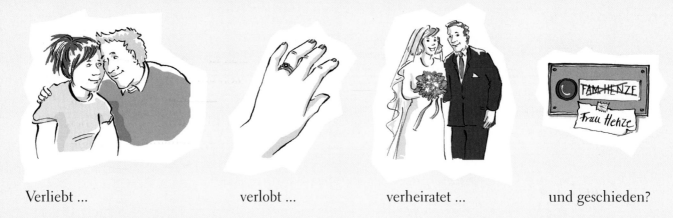

Verliebt ...   verlobt ...   verheiratet ...   und geschieden?

SO IST DAS TRADITIONELLE IDEAL:

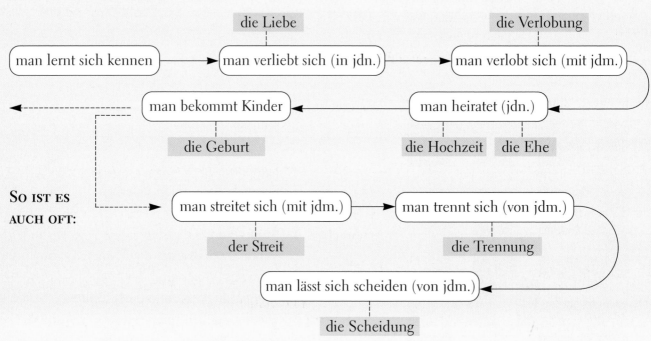

die Liebe   die Verlobung

man lernt sich kennen → man verliebt sich (in jdn.) → man verlobt sich (mit jdm.)

man bekommt Kinder ← man heiratet (jdn.)

die Geburt   die Hochzeit   die Ehe

SO IST ES AUCH OFT:

man streitet sich (mit jdm.) → man trennt sich (von jdm.)

der Streit   die Trennung

man lässt sich scheiden (von jdm.)

die Scheidung

SO IST ES HEUTE OFT:

Viele Leute leben zusammen, aber sie heiraten nicht.
Manche Leute leben lieber allein: Sie sind Singles ☊.
Es gibt viele allein erziehende Mütter und einige allein erziehende Väter.

der Partner, die Partnerin
Manchmal auch:
der Lebensgefährte, die Lebensgefährtin

GEGENSÄTZE: sich lieben ⟷ sich hassen
die Liebe   der Hass

HINWEIS

zusammenziehen = ein Wort:
Getrenntes kommt zusammen.
zusammen wohnen = zwei
Wörter: *gemeinsam in einer Wohnung wohnen*

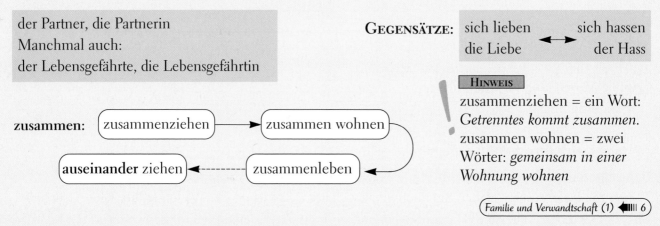

zusammen: zusammenziehen → zusammen wohnen

auseinander ziehen ← zusammenleben

Familie und Verwandtschaft (1) ◀▌▌▌ 6

1) Finden Sie die Gegensätze:

1. _____heiraten_____ ↔ _____sich scheiden lassen_____
2. _____ ↔ _____
3. _____ ↔ _____
4. _____ ↔ _____
5. _____ ↔ _____
6. _____ ↔ _____

streiten   zusammen leben
sich hassen   ~~sich scheiden lassen~~
sich gut verstehen   allein leben
~~heiraten~~   die Hochzeit
Ehepartner   sich lieben
die Scheidung   Single

2) Lara und Mark

Schreiben Sie diese tragische Liebesgeschichte.

1. 5. Mai 1999 (sich kennen lernen) Mark und Lara
2. (sich verlieben) Lara → Mark und Mark → Lara.
3. Zwei Monate später (sich verloben)
4. Am 27. August 2000: (heiraten) Lara und Mark
5. Bald (sich streiten) Lara und Mark
6. Im Januar 2002 (sich trennen) Lara und Mark

5. Mai 1999: Lara und Mark lernen sich kennen.
Lara _____ _sich sofort in Mark und Mark_
Zwei Monate später _____ _sie_
_____
_____
_____

3) Was gehört dazu?

Was gehört zu einer „normalen" Ehe? Notieren Sie sechs wichtige Dinge und vergleichen Sie mit Ihrem Nachbarn / Ihrer Nachbarin. Manche Lösungen sind subjektiv!

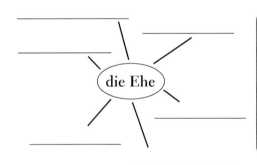

eine Verlobung   man streitet sich   Kinder
Eheringe   Liebe   man wohnt zusammen
gemeinsame Interessen   eine Hochzeit mit vielen Gästen
beide Eltern sind berufstätig   Respekt füreinander
eine große Wohnung   der Mann verdient das Geld
die Frau bleibt zu Hause beim Kind
die gleichen Interessen   man teilt die Hausarbeit

4) Da stimmt etwas nicht!

Bringen Sie den Text in die richtige Reihenfolge.

Es ist wie in einem Film: Der Traummann lernt die Traumfrau kennen. Sie verlieben sich sofort ineinander. Aber das ist doch nicht so wichtig! Sie ziehen wieder zusammen ... Sie sagt sofort: „Ja!"
Zur Hochzeit kommt die ganze Verwandtschaft. Zehn Jahre später treffen sie sich zufällig wieder.
Ihre Eltern finden den Traummann nicht so symphatisch. Er versteht sich mit seinen Schwiegereltern nicht so gut. Er fragt: „Willst du mich heiraten?" Sie streiten sich und dann trennen sie sich.
Er schenkt ihr einen Verlobungsring. Bald lassen sie sich scheiden. Sie heiraten. Zum Glück haben sie keine Kinder! Sie verstehen ihre alten Probleme nicht mehr.

Ein Film: Der Traummann lernt die Traumfrau kennen. Sie verlieben sich sofort ineinander ...

8 Meine Freunde, meine Kollegen und meine Nachbarn

FREUNDE	KOLLEGEN	NACHBARN

FREUNDE
Wir verbringen die Freizeit zusammen.
Wir sprechen über unsere Freuden und Sorgen. Wir lachen, wir feiern, wir spielen, …

KOLLEGEN
Wir arbeiten. Wir planen Projekte. Wir diskutieren Probleme und suchen Lösungen. Manchmal essen wir gemeinsam in der Kantine.

NACHBARN
Wir grüßen uns auf der Straße. Wir sprechen über das Wetter, über unseren Garten, das Haus, …

Lisa ist **meine beste Freundin**.
Susanne ist auch **eine enge Freundin von mir**.
Mit Harald **bin** ich **gut befreundet**.
Er ist **ein guter Freund** von mir.

Sarah ist „**meine Freundin**".
(= Wir lieben uns.)

Andrea ist **eine gute Bekannte**. Ich sehe sie nicht sehr oft.

Arbeit:	der Kollege, die Kollegin
Universität:	der Kommilitone
	die Kommilitonin
	der Mitstudent die ~in
Schule:	der Mitschüler die ~in

Manchmal streiten wir uns.	sich (mit jemandem) streiten
Dann vertragen wir uns wieder.	sich (mit jemandem) vertragen
Manchmal ärgere ich mich über unsere Nachbarn.	sich (über jemanden) ärgern

WORTFAMILIE

der Freund, die ~in	→	die Freundschaft
der / die Bekannte	→	die Bekanntschaft
der Nachbar, die ~in	→	die Nachbarschaft

„du" oder „Sie" ◀▏▎▍ 1

mein Freund	enger Freund	guter Freund	Bekannter	Kollege

◀——▶
vertraut   nicht so vertraut

die Freizeit, die Freude, die Sorge, das Projekt, das Problem, die Lösung, die Kantine, die Straße, das Wetter, der Garten, das Haus

1) Ergänzen Sie bitte:

der Freund	die Freundin		
der Bekannte		ein Bekannter	
der Kollege			eine Kollegin
der Kommilitone			
der Mitschüler		ein Mitschüler	

2) Wie heißt der Plural?

1. der Kollege   _die Kollegen_
2. die Freundin   _____
3. der Mitschüler _____
4. der Bekannte   _____
5. der Nachbar   _____

Wie heißt der Genitiv?

die Frau   _meines Kollegen_
die Tochter   _meiner_ _____
die Eltern   _____
die Freundin   _____
die Kinder   _____

3) Soziale Beziehungen

1. Ich kenne ihn schon lange, wir verstehen uns sehr gut.
   Er ist ein guter _____Bekannter_____.
   (oder: Ich bin mit ihm gut _____.)
2. _____ ist ein wenig eifersüchtig.
   Auf Partys soll ich nur mit ihm tanzen.
3. Alfred ist ein _____ von uns.
   Wir haben ihn beim Sport kennen gelernt.
   Seitdem sind wir gut mit ihm _____ .
4. Darf ich vorstellen? Das ist mein _____ , Herr Stüve.
   Er arbeitet auch in der Personalabteilung.
5. Mein neuer _____ wohnt in der Wohnung links neben mir.
   Ich finde gute _____ sehr wichtig.

Bekannter   Freund
mein Freund   bekannt
Kollege   Nachbar
Nachbarschaft   befreundet

4) Welche Verben passen?

1. Rainer: „Hallo, Werner! Stell dir vor, ich gehe heute mit
   Sabine ins Konzert!"
2. Werner: „Sabine? Wer ist das? Wie lange _kennst_ du
   sie schon? Ist sie nett? _____ ihr euch schon?"
3. Rainer: „Na klar! Wir kennen uns seit zwei Wochen,
   aber wir können über alles _____."
4. Werner: „Das hört sich gut an. Ist es immer harmonisch
   oder _____ ihr euch auch manchmal?"
5. Rainer: „Na ja, manchmal schon, aber wir
   _____ uns sofort wieder."

(sich) duzen
sprechen (über)
(sich) vertragen
(sich) kennen
(sich) streiten

Darf ich Sie morgen zum Essen einladen?

- „Darf ich Sie morgen zum Abendessen einladen?"

⋄ „Ja, vielen Dank, ich komme gerne!"

⋄ „Tut mir Leid, da kann ich leider nicht."

„Darf ich Sie einladen?"

zum Essen	zur Party
zum Mittagessen	zur Geburtstagsparty
zum Abendessen	zur Geburtstagsfeier
zum Frühstück	zum Geburtstagsfest
zum Kaffeetrinken	zur Gartenparty
zum Kaffeeklatsch **U**	zur Grillparty
	zur Hochzeit

! HINWEIS

Zu einer Einladung bringt man etwas mit: Blumen, Schokolade, eine Flasche Wein, ein Geschenk (ein Buch, eine CD, ...).

- „Guten Abend, kommen Sie doch herein!"
⋄ „Guten Abend, Frau Reich. Tut uns Leid, wir sind leider etwas spät dran."

! HINWEIS

Die Einladung ist um 20 Uhr:
- um 20 Uhr ankommen: pünktlich sein
- um 20.30 Uhr ankommen: zu spät kommen/spät dran sein

- „Möchten Sie noch etwas Dessert?"

⋄ „Ja, bitte, gern."   ⋄ „Nein danke, ich bin wirklich satt. Das Essen war ausgezeichnet."

„Das Essen schmeckt wunderbar!"

ausgezeichnet	sehr gut
lecker	interessant
köstlich	

„Vielen Dank für die Einladung. Der Abend war sehr schön!"

gemütlich	angenehm
nett	lustig
super **U**	klasse **U**
toll **U**	prima **U**

(Kochen und Essen |||▶ 17)

---

das Essen, das Frühstück, der Kaffee, der Klatsch, die Party, die Feier, das Fest, die Hochzeit, die Blume, die Schokolade, die Flasche, der Wein, das Geschenk, das Buch, die CD

1) Was ist wann?

Ordnen Sie zu:
a. das Kaffeetrinken	_____ am Morgen
b. das Mittagessen	_____ am Nachmittag
c. das Frühstück	_____ am Abend
d. die Party	_b_ am Mittag

2) Verben und Substantive

Ergänzen Sie:
frühstücken	_das Frühstück_
zu Mittag essen	_____
Kaffee trinken	_____
zu Abend essen	_____
heiraten	_____
Geburtstag feiern	_____

3) Welche Kombinationen sind möglich?

Abschied(s)	Party	_die Gartenparty_
Arbeit(s)	Feier	_____
Garten	Klatsch	_____
Geburtstag(s)	Essen	_____
Kaffee	Fest	_____

4) Small Talk – Was passt?

1. Dieser Nachtisch ist wirklich ___lecker___.
2. Und auch der Salat schmeckt _____, ganz frisch.
3. Ihre Wohnung ist sehr _____, ich fühle mich sehr wohl.
4. Die Musik ist nicht so laut, ich finde das sehr _____ .
5. • Warum kommt Wolfgang immer _____?
   Es ist schon halb zehn, und er ist immer noch nicht hier.
   ◇ Ja, er ist fast nie _____.

angenehm
ausgezeichnet
gemütlich
langweilig
~~lecker~~ pünktlich
satt toll
zu spät

5) Was bringt man in Ihrem Land mit?

1. Geburtstagsfeier: _ein Geschenk,_
2. Grillparty: _____
3. Kaffeetrinken: _____
4. Abendessen beim Chef: _____

6) Wortkombinationen

1. Welche Wörter passen zu „Fest"?
   Das Fest ist _____ und _____ und _____ .
2. Welche Wörter passen zu „Essen"?
   Das Essen ist _____ und _____ und _____.

lustig nett
angenehm
langweilig gut
interessant satt
lecker gemütlich
leider wohl
pünktlich
köstlich

7) Was gehört zusammen?

Vielen Dank	ist ganz super.	_Vielen Dank für die Einladung._
Die Party	wir sind spät dran.	_____
Das Essen	für die Einladung.	_____
Tut mir Leid,	schmeckt ausgezeichnet.	_____

Absender:

An
**Michael Müller
Goethestraße 75
81759 München**

München	**(089)**
Manthey Siegfried	78 91 24
Mantsch Maria	87 76 07
Manuth Eduard	48 88 87
Manz Otto	8 31 45
Marek Marianne	76 39 51
Marhoffer Engelbert	9 77 29
Marjan Cornelia	1 34 71 87
Markel Gudrun	45 18 67

Name **Meier**
Vorname **Gerhard**
Straße **Hauptstraße 186**
PLZ-Ort **70007 Hauptstadt**

E 897288990

Hausnummer (75) und
Postleitzahl (81759)

Telefonnummer mit Vorwahl
für München: (089) 78 91 24

Jeder Pass hat eine
Passnummer: E 897288990

BANK

die Kontonummer   568 20987
die Bankleitzahl   370 667 78

Ist Ihr Konto in den schwarzen oder in den roten Zahlen?
↓ („im Plus")   ↓ („im Minus")
+ 65,00 Euro   − 365,00 Euro

die Geheimzahl
(= der PIN-Code 🔒)

Rechnen:
467 plus 589 ist 1056.
Die **Summe** ist 1056.
100 minus 58 ist 42.
Die **Differenz** ist 42.

HINWEIS

Die **Nummer** ist eine bestimmte Zahl.
467 ist eine **Zahl**.
Die **Ziffern** in dieser Zahl sind 4, 6 und 7.

Gerade Zahlen: 2, 4, 6, 8, 10, ...
Ungerade Zahlen: 1, 3, 5, 7, 9, ...
1, 2, 3, 4, ... sind arabische Zahlen.
I, II, III, IV, ... sind römische Zahlen.

---

zahlen oder **zählen**?
Im Restaurant:
• „Bitte **zahlen**!"
◇ „Zusammen oder getrennt?"
• „Ich **zahle** für alle zusammen."
Der Gast **zählt** sein Geld: 10, 20, 30, ... Er hat nur noch
30 Euro.

rechnen oder **ausrechnen**?
Er ist erst acht Jahre alt und kann schon gut **rechnen**.
Ich **rechne** mal **aus**, was die Reise gekostet hat.

• „Haben Sie eine Glückszahl?"
◇ *Ja, im Lotto setze ich immer auf die 7."*

Unglückszahl: In vielen Hotels gibt es keinen 13. Stock.
    Manche Leute glauben, am 13. haben sie Pech.

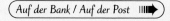
Auf der Bank / Auf der Post ▶

1) Ein Test

1. Unterstreichen Sie die geraden Zahlen: 577, 244, 890, 2345, 3456, 7, 4441, 1114
2. Wie viele Ziffern hat diese Zahl: 3892345,75 ?
3. Was ist die Summe von 98 und 89?
4. Haben die Kapitel in diesem Buch römische oder arabische Zahlen?

2) Richtig oder falsch?

1. Im Supermarkt zahlt man an der Kasse. (A: Kassa)   R   F
2. Die Hausnummer steht in deutschen Adressen vor dem Straßennamen.   R   F
3. Jede Stadt hat eine eigene Telefon-Vorwahl.   R   F
4. Für den Geldautomaten braucht man eine Postleitzahl.   R   F

3) Einige deutsche „Zahl-Wörter"

1. Ich wohne in der Sudermannstr. 56, in 50226 Altstadt.
   56 ist die _____, 50226 ist die _____.
2. Ich hole Geld vom Automaten, da brauche ich eine _____.
3. Auf meinem Konto ist kein Geld mehr, ich habe einen Kredit von der Bank. Man kann sagen,
   mein Konto ist im _____ .
4. Die Zahl 987 hat drei _____ .

4) Was passt nicht in die Reihe?

1. rechnen – zählen – buchstabieren – nummerieren – addieren
2. Postleitzahl – Alter – Hausnummer – Passnummer – Adresse
3. ungerade – arabisch – teuer – gerade – römisch

5) Ordnen Sie die Wörter in die Tabelle ein:

Das kann man zählen:	Das kann man zahlen:
die Finger an der Hand,	

die Finger an der Hand
Geld   ein Essen im Restaurant   einen Sprachkurs   Lehrbücher   Menschen auf einem Kongress
Klavierstunden   Brot(e)   Bonbons   Küsse   die Blumen auf der Wiese

6) Haben Sie eine Glückszahl / Unglückszahl?

Unterhalten Sie sich mit Ihrem Nachbarn / Ihrer Nachbarin.

Im August ist hier Sommer ...

_____

... und hier Winter.

Im Dezember ist hier Winter ...

_____

... und hier Sommer.

DIE MONATE	DIE JAHRESZEITEN		DIE TAGE DER WOCHE	
1 Januar / Jänner (A)			Montag	
2 Februar			Dienstag	
3 März	**Frühling**		Mittwoch *(Mitte der Woche!)*	
4 April	Im Frühling blühen die ersten		Donnerstag	
5 Mai	Blumen.		Freitag	
6 Juni	**Sommer**		Samstag	Wochenende
7 Juli	Im Sommer ist es oft sehr heiß.		Sonntag	
8 August				
9 September	**Herbst**			
10 Oktober	Im Herbst fallen die Blätter.			
11 November				
12 Dezember	**Winter**			
	Im Winter schneit es oft.			

Das sagt man oft:

Ostern ist dieses Jahr schon im März. Voriges Jahr war es Mitte April.

• Wohin fahrt ihr im Sommer in Urlaub? ✧ Wir machen dieses Mal im Winter Urlaub, in der Schweiz.

• Hast du am Wochenende Zeit? ✧ Am Samstag nicht, da muss ich arbeiten, aber am Sonntag geht es.

Nächsten Dienstag muss ich zum Zahnarzt. Normalerweise gehe ich dienstags zum Sport.

Wir besuchen fast jeden Sonntag meine Eltern. Letztes Wochenende sind wir zu Hause geblieben.

der Tag (der Montag, der Dienstag, ...)	am Montag, ...; am Wochenende
die Woche, das Wochenende	montags, dienstags, ...; wochentags
der Monat (der Januar, der Februar, ...)	im Januar, im Februar, ...
das Jahr, die Jahreszeit (der Frühling, der Sommer, der Herbst, ...)	im Frühling, im Sommer, ...

! HINWEIS

Tage, **Monate** und **Jahreszeiten** immer mit **der**!

letztes Jahr, jeden Sonntag, nächsten Dienstag [Akkusativ]

1) Ergänzen Sie die Buchstaben:

1. Nächst*en* Monat lade ich alle meine Freunde zum Geburtstag ein.
2. Vorig_____ Woche hatten wir keinen Unterricht.
3. Willst du lieber ____amstags oder ____ienstags nachmittags Sport machen?
4. Wohin fahren wir nächst_____ Jahr in Urlaub?

2) Jahreszeiten

1. *Im Sommer* _____   ist es in Europa oft sehr heiß.
2. _____   fallen die Blätter von den Bäumen.
3. _____   blühen die ersten Blumen.
4. _____   fällt in Österreich und in der Schweiz viel Schnee.

3) In welchen Monaten sind diese Festtage in diesem Jahr?

1. Dieses Jahr ist Ostern   _____.
2. Hannukkah ist   _____.
3. Ramadan ist   _____.
4. Das chinesische Neujahrsfest ist   _____.

4) Terminplanung

September			
Do	Fr	Sa	So
			zu Mutti
	16.30 Uhr Feierabend		
19 Uhr Volleyball			

1. Ute: Hallo, Kurt, hast du Lust, heute Abend ins Kino zu gehen?
2. Kurt: Nee, tut mir Leid. *Donnerstags* habe ich immer Volleyball.
3. Ute: Und wie wär's am Wochenende? Hast du _____
   _____ oder _____ _____ schon was vor?
4. Kurt: Na ja, _____ besuche ich immer meine Mutter.
   Ich war schon _____ Sonntag nicht dort, da muss ich
   _____ Sonntag auf jeden Fall hin.
5. Ute: Und morgen? Wann hast du denn _____ nach der Arbeit frei?
6. Kurt: Um halb fünf. Hol mich doch im Büro ab, dann gehen wir gleich von dort los.

5) Finden Sie die Monate?

Malen Sie einen Kreis um die Wörter und schreiben Sie sie mit dem Artikel daneben. (8 Wörter)

U	A	X	S	F	M	O	V	F	E	O	L	B	G	X	N	O	R
E	J	H	A	C	S	M	R	N	N	U	A	S	E	M	Y	K	D
J	U	S	J	M	O	J	R	E	S	E	P	T	E	M	B	E	R
P	L	E	J	A	N	U	A	R	S	T	I	N	L	I	A	U	U
S	I	C	A	N	I	N	T	S	K	O	K	T	O	B	E	R	K
Z	Ü	R	S	C	V	I	W	Z	A	T	R	H	D	I	W	F	O
M	A	E	H	R	E	A	U	G	U	S	T	I	S	M	U	R	A
E	K	F	E	B	R	U	A	R	Q	O	K	G	D	A	R	A	Q
O	R	A	D	K	E	N	Z	C	W	E	A	T	E	I	Z	U	E

der Januar
_____
_____
_____
_____
_____
_____
_____

*Morgens um Viertel nach 6
klingelt der Wecker, ich stehe auf.
Mein Mann rasiert sich schon.*

Um 7 Uhr frühstücken wir.

*Am Vormittag arbeite ich
als Psychologin.*

*Um halb eins mache ich
schnell ein kleines Mittagessen für die Kinder und mich.*

*Am Nachmittag bringe ich
die Kinder oft zum Sport.*

*Endlich! Am Abend sitzen
wir alle zusammen und essen.*

UHRZEIT	TAGESZEIT		MAHLZEITEN	
6–9 Uhr	morgens	am Morgen	das Frühstück	frühstücken
9–12 Uhr	vormittags	am Vormittag	der Imbiss / die Jause (A)	einen Imbiss einnehmen
12–14 Uhr	mittags	am Mittag	das Mittagessen	zu Mittag essen
14–18 Uhr	nachmittags	am Nachmittag	das Kaffeetrinken	Kaffee trinken
18–22 Uhr	abends	am Abend	das Abendessen	zu Abend essen
22–6 Uhr	nachts	in der Nacht		

DIE UHRZEIT

Die offizielle Uhrzeit (im Radio, am Flughafen usw.):   Man sagt privat, mündlich:

13.00 Uhr: Es ist dreizehn Uhr.	Es ist **ein** Uhr.
13.15 Uhr: Es ist dreizehn Uhr fünfzehn.	Es ist Viertel nach **eins**.
17.30 Uhr: Es ist siebzehn Uhr dreißig.	Es ist halb sechs.
20.45 Uhr: Es ist zwanzig Uhr fünfundvierzig.	Es ist Viertel vor neun.
21.05 Uhr: Es ist einundzwanzig Uhr fünf.	Es ist fünf nach neun.

---

der Morgen, der Vormittag, der Mittag, der Nachmittag   ! die Nacht

die Uhr, die Zeit, die Uhrzeit; der Tag, die Tageszeit, die Mahlzeit

aufstehen, sich rasieren, das Frühstück / das Mittagessen machen

die Kinder zum Sport bringen, zusammensitzen / zusammen essen (siehe Hinweis Seite 22)

---

1) Wie bitte???

Trennen Sie die Wörter! Schreiben Sie den Text noch einmal richtig.

JedenMorgensteheichumViertelvorachtauf. NachdemDuschenfahreichinsBüro.
DortfrühstückeicherstmalundlesedieZeitung. ZuMittagessenmeineKollegenundichinderCafeteria.
NachmittagstrinkenwiramSchreibtischeinenKaffee. UmViertelnachfünfgeheichnachHause.

2) Wie sagt man diese Uhrzeiten?

	offiziell:	mündlich:
1. 18.50 Uhr:	*Es ist achtzehn Uhr fünfzig.*	*Es ist zehn vor sieben.*
2. 24.00 Uhr:	_____	*Es ist Mitternacht.*
3. 15.15 Uhr:	_____	_____

3) Wie sagt man diese Uhrzeiten mündlich?

1. Es ist fünf nach sieben.

2. Es ist _____.

3. Es ist _____.

4. Es ist _____.

4) Was machen Frauen, Männer, Kinder wann?

morgens	vormittags	mittags	nachmittags	abends	nachts
aufwachen			spielen		

sich rasieren   „Kaffee trinken"   in die Schule gehen   ~~spielen~~   Schularbeiten machen
zu Bett gehen   zur Arbeit gehen   zu Abend essen   aufstehen   schlafen   ins Konzert gehen
frühstücken   ~~aufwachen~~   arbeiten   einen Imbiss einnehmen   träumen   kochen
(von der Schule) nach Hause fahren

5) Wie sieht Ihr Alltag aus?

Beschreiben Sie Ihren Tagsablauf und vergleichen Sie ihn mit Ihrem Partner / Ihrer Partnerin.
Um ... Uhr: aufstehen; um ... Uhr: frühstücken; um ... Uhr: mit ... zur Arbeit fahren

13 Entschuldigung, wo finde ich Kartoffel-Chips?

GETRÄNKE, CHIPS

das Getränk
der Orangensaft   der Kaffee
das Mineralwasser   der Tee
die Cola
die Kartoffel-Chips ⌒ (Plural)

TIEFKÜHLKOST

das Eis / die Glace (CH)
das gefrorene Gemüse
die Pizza

WASCHMITTEL

das Waschmittel
das Waschpulver
die Seife
das Toilettenpapier
das Taschentuch
das Tempo-Taschentuch
die Serviette

der Einkaufswagen

MILCH, KÄSE, EIER

die Milch   der Käse
die Butter   die Margarine
der Joghurt   der Quark /
das Ei   der Topfen (A)

FLEISCH, FISCH

das Fleisch
das Schnitzel
das Kotelett
das Steak
der Braten
die Wurst
die Salami
der Schinken
der Fisch
das Fischfilet

NUDELN, REIS

die Nudel
die Spaghetti (Plural)
der Reis
das Öl
der Essig

die Kasse / Kassa (A)

- „Entschuldigung, wo finde ich Kartoffel-Chips?"
- „Im ersten Gang links, im Regal gleich neben der Cola."

EINKAUFEN IM SUPERMARKT

etwas suchen → sich nach etwas erkundigen → etwas finden → bezahlen

10 Flaschen Cola
2 große Tüten Chips
12 Eier
1 Pfund Fischfilet
100 g Käse
2 l Milch
1 Paket Servietten
1 Dose Ananas

die Einkaufsliste

der Supermarkt, der Gang, das Regal
das Sonderangebot
die Liste, die Einkaufsliste; der Wagen, der Einkaufswagen
die Flasche, die Tüte, das Paket, die Dose
g = Gramm; l = Liter
1 kg (Kilogramm) = 1000 g; 1 Pfd. (Pfund) = 500 g
100 Gramm = 10 Deka(gramm) = 10 dag (A)

SONDERANGEBOT!!!
100g Gouda Käse heute nur 0,49 Euro!

In der Bäckerei / Auf dem Markt ▐▐▐➡ 14

1) Wo finde ich was?

| Joghurt | Spaghetti | Mineralwasser | ~~Quark~~ | Schnitzel | Orangensaft | Fischfilet |
| | Wurst | Butter | Tee | Basmatireis | Lasagne | Topfen |

Milch, Eier, Käse	??	Fleisch, Fisch	Nudeln, Reis
Quark			

2) Was passt nicht in die Reihe?

1. Butter – Käse – Wurst – Joghurt – Milch
2. Mineralwasser – Cola – Saft – Öl – Limonade
3. Gramm – Regal – Liter – Pfund – Kilogramm

3) Wissen Sie das?

1. In der Schweiz sagt man nicht „Eis", sondern _____ .
2. Mit einem _____ kann man sich die Nase putzen.
3. Spaghetti, Lasagne, Penne usw. haben auch einen deutschen Sammelnamen: _____ .
4. Kotelett und Schnitzel muss man braten, aber _____ und Schinken isst man kalt
   mit Brot.
5. Kemal ist Vegetarier. Er isst Reis, Gemüse und Eier, aber kein _____ .

4) Frau Andres schreibt einen Einkaufszettel und denkt laut

„Was brauche ich eigentlich? Was koche ich morgen? Nicht immer Kartoffeln, ich kaufe mal _Reis_ .
Und dazu Gulasch, also Rindfleisch, vielleicht ein halbes _____ 1. Dazu einen Salat. Habe ich
alles für die Salatsoße? Ja, Öl ist da, aber _____ 2 fehlt. Für das Frühstück am Sonntag und für
den Kuchen brauche ich noch sechs _____ 3. Und natürlich _____ 4 für die Kinder, für
die Cornflakes und zum Trinken: Das ist gesund! Für die Schulbrote brauche ich noch Schinken,
Salami und auch noch _____ 5, vielleicht einen Camembert? Und für unseren Fernsehabend
kaufe ich eine Packung _____ 6 und eine Flasche _____ 7. So, das wär's."

5) Maßeinheiten

Ergänzen Sie:

_____ Schinken   _____ Margarine
_____ Milch   _____ Waschpulver

| 1 Paket | 1 Pfd. | 2 l |
| 150 g | 15 dag | |

14 Ich hätte gern vier Brötchen!

die Verkäuferin

das Brötchen
die Semmel
(A / süddt.)
das Weggli (CH)

das Croissant

die Brezel

der Kuchen   die Torte

das Baguette

die Kundin

- „Guten Tag, was darf es sein?"
- ◇ „Ich hätte gern drei Brötchen und ein Croissant!"
- „Das macht zusammen einen Euro achtzig."

der Verkäufer, die ~in
der Kunde, die Kundin
der Bäcker, die ~in
die Bäckerei

Brotsorten	Kuchen	Torten	das Gebäck
das Weißbrot	der Apfelkuchen	die Obsttorte	*kleine süße Backwaren* (D)
das Graubrot	der Käsekuchen (aus Quark)	die Sachertorte	*salzig* (A): Semmeln, Brezeln
das Vollkornbrot	der Kirschkuchen	die Schokoladentorte	

So kann Brot und Gebäck sein: süß ↔ salzig, lecker (*schmeckt gut*)

ein halbes Brot / die Hälfte   ein Stück Torte / Kuchen

Auf dem Markt gibt es Obst und Gemüse

das Obst		das Gemüse
der Apfel	die Birne	die Kartoffel / der Erdapfel (A)
die Banane	die Pflaume	die Tomate / der Paradeiser (A)
die Orange / die Apfelsine	die Zitrone	die (grüne) Bohne / die Fisole (A)
die Kirsche	die Ananas	der Blumenkohl / der Karfiol (A)
die Aprikose / die Marille (A)		die Paprika, der Salat

So kann Obst und Gemüse sein: süß ↔ sauer, frisch ↔ alt, billig ↔ teuer
Das gibt es auch: Bio-Obst und Bio-Gemüse.

das Schild →

Frisch vom Bio-Bauern:
500 g
Kirschen
1,49 €

Das sagen Verkäufer und Kunden:	Andere Fachgeschäfte:
• Darf es etwas mehr sein? (z.B. 110 Gramm statt 100)	Für Fleisch: die Metzgerei / die Fleischhauerei (A)
• Ist das alles? ◇ Ja, danke. / Nein, ich hätte gern noch …	Für Körperpflege: die Drogerie
• Noch etwas? ◇ Nein, danke. / Ja, bitte noch 2 Pfund …	Für Zigaretten und Zeitschriften: der Zigarettenladen, der Zeitschriftenladen, die Trafik (A)

Im Supermarkt ◀▥ 13

1) Obst oder Gemüse?

Obst

1. _die Zitrone_ _____
2. _____
3. _____
4. _____
5. _____

Gemüse

6. _____
7. _____
8. _____
9. _____
10. _____

Apfel   Apfelsine   Salat   Birne   Blumenkohl   Bohne   Kartoffel   Zitrone   Fisole   Marille

2) Süß oder salzig?

Süß: _der Kuchen_ _____

_____

_____

Salzig: _das Brot_ _____

_____

_____

~~der Kuchen~~
Brötchen   Torte
Brezel   Baguette
Gebäck   Semmel
~~das Brot~~

3) Was hätten Sie gern?

1. „Ich hätte gern _ein Baguette._ _____ "   2. „Ich _____ "

4) Was passt nicht in die Reihe?

1. Semmel – Brötchen – Graubrot – Birne – Schokoladentorte
2. Apfelsine – Apfel – Brezel – Orange – Kirsche
3. Paprika – Karfiol – Bohne – Pflaume – Tomate

5) Auf dem Markt

Verkäufer: Guten Tag, was darf es sein? Schöne _frische_ Pflaumen?

Kundin: Was _____ ₁ die?

Verkäufer: 1 Euro 30 das _____ ₂.

Kundin: Gut, _____ ₃ Sie mir ein Kilo. Und was kosten die Kirschen?

Verkäufer: Die sind heute ganz _____ ₄, nur 2 Euro 40 das Kilo.

Kundin: Dann _____ ₅ ich _____ _____ ₆ bitte. _____ ₇ Sie Blumenkohl?

Verkäufer: Ja, hier. Der kostet 1 Euro 60 das _____ ₈.

Kundin: Dann hätte ich gern _____ _____ ₉.

Verkäufer: Ja, natürlich, bitte sehr. 3 Euro 20.

Kundin: Vielen Dank, das ist alles.

Verkäufer: Das _____₁₀ zusammen 5 Euro 70.

Kundin: Hier _____ ₁₁ 10 Euro.

Verkäufer: Und 4 Euro 30 zurück. Vielen Dank. Auf Wiedersehen!

geben
haben
kosten
machen
nehmen
sein

Kilo
Pfund
Stück
zwei

billig
~~frisch~~

15 Wir möchten gern ein Konto eröffnen.

Das können Sie bei uns schnell und leicht machen:

- ein Konto eröffnen / ein Sparbuch anlegen
- Geld aufs Konto einzahlen / vom Konto abheben (direkt am Schalter)
- schnell Bargeld am Automaten abheben
- Geld wechseln – ohne Gebühr!

Und wenn Sie einen Kredit aufnehmen wollen – wir beraten Sie gerne!

- „Wir möchten gern ein Konto eröffnen."
- ⋄ „Möchten Sie ein Giro-Konto oder ein Spar-Konto?"

Wechselkurse von heute:

1 US $ = € 1,03
1 £ = € 1,60

AUF DER BANK

die Bank, der Schalter, der Bankschalter; das Konto, das Sparbuch, das Bargeld
die Einzahlung ↔ die Auszahlung, die Überweisung, der Scheck
die Kreditkarte, der Kredit, die Zinsen (Plural), der Wechselkurs
der / die Bankangestellte, der Berater, die ~in
das Giro-Konto ⌒: *für Überweisungen des Gehalts etc.*
das Spar-Konto: *Man bekommt mehr Zinsen.*

AUF DEM POSTAMT

der Brief
die Briefmarke (das Porto)
die Adresse
der Absender
das Paket
das Päckchen
die Postkarte

- „Ein Paket nach Tokyo? Per Luftpost?" ⋄ *Ja bitte. Und was kostet ein Brief innerhalb der EU?"*

Das sagt man oft:
Kann man an diesem Schalter auch Pakete aufgeben?
Ich möchte das Paket per Luftpost schicken. (per Express / mit normaler Post / auf dem Seeweg / per Einschreiben)
Ich muss noch schnell den Brief einwerfen.
Ich muss heute noch auf die Post (gehen).
Wann kommt normalerweise der Briefträger?

die Post, das Postamt, der (Post-)Schalter, die Postsendung, die Sondermarke, die Luftpost,
der Seeweg, das Einschreiben, der Briefträger, die ~in / der Pöstler, die ~in (CH)

38   achtunddreißig

1) Geld, Geld, Geld – Welche Verben braucht man hier?

1. Guten Tag, ich möchte gern 200 Euro von meinem Konto _abheben_.
2. Wir wollen ein Auto kaufen und möchten einen Kredit _____.
3. Wo kann ich hier Geld _____? Ich brauche kanadische Dollar.
4. Kann mein Arbeitgeber das Gehalt direkt auf mein Giro-Konto _____?

wechseln
aufnehmen
überweisen
~~abheben~~

2) Silbenrätsel

brief – ket – to – to – lung –mar – mat – zah – pa – ~~luft~~ – kon – ke – ein – au – geld – ~~post~~

die Luftpost, _____

3) Kombinationen

Welches Verb gehört zu welchem Präfix? (Alles dreht sich um Geld.)

1. ab-_heben_____   4. auf-_____

2. ein-_____   5. er-_____

3. über-_____   6. an-_____

zahlen   weisen
~~heben~~   legen
öffnen   nehmen

4) Geldüberweisung

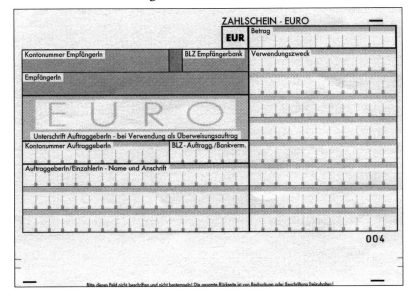

a. Sie wollen Firma Gereke € 60,- für ein Zeitschriftenabonnement überweisen.

Füllen Sie das Formular aus.

Firma Gereke
Bank: Bank für Wirtschaft
Bankleitzahl: 580 112
Kontonummer: 1234-98765

b. Wie ist der Wechselkurs zwischen Ihrer Währung und Euro? Hier können Sie nachschauen:
http://www.oanda.com/convert

5) Auf der Post

Bitte ordnen Sie den Dialog. Schreiben Sie ihn neu.

„Luftpost eine Woche, Seeweg bis zu zwei Monaten."   „Das macht insgesamt 48 Euro 50."
„Guten Tag, was kostet ein Brief nach Spanien?"   „Per Luftpost oder auf dem Seeweg?"   „Ein Euro."
„Dann hätte ich gern fünf Briefmarken zu einem Euro."   „Dann bitte per Luftpost."
„Nein, danke. Und dann möchte ich dieses Paket aufgeben, nach Mexiko."
„Wie lange dauert das?"   „Möchten Sie Sondermarken?"

16 Alles für Ihre Küche!

Alles für Ihre Küche – *modern, praktisch, schön!*

Ganz neu: der Küchentisch „PRAKTISCH" aus Birkenholz!

Der Stuhl „BEQUEM" passt wunderbar dazu!

der Kühlschrank „COOL" – spart Energie!

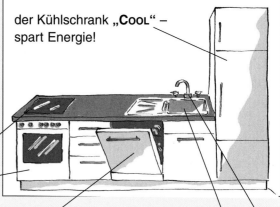

Die moderne Einbauküche!
Besser kochen auf dem Herd „KOCHFIX"!
Kuchen backen und mehr: der Ofen „EXQUISIT"!

Ein Gasherd funktioniert mit Gas, ein Elektroherd funktioniert mit elektrischem Strom.

Nie wieder Geschirr abwaschen – der Geschirrspüler „BLITZBLANK" macht das für Sie!

Die funktionale Spüle, der exklusive Wasserhahn: Qualität pur!

Alles für Hobbyköche: Der Kochtopf „ELEGANT" macht Sie zum Profi!
Die Pfanne „PIKANT" – exzellentes Braten!

... UND PASSENDES GESCHIRR UND BESTECK

 der Teller
die Schüssel

das Messer

das Brotmesser
das Küchenmesser

 das Glas
die Tasse

die Gabel
der Löffel

der Teelöffel
der Kaffeelöffel

Das passt zusammen:

Man schneidet etwas mit dem Messer. Man kocht etwas in einem Kochtopf (mit Wasser).	schneiden, kochen
Man brät etwas in einer Pfanne (mit Fett). Man backt etwas in einem Ofen.	braten, backen
Man isst etwas mit dem Löffel / mit der Gabel ...	essen
Mit dem Teelöffel / Kaffeelöffel rührt man den Tee / Kaffee um.	umrühren
Man trinkt aus der Tasse / aus dem Glas. Man isst vom Teller.	trinken

der Herd, das Gas, der Strom, die Küche, das Geschirr, das Besteck, der Koch, die Köchin
der Stuhl (D, CH) / der Sessel (A), der Topf (D, A) / die Pfanne (CH)

Kochen und Essen |||▶ 17

1) der – das – die?

a. Ordnen Sie die Wörter nach ihrem Artikel.

der *Teller,* _____

das _____

die _____

Küche   Topf   Tasse   Löffel   Spüle   Messer   Glas   Tisch   Stuhl   Pfanne
Geschirr   Herd   ~~Teller~~   Schrank   Gabel

b. Ergänzen Sie: Substantive mit einer Silbe sind meistens _____ .

2) Was gehört zusammen?

1. *der Kaffeelöffel* _____   4. _____

2. _____   5. _____

3. _____

Spüler   ~~Kaffee~~   Geschirr-
Koch-   Brot-   Topf   Messer
Schrank   ~~Löffel~~   Kühl-

3) Was passt nicht?

1. braten – backen – essen – kochen   3. Herd – Spüle – Wasserhahn – Teelöffel

2. Messer – Tasse – Gabel – Löffel   4. Tisch – Teller – Schüssel – Glas

4) Womit oder worin macht man das?

Ergänzen Sie: Achten Sie auf die richtige Präposition!

1. schneiden: *Mit dem Messer schneidet man.*   4. kochen: _____

2. essen: _____   5. abwaschen: _____

3. backen: *Im* _____   6. den Tee umrühren: _____

Kochtopf   ~~Messer~~   Teelöffel   Geschirrspüler   Besteck   Ofen

5) Rund um die Küche

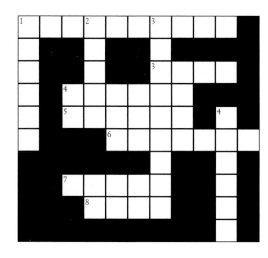

Waagrecht: 1. Damit schneidet man das Brot:
3. Darauf kocht man:
4. Fleisch brät man in der ...
5. So sagt man in Österreich für „Stuhl":
6. Zum ... braucht man ein Glas.
7. Die ... hat einen Wasserhahn.
8. Darin backt man den Kuchen:

Senkrecht: 1. Das macht man in der Pfanne:
2. Das benutzt man zum Kochen: (Plural)
3. Das Messer benutzt man zum ...
4. Vom ... isst man.

Kochkünstler!

die Zwiebel

der Knoblauch

die Karotten

die Petersilie

die Paprika

die Zucchini

PINIEN KERNE

der Weißwein

■ „Zwiebeln, Karotten, Paprika und Zucchini klein schneiden.

■ Pinienkerne anbraten, dann nach und nach das Gemüse hinzu-geben.

■ Gleichzeitig Reis kochen. Knoblauch klein schneiden und zum Gemüse geben.

■ Mit Pfeffer und Salz würzen, etwas Weißwein und saure Sahne dazugeben. Gut umrühren.

■ Am Schluss den Reis hinzugeben und mit Petersilie bestreuen!"

• „Das sieht ja lecker aus! Ist das vegetarisch?"
✧ „Ja, Klaus ist doch Vegetarier, darum gibt es heute eine Gemüsepfanne mit Reis."

KOCHEN UND BRATEN

das Gemüse	klein schneiden
Pinienkerne und Gemüse	anbraten
mit Pfeffer und Salz	würzen
Knoblauch	hinzugeben
gut	umrühren
mit Petersilie	bestreuen

ADJEKTIVE

süß: z.B. Kuchen und Pudding

sauer: z.B. Zitronen

salzig: mit Salz gekocht

scharf: mit viel Pfeffer, z.B.: eine scharfe Soße

mild: nicht scharf

fett: mit viel Fett, z.B. fettes Fleisch, eine fette Soße

mager: ohne Fett / mit sehr wenig Fett gekocht

bitter: Kaffee schmeckt etwas bitter.

Das sagt man oft:
Sind Sie Vegetarier? Essen Sie Fleisch? Können Sie alles essen? Ich esse alles gern!
Jonas macht Diät – er will abnehmen. (= dünner werden)
Was gibt es denn heute zu essen? Ich hab' einen Riesenhunger.
Ich habe Durst. Ich muss unbedingt etwas trinken.
• Möchten Sie noch etwas? ✧ Nein danke, ich bin schon satt. (satt ↔ hungrig)

ESSEN MACHEN

das Frühstück machen
das Mittagessen kochen
das Abendbrot vorbereiten / machen } die Mahlzeiten (die Mahlzeit)
das Abendessen kochen
nach einem Rezept kochen

der Reis, die Gemüsepfanne
der Vegetarier, die ~in
der Kuchen, der Pudding, die Zitrone
die Soße, die Suppe
der Pfeffer, das Salz, der Knoblauch
die Petersilie, das Öl, das Fett
die Diät, das Essen
das Rezept, ein Rezept ausprobieren
der Hunger – hungrig sein ↔ satt
der Durst – durstig sein

Im Supermarkt ◀▮▮▮ 13; In der Bäckerei / Auf dem Markt ◀▮▮▮ 14

1) Wie schreibt man das?

1. Das sieht ja lecker aus!
2. I__t du Fleisch, Isolde?
3. Der Kuchen ist sehr sü__.

4. Heute gibt es Fleisch mit Rei__.
5. Herbert i__t Vegetarier.
6. Ich mag kein sal__iges Essen.

7. Was gibt es zum Mittage__en?
8. Das Fleisch ist mir zu fe__.
9. Ist das Fr__stück schon fertig?

2) Saure Zitronen

Was passt zusammen? Manche Wörter passen mehrmals.

> Kuchen Zitrone Kaffee Soße Suppe

> salzig fett bitter sauer süß

Zitronen sind sauer. Kuchen ist ...

3) Finden Sie Gegensätze:

Vorsicht: Manche Wörter haben mehr als einen Gegensatz!

süß ↔ sauer,

> süß   fett   salzig
> lecker   mager   scharf
> sauer   mild   schlecht
> bitter

4) Wie kann man das noch sagen?

1. Frau Baumeister isst kein Fleisch. Sie ist _____.
2. Markus Bolten will abnehmen. Er _____.
3. Walter Podiuk hat genug gegessen – er ist _____.

5) Fette Gewinne!

Finden Sie die Bedeutung der unterstrichenen Ausdrücke. Hier werden sie bildlich gebraucht.

1. Die Firma macht fette Gewinne.　　　　　　a. attraktiv
2. Paul ist wirklich süß.　　　　　　　　　　b. wütend
3. Meine Freundin hat mich gestern nicht abgeholt
　　– da war ich wirklich sauer.　　　　　　　c. schlecht
4. Die Politikerin gab eine scharfe Antwort.　　d. groß
5. Das Ergebnis ist aber mager!　　　　　　　e. aggressiv

6) Was essen Sie wann?

In den deutschsprachigen Ländern isst man in den Familien oft eine warme Mahlzeit am Mittag und abends Brot mit Käse oder Wurst. Viele Leute essen aber am Mittag nur ein belegtes Brötchen und abends warm. Wie ist das bei Ihnen? Schreiben Sie auf, was Sie wann essen und wer das Essen macht. Vergleichen Sie mit Ihrem Nachbarn / Ihrer Nachbarin.

	Wer macht es?	Wann essen Sie?	Hauptmahlzeit (warm / kalt)?	Was essen Sie?
Frühstück				
Mittagessen				
Abendessen				
andere Mahlzeiten				

18 Heute Abend gehen wir essen!

- „Weißt du was? Heute Abend gehen wir essen!"
- ◇ „Prima Idee! Am liebsten in ein türkisches Restaurant!"
- „Gut, ich reserviere einen Tisch."

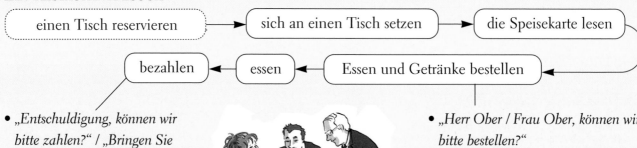

Die Speisekarte
Vorspeisen
Hauptspeisen
Nachspeisen / Desserts
Menüs
Getränke

EIN RESTAURANTBESUCH

einen Tisch reservieren → sich an einen Tisch setzen → die Speisekarte lesen

bezahlen ← essen ← Essen und Getränke bestellen

- „Entschuldigung, können wir bitte zahlen?" / „Bringen Sie mir bitte die Rechnung?"
- ◇ „Ja, gerne – zahlen Sie bar oder mit Kreditkarte?"

- „Herr Ober / Frau Ober, können wir bitte bestellen?"
- „Ich hätte gerne ..." / „Ich nehme ..."
- „Bringen Sie mir bitte noch Brot?"
- ◇ „Darf es sonst noch etwas sein? Ein Dessert? Ein Kaffee?"

die Rechnung, die Kreditkarte, bar zahlen / bezahlen
die Speise, die Vorspeise, das Dessert, das Menü, das Getränk

WOHIN GEHEN WIR ZUM ESSEN?

- Ins (= in das) Restaurant: Hier muss man meistens etwas essen. Die Atmosphäre ist eher formell.
- Ins Gasthaus: Hier isst man meistens etwas. Die Atmosphäre ist nicht sehr formell. Auf dem Land heißen Restaurants meistens „Gasthaus". Im Sommer sitzt man draußen im „Biergarten".
- Ins Café: Hier kann man oft etwas essen, aber es gibt vor allem süße Dinge (Kuchen, Gebäck).
- Ins Kaffeehaus (A): Hier kann man auch richtig essen. Zum Nachtisch gibt es eine Mehlspeise (Kuchen, etwas Süßes).
- In die Kneipe (ins Beisl, A): Hier trifft man abends Freunde und trinkt oft Bier oder Wein. Meistens gibt es auch etwas zu essen. Die Atmosphäre ist informell.
- In die Mensa: Die Mensa ist nur für Studierende. Das Essen ist billig. Die Mensa ist nur mittags geöffnet.
- In die Kantine: Viele Firmen haben eine Kantine. Dort können die Mitarbeiter billig zu Mittag essen.
- Zur Imbissbude: Hier isst man im Stehen, unter freiem Himmel. Oft gibt es heiße Würstchen.

das Gasthaus, das Café, die Kneipe / das Beisl (A), die Mensa, die Kantine, die Imbissbude, der Biergarten
der Kuchen, das Gebäck, die Mehlspeise, das Bier, der Wein, das Würstchen / das Würstel (die Wurst)

TRINKGELD-TIPP

In den deutschsprachigen Ländern gibt man in der Regel ca. 5 – 10 % Trinkgeld. Man addiert das Trinkgeld meistens direkt zu der Rechnung:
- 28 Euro bitte. ◇ (Machen Sie) 30 Euro! (2 Euro ist das Trinkgeld.)

Kochen und Essen ◀||| 17

44 vierundvierzig

1) Die Speisekarte
Ordnen Sie.

	das Wiener Schnitzel die Suppe das Bier
Vorspeisen:	der Saft das Zitroneneis ~~der Rinderbraten~~
Hauptspeisen: *der Rinderbraten,*	die Schokoladencreme das Mineralwasser
Nachspeisen:	der Rotwein der Kaffee die Obstsalat
Getränke:	der kleine Salat die Pizza die Mehlspeise

2) Wohin gehen sie?
1. Paula und Bernd wollen abends ein Bier trinken und sich etwas unterhalten.
   → *Sie gehen in die Kneipe „Kreuzberg".*
2. Frau Sikowski hat Lust auf eine Currywurst.
   → _____
3. Herr Keicher lädt wichtige Geschäftsleute zum Essen ein.
   → _____
4. Frau Merz und Frau Kiebold sind Rentnerinnen. Sie wollen am Nachmittag gemütlich Kaffee trinken und Kuchen essen.
   → _____
5. Peter Wolters ist Student. Nach der Vorlesung hat er großen Hunger.
   → _____

das Café „Mozart"
~~die Kneipe „Kreuzberg"~~
die Uni-Mensa
die Imbissbude „Bei Hilda"
das Restaurant „Aubergine"

3) Eine Filmszene
Formulieren Sie das Drehbuch aus. Achten Sie auf die Wortstellung!
Es ist dunkel und regnerisch. Ein Mann mit Hut betritt das Restaurant „Alte Eiche".

1. *Der Mann mit Hut*	Der Mann mit Hut – an den Tisch am Fenster (sich setzen)
2. _____	Er – nur kurz – die Speisekarte (lesen)
3. _____	Er – nur ein Glas Wein (bestellen)
4. _____	Er – nichts essen (wollen)
5. _____	Nach zehn Minuten – er (bezahlen und gehen)

4) Wie kann man das höflicher sagen?
1. „Bestellen bitte!"   → *„Herr Ober / Frau Ober, können wir bitte bestellen?"*
2. „Die Speisekarte bitte!"   → _____
3. „Frau Ober, noch ein Bier!" → _____
4. „Die Rechnung bitte!"   → _____

5) Rollenspiel Restaurantbesuch
Spielen Sie mit Ihrem Nachbarn / Ihrer Nachbarin einen Restaurantbesuch oder notieren Sie den Dialog. Einige Ausdrücke finden Sie im Kasten. Verwenden Sie die Speisen und Getränke aus Übung 1.

• Guten Abend.	⬧ Guten Abend. Bringen Sie mir bitte die Speisekarte?
• Möchten Sie bestellen?	⬧ Ja, ich hätte gern ... / ich nehme ...
Und zum Trinken?	...
... sonst noch etwas ...?	⬧ Ja ... / Nein danke ...

Im Appollo läuft ein guter Film.

- „Guten Abend. Ich habe zwei Karten reserviert
  für den Film ‚Lola rennt', um 9 Uhr."
- ✧ „Auf welchen Namen denn?"
- „‚Albert'."

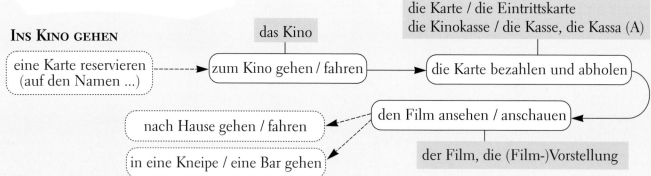

INS KINO GEHEN

das Kino

die Karte / die Eintrittskarte
die Kinokasse / die Kasse, die Kassa (A)

eine Karte reservieren
(auf den Namen ...) ⇢ zum Kino gehen / fahren → die Karte bezahlen und abholen

den Film ansehen / anschauen

nach Hause gehen / fahren

der Film, die (Film-)Vorstellung

in eine Kneipe / eine Bar gehen

Das sagt man oft:
- Im Apollo läuft „Lola rennt". Hast du Lust – gehen wir in den Film?
- ✧ Wann ist die Vorstellung?
- Um 9. / Der Film läuft um 9 Uhr.
War **das** ein guter / schlechter / trauriger / lustiger Film! (= Der Film war sehr gut. / ...)
Ich fand den Film / das Konzert ... gut ↔ schlecht / interessant, spannend ↔ langweilig / ...

INS KONZERT ODER INS THEATER GEHEN?

das Konzert →
→ das klassische Konzert (z.B. J.S. Bach); das Orchester, der Dirigent, die ~in
→ die Oper (z.B. „Die Zauberflöte" von Mozart); der Sänger, die ~in
→ das Popkonzert, das Rockkonzert, das Jazzkonzert; die Rockmusik, der Jazz ⊖
die Band ⊖, der Song / das Lied, der Sänger, die ~in

das Theater ⟶ das Theaterstück, der Schauspieler, die ~in; die Theateraufführung / die Aufführung

Das sagt man oft:
Hast du Lust – gehen wir heute ins Theater / ins Konzert?
Heute spielt eine gute Band in der „Fabrik" – gehen wir hin?
Die Aufführung gestern war wirklich gut!

Schauspielhaus

INS MUSEUM GEHEN / IN EINE AUSSTELLUNG GEHEN

Das Fotomuseum Husum lädt ein zur Eröffnung
der Ausstellung

Bilder aus Afrika

Am Sonntag, 12.4.2003, 18 h – 20 h

die Eröffnung, die Ausstellung, das Museum
in eine Ausstellung gehen
sich eine Ausstellung ansehen / anschauen

Manche Menschen bleiben lieber zu Hause und sehen fern.

1) Was passt?

Einige Wörter passen mehr als einmal.

1. einen Film _anschauen / ansehen_   4. Karten fürs Kino _____

2. sich eine Ausstellung _____   5. Heute _____ eine deutsche Rapband in der Uni-Mensa.

3. Eine Ballettgruppe _____ im „Deutschen Theater" _____.

> reservieren   auftreten   anschauen   spielen   ansehen   abholen

2) Ordnen Sie zu:

Manche Wörter passen mehr als einmal.

Theater	Museum	Kino	Konzerthalle

> die Filmvorstellung   die Band   der Schauspieler   die Aufführung   Fotos
> die Sängerin   die Eintrittskarte   die Ausstellung   die Eröffnung   Bilder

3) Wo macht man das?

1. die Karte abholen → _an der Kasse_   3. einen Film ansehen → _____

2. fernsehen → _____   4. sich eine Ausstellung ansehen → _____

4) Ergänzen Sie:

Achten Sie auf die richtige Verbform.

1. • Hast du den Film „Mephisto" schon ____gesehen____ ? ◇ Ja, den kenne ich schon.

2. Im Filmstudio _____ jetzt der Film „Lola rennt".

3. Am Freitag gehen alle Leute ins Kino – wir müssen unbedingt Karten _____.

4. Morgen _____ die Rockband „Die Toten Hosen". Die musst du unbedingt sehen!

5. Ich _____ lieber zu Hause und lese ein spannendes Buch.

5) Ein trauriger Film

Hier stimmt etwas nicht – bringen Sie die Erzählung in die richtige Reihenfolge.

Am Schluss waren alle allein. Ich habe angerufen und zwei Karten reserviert. Darum musste ich mir den Film allein ansehen. Das nächste Mal schaue ich mir einen lustigeren Film an! ~~Gestern wollte ich mit einem Freund ins Kino gehen.~~ Es war eine tragische Liebesgeschichte. Der Mann liebte eine Frau, die einen Mann liebte, der eine andere Frau liebte. Ich war ganz traurig und bin gleich nach Hause gegangen. Ich war pünktlich beim Kino, aber mein Freund kam nicht. Sehr kompliziert.

Gestern wollte ich mit einem Freund ins Kino gehen. Ich habe angerufen und ... _____

6) Wann waren Sie zuletzt im Kino?

Sprechen Sie mit Ihrem Nachbarn / Ihrer Nachbarin. Fragen Sie, wann er / sie zuletzt im Kino / Theater / Konzert ... war. War der Film / das Konzert ... hervorragend / gut / nicht so gut / schlecht?

Willkommen auf meiner ganz privaten Homepage!

Mein Name ist Paul Melchior, ich bin am 23.5.1978 geboren.
Ich wohne in Potsdam bei Berlin.

Wollen Sie mehr von mir wissen?

Hier erfahren Sie etwas über meine Hobbys:

*Das bin ich mit meiner
Katze Felicia.
Ich liebe Katzen!*

*Ich gehe oft schwimmen
- das ist gesund und
macht Spaß.
Hier seht ihr mich
in unserem Schwimmbad.*

*Wenn ich Zeit habe,
lese ich gern -
am liebsten Krimis!*

*Wenn es regnet,
surfe ich gern im
Internet und
maile Freunden
aus aller Welt.*

*Zweimal in der Woche
jogge ich im Park,
das hält mich fit!
Sonst treibe ich aber
keinen Sport.*

das Hobby, die Katze, das Schwimmbad, der Krimi (= der Kriminalroman), das Internet, der Park
der Sport, jemanden / etwas lieben, schwimmen, schwimmen gehen, lesen, (im Internet) surfen ⊖
jemandem mailen ⊖ (= E-Mails verschicken), joggen ⊖, Sport treiben

WEITERE HOBBYS

wandern

Schi fahren

tanzen gehen

Fußball spielen

Tennis spielen

EIN RUHIGES WOCHENENDE

Wer mag das nicht? Lange ausschlafen,
sich einfach nur ausruhen, gute Musik hören,
lange die Zeitung lesen, in Ruhe einkaufen gehen,
sich mit Freunden treffen, sich einfach nur erholen!

die Musik, die Zeitung, der Freund, die ~in
der Schi, der Fußball, etwas / jdn. mögen

 Sport ⫸ 69

1) Was gehört zusammen?

1. im Park *joggen*   4. Krimis _____   7. Schi _____
2. Tennis _____   5. im Internet _____   8. Musik _____
3. tanzen _____   6. sich mit Freunden _____   9. Sport _____

gehen   treffen   lesen   surfen   treiben   ~~joggen~~   hören   spielen   fahren

2) Welche Wörter von der linken Seite passen zu den Artikeln?

der _____

das *Hobby,* _____

die _____

3) Welche Hobbys mögen Sie persönlich, welche mögen Sie nicht?

Ich mag: _____

Ich mag nicht: _____

4) Was machen Sie am liebsten allein, was mit Freunden?

Allein: _____

Mit Freunden: _____

5) Wortnetze

Was passt in die Wortnetze?

gute Musik hören _____   *Tennis spielen* _____

sich erholen   Sport

_____   _____

_____   _____

6) Ich mag ...

Was kann man sagen, wenn man etwas gerne tut? Suchen Sie alle Ausdrücke auf der linken Seite (vielleicht kennen Sie auch noch mehr) und schreiben Sie sie mit einem Beispiel auf.

Ich mag Krimis / Liebesromane. _____

_____

7) Was soll ich nur tun?

Ein Freund / Eine Freundin sucht ein Hobby. Ihm / Ihr ist immer langweilig! Machen Sie mindestens fünf Vorschläge, was er / sie tun kann, und sagen Sie, warum das gut ist.

1. Geh doch schwimmen, das macht Spaß und ist gesund / das hält dich fit / das ist erholsam / ...

Ich helfe Ihnen über die Straße!

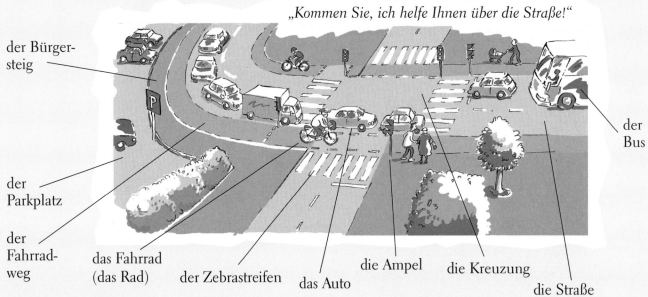

„Kommen Sie, ich helfe Ihnen über die Straße!"

der Bürger-
steig

der
Parkplatz

der
Fahrrad-
weg

das Fahrrad
(das Rad)

der Zebrastreifen

das Auto

die Ampel

die Kreuzung

der
Bus

die Straße

STRASSENVERKEHR

der Fußgänger, die ~in	zu Fuß gehen	über die Straße gehen	der Bürgersteig
der Radfahrer, die ~in	Fahrrad fahren / Rad fahren	an der Ampel stehen	der Gehsteig (A, süddt.)
= der Radler, die ~in	= radeln **U**	im Stau stehen	das Trottoir **⊖** (CH, süddt.)
der Autofahrer, die ~in	Auto fahren		

> **!** **HINWEIS**
> Im Deutschen sagt man hier
> „fahren", nicht „gehen".

mit dem Bus
mit dem Fahrrad
mit dem Auto   nach Hause
mit der U-Bahn   zur Arbeit   fahren
mit dem Zug   …

MIT DER U-BAHN FAHREN

die U-Bahn-
Haltestelle

die Gleise
(Plural)

der
Bahnsteig

die
Rolltreppe

die U-Bahn (die Linie U 5)
die S-Bahn (die Linie S 3)
das Gleis
die Fahrkarte
der Fahrkartenautomat
der Bahnhof
die Straßenbahn / die Tram (süddt.) /
das Tram (CH)

*„Achtung auf Gleis 2,
die Türen schließen, bitte einsteigen!"*

ZU FUSS GEHEN

rennen, laufen   gehen   bummeln
joggen **⊖**   spazieren gehen   schlendern

schnell ◄——————————————————————————► **langsam**

Wegbeschreibung in der Stadt ⫸ 25

1) Was passt wohin?

Manche Wörter passen mehrfach.

U-Bahn	zu Fuß	Bus	Auto	Fahrrad
fahren				

Straße
Fahrkarte   Ampel
Bahnhof   Parkplatz
im Stau stehen
Bahnsteig   fahren
Rolltreppe   Zebrastreifen
Haltestelle
gehen

2) Was passt nicht?

1. rennen – laufen – joggen – stehen – bummeln
2. Fahrradweg – Straße – Rolltreppe – Bürgersteig – Gleise
3. Radfahrerin – Autofahrer – Lehrer – Fußgängerin

3) Silbenrätsel

Bilden Sie Wörter aus diesen Silben. Manche Silben passen mehrfach.

fahr	au	~~hal~~	hof	am	kar	bra	park
~~stel~~	stra	rad	to	platz	ze	pel	mat
ße	~~te~~	strei	bahn	weg	fen	~~le~~	te

die Haltestelle, _____

4) Nahverkehr

Morgens ___*fahren*___ wir jetzt immer mit der U-Bahn zur Arbeit. Mit dem Auto
_____₁ man immer im Stau! U-Bahn-Fahren ist auch billiger, man kann eine
_____₂ für den ganzen Monat kaufen – die Monatskarte. Am Wochenende
_____₃ wir mit der _____₄ an den Starnberger See. In der S-Bahn kann
man sogar das _____₅ mitnehmen! Dann _____₆ wir auf dem _____₇
am Ufer entlang. Am Nachmittag _____₈ wir durch Starnberg.
Roswitha findet das langweilig – sie _____₉ lieber.

bummeln
die Fahrkarte
~~fahren~~   das Fahrrad
joggen   die S-Bahn
radeln
der Fahrradweg
fahren   stehen

5) Was meinen Sie?

Hier gibt es viele Lösungen. Vergleichen Sie Ihre Lösung mit Ihrem Nachbarn / Ihrer Nachbarin.

teuer   stressig   langsam   ...   angenehm
gesund   langweilig   bequem   flexibel   billig
sicher   gefährlich   schnell

U-Bahn-Fahren ist _____
Zu Fuß gehen ist _____
Busfahren ist _____
Fahrradfahren ist _____

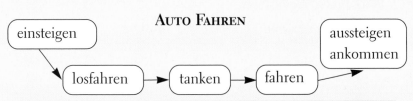

AUTO FAHREN

einsteigen → losfahren → tanken → fahren → aussteigen / ankommen

„Ich fahre nur mit dem Auto in Urlaub.
Ich bin doch Individualist!"

der Fahrer, die ~in; der Beifahrer, die ~in; die Autobahn
die Tankstelle, die Raststätte; die Pause, eine Pause machen

MIT DEM ZUG FAHREN

einsteigen → abfahren → umsteigen → ankommen → aussteigen

„Wir fahren mit dem Zug –
das ist ökologisch und bequem."

der Zug, die Fahrkarte, der Fahrplan
der ICE-Zuschlag, die Fahrkartenkontrolle
der Schaffner, die ~in (der Zugbegleiter, die ~in)
das Bordrestaurant (der Speisewagen)
der Bahnhof, die Abfahrt ↔ die Ankunft

MIT DEM SCHIFF FAHREN

an Bord gehen / einsteigen → ablegen / abfahren → anlegen / ankommen → von Bord gehen / aussteigen

das Schiff, der Hafen, die Kreuzfahrt

„Ach, eine Kreuzfahrt, wie romantisch!"

FLIEGEN

einsteigen → abfliegen → landen → aussteigen

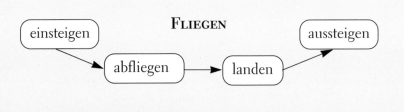

der Flug, das Flugzeug, der Flughafen, das Ticket
der Flugbegleiter, die ~in (die Stewardess ⊖)

„Ich fliege sehr viel – zu viel."

die Reise, eine Reise planen; der Tourist, die ~in
das Reisebüro, die Buchung / die Reservation

eine Reise / Kreuzfahrt ...
einen Flug } reservieren / buchen

Im Hotel |||▶ 23

1) Wie bewegen sie sich?

1. Auto   *fahren*   3. Schiff   _____   5. Flugzeug   _____
2. Fußgänger _____   4. U-Bahn _____   6. Sportler   _____

2) Was macht man da?

1. der Speisewagen	*essen*	a. Benzin tanken
2. der Fahrplan	_____	b. Pause machen
3. die Tankstelle	_____	c. ~~essen~~
4. das Reisebüro	_____	d. umsteigen
5. der Bahnhof	_____	e. sich orientieren
6. die Raststätte	_____	f. einen Flug buchen

3) Anfang und Ende

Was ist die richtige Reihenfolge?

1. Fliegen

[im Internet nachschauen] → [_____] → [_____]

[_____] ← [_____]

landen   abfliegen
~~im Internet nachschauen~~
einen Flug buchen   einsteigen

2. Mit dem Zug fahren

[auf den Fahrplan schauen] → [_____] → [_____]

[_____] ← [_____]

ankommen
~~auf den Fahrplan schauen~~   einsteigen
umsteigen   eine Fahrkarte kaufen

3. Schreiben Sie auch auf, wie die Reihenfolge bei einer Schifffahrt / einer Autofahrt ist. Benutzen Sie alle Wörter auf der linken Seite, die passen.

4) Was machen diese Leute?

1. Der Beifahrer   *fährt im Auto mit*   3. Der Tourist   _____
2. Der Zugbegleiter _____   4. Die Stewardess _____

> die Fahrkarten kontrollieren   die Passagiere im Flugzeug bedienen
> ~~im Auto mitfahren~~   eine Reise machen   ins Reisebüro gehen

5) Womit fahren Sie gern / nicht gern?

Unterhalten Sie sich mit Ihrem Nachbarn / Ihrer Nachbarin.

1. *Ich fahre gern / nicht gern mit der Bahn. Das ist so bequem … / anstrengend …* _____
2. *Ich fliege gern / nicht gern …* _____
3. *Ich fahre gern / nicht gern mit dem Auto …* _____
4. *Ich fahre gern / nicht gern mit dem Schiff …* _____

Wir suchen ein Zimmer für zwei Nächte.

HOTEL »ZUR POST«
– freundlicher Service und ideale Lage.

- ■ zentrale, aber ruhige Lage
- ■ gute Verkehrsverbindung
- ■ freundlicher Service
- ■ großer Komfort
- ■ alle Zimmer mit Bad, Fernseher und Telefon
- ■ vernünftige Preise
- ■ familiäre Atmosphäre

Preise (pro Nacht)	mit Frühstück	mit Halbpension	mit Vollpension
Einzelzimmer	€ 50,–	€ 70,–	€ 80,–
Doppelzimmer	€ 70,–	€ 90,–	€ 100,–

Rufen Sie uns an oder reservieren Sie Ihr Zimmer über das Internet.
Tel. 089 / 11 22 33 44 < http://www.zurPostinMünchen.de > E-Mail: zPost@münchen_hotel.de

---

das Hotel, die Lage, die Verkehrsverbindung, der Service ⌐, der Komfort ⌐, die Atmosphäre
das Zimmer, das Einzelzimmer, das Doppelzimmer; das Bad (= das Badezimmer)
die Halbpension (*zwei Mahlzeiten inklusive*), die Vollpension (*drei Mahlzeiten inklusive*)
ein Zimmer reservieren, die Zimmerreservierung; vernünftige Preise (*nicht zu teuer*)

- • *„Guten Tag. Wir suchen ein Zimmer für zwei Nächte – nicht zu teuer, wenn es geht!"*
- ◇ *„Ein Doppelzimmer mit Bad?"*
- • *„Ja, bitte."*
- ◇ *„In der Pension ‚Martin' ist noch ein Doppelzimmer frei – für 50 Euro pro Nacht".*
- • *„Ist das Frühstück inklusive?"*
- ◇ *„Ja, es gibt ein Frühstücksbuffet."*
- • *„Prima, das Zimmer nehmen wir."*

Die Zimmervermittlung:
Hier kann man Zimmer in Hotels oder Pensionen reservieren. Oft ist die Zimmervermittlung im Fremdenverkehrsamt oder in der Touristen-Information.

die Pension (*kleines Hotel*)
ein Zimmer mit Dusche oder Bad
das Bad, die Dusche
das Frühstücksbuffet ⌐

Das sagt man oft:
Wie lange bleiben Sie? Wie viele Nächte bleiben Sie?
Ich bleibe nur eine Nacht. Ich bleibe drei Nächte.
Um wie viel Uhr muss ich das Zimmer verlassen?
Kann ich mein Gepäck unterstellen? Gibt es einen Hotelparkplatz?

Gegensätze

ruhig	↔	laut
familiär	↔	anonym
freundlich	↔	unfreundlich
billig, günstig	↔	teuer

1) Welcher Artikel?

Schreiben Sie die Wörter zum passenden Artikel.

der *Komfort,* _____

das _____

die _____

Lage ~~Komfort~~ Preis Fernseher Hotel Pension Zimmer Atmosphäre Service
Bad Frühstücksbuffet Verkehrsverbindung Frühstück Zimmervermittlung

2) Wie sagt man das?

Schreiben Sie die Wörter mit ihrem Artikel.

1. Ein Zimmer für zwei Leute. → *das Doppelzimmer*
2. Zwei Mahlzeiten pro Tag sind inklusive. → _____
3. Ein kleines Hotel. → _____
4. Ein Zimmer für eine Person. → _____
5. Hier kann man ein Zimmer reservieren. → _____
6. Man kann das Frühstück individuell auswählen. → _____

3) Hotel Imperial

Hier stimmt etwas nicht. Schreiben Sie den Text neu. Manchmal gibt es mehrere Möglichkeiten.

Das Hotel Imperial: Luxus und Komfort!

- freundliche Lage → *zentrale Lage*
- vernünftiger Komfort → _____
- ~~zentrale~~ Atmosphäre → _____
- gute Preise → _____
- große Verkehrsanbindung → _____

4) Finden Sie die Gegensätze:

1. laut ↔ _____   3. unfreundlich ↔ _____
2. familiär ↔ _____   4. billig ↔ _____

5) Fragen über Fragen

Ergänzen Sie die Fragen oder die Antworten der folgenden Dialoge.

1. • *Ist bei Ihnen noch ein Zimmer frei?* ◇ Ja. Möchten Sie ein Einzel- oder ein Doppelzimmer?
   • Ein Einzelzimmer mit Dusche bitte. ◇ Gut. _____?
   • Ich bleibe nur eine Nacht.
2. • _____? ◇ 40 Euro pro Nacht, inklusive Frühstücksbuffet.
3. • _____
   _____ ◇ Nein, wir haben leider keinen Parkplatz. Aber es gibt ein Parkhaus ganz in der Nähe.
4. • _____? ◇ Ja, das Hotel ist am Stadtpark, alle Zimmer sind sehr ruhig.
5. • _____
   _____? ◇ Um 11 Uhr sollten Sie Ihr Zimmer verlassen. Aber Sie können Ihr Gepäck gerne noch bei uns an der Rezeption unterstellen.

der Dom • die Post • das Rathaus • die Apotheke • das Kaufhaus

der Stadtpark

die Bank   das Kongresszentrum   das Museum   das Kino

EINE STADTRUNDFAHRT

„Wir kommen nun in die Innenstadt. Rechts sehen Sie unser Wahrzeichen, den Dom. Gleich daneben die Post aus dem 19. Jahrhundert und das Rathaus. Auf der linken Seite ist unser Kunstmuseum und das neue Kongresszentrum."

ENTSCHULDIGUNG, ...

• „Entschuldigung, wo kann man hier Briefmarken bekommen?"
◇ „Bei der Post, gleich neben dem Rathaus."

• „Verzeihung, wie komme ich zum Kunstmuseum?"
◇ „Da nehmen Sie am besten die U-Bahn, Linie 14. Steigen Sie am Neumarkt aus."

Bei der Post		Briefmarken kaufen und Briefe und Pakete versenden.
Bei der Bank / Sparkasse		Geld wechseln oder ein Konto eröffnen.
Im Kunstmuseum		Bilder ansehen / eine Ausstellung besuchen.
Im Theater		Theaterstücke ansehen / anschauen.
In der Touristen-Information		Stadtpläne und Informationen über die Stadt bekommen.
In der Stadtbücherei	kann man	Bücher lesen und ausleihen. (die Stadtbücherei)
In der Buchhandlung		Bücher und Zeitschriften kaufen. (die Buchhandlung)
Im Stadtpark		spazieren gehen.
Im Kaufhaus		fast alles kaufen.
In der Fußgängerzone		einen Schaufensterbummel machen. (die ~zone)
In der Tiefgarage		parken / parkieren (CH). (die Tiefgarage)

> **HINWEIS**
> Ich gehe zur Post / zur Bank / zur Sparkasse. *(Man denkt mehr an die Institution.)*
> Ich gehe ins Museum / in die Buchhandlung / ins Kaufhaus. *(ins Gebäude hinein)*

(Wegbeschreibung in der Stadt ⟫ 25)

1) Wo findet man das?

Sie sind Tourist in einer fremden Stadt und haben einige Pläne für den Tag. Welche Gebäude oder Geschäfte müssen Sie suchen?

1. Zuerst möchten Sie in die Stadt fahren und ihr Auto parken. Sie suchen eine *Tiefgarage* .
2. Dann möchten Sie Geld wechseln. Sie suchen _____ .
3. Sie möchten sich über die Stadt informieren. Sie gehen in die_____ .
4. Anschließend möchten Sie sich eine Ausstellung moderner Kunst ansehen. Sie suchen das
   _____ .
5. Im Café möchten Sie etwas Spannendes lesen. Sie gehen deshalb in eine
   _____ und kaufen sich einen guten Krimi.
6. Am Ende des Tages möchten Sie nur noch spazieren gehen und sich Schaufenster anschauen.
   Sie gehen am besten in die _____ .

2) Hallo, Christian, ich komme bald nach Hause ...

Wo?	Wohin?	
... Ich bin gerade im Café,	*und dann gehe ich noch ins Museum.*	~~Café~~ / ~~Museum~~
_____	_____	Kaufhaus / Sparkasse
_____	_____	Rathaus / Post
_____	_____	Krankenhaus / Apotheke
_____	_____	Theater / Bar

3) Silbenrätsel

Bilden Sie Wörter aus diesen Silben.

rat	kran	spar	bib	buch	theke
lio	~~kauf~~	apo	kas	thek	hand
lung	se	haus	haus	~~haus~~	ken

das Kaufhaus, _____

4) Eine E-Mail nach Hause

Hallo Henri! Jetzt bin ich schon eine Woche hier in Köln, nächste Woche beginnt das Semester an der Universität. Köln ist eine tolle Stadt! Der Dom ist beeindruckend. In der *Bibliothek* kann ich mir Bücher über die Geschichte der Stadt _____1, da muss ich nicht alles kaufen. Gestern habe ich ein Konto bei der Bank _____2, jetzt kann ich hier auch eine Kreditkarte bekommen. Stell dir vor, die Briefmarken gibt es hier nur bei der _____3, nicht im Tabakladen wie bei uns. Morgen schaue ich mir im Kunstmuseum die _____4 „Die Römer in Köln" an. Wie geht es dir? Ich hoffe, gut.

Liebe Grüße, deine Isabelle

Entschuldigung, wo ist bitte die Peterskirche?

der Stadtplan

- „Entschuldigung, wo ist bitte die Peterskirche?"
- ✧ „Da gehen Sie am besten hier geradeaus, die Talstraße entlang bis zur Moselallee; dann nach rechts, und etwa 100 m weiter sehen Sie schon die Peterskirche auf der linken Seite. Es ist gar nicht weit."

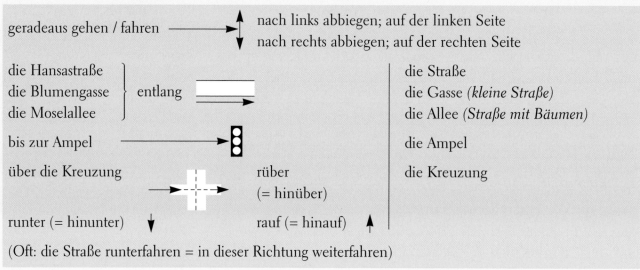

geradeaus gehen / fahren → nach links abbiegen; auf der linken Seite
nach rechts abbiegen; auf der rechten Seite

die Hansastraße
die Blumengasse ⟩ entlang
die Moselallee

die Straße
die Gasse (kleine Straße)
die Allee (Straße mit Bäumen)

bis zur Ampel → die Ampel

über die Kreuzung   rüber
(= hinüber)   die Kreuzung

runter (= hinunter) ↓   rauf (= hinauf) ↑

(Oft: die Straße runterfahren = in dieser Richtung weiterfahren)

- „Entschuldigung, ich suche die Mozartstraße."
- ✧ „Fahren Sie die Rheinstraße hier runter bis zur nächsten Ampel, dann links auf die Frankfurter Landstraße. Nach etwa 500 m kommen Sie zu einer großen Kreuzung. Fahren Sie über die Kreuzung rüber, kurz danach geht rechts die Mozartstraße ab."

Das sagt man oft:
Wie komme ich zum Marktplatz?
Das ist ganz nah. Das ist ganz in der Nähe.
Das ist nur ein paar Schritte von hier.

nah ↔ weit / fern

Stadtverkehr ◀||| 21

1) der – das – die?
Sortieren Sie die Wörter nach ihrem Artikel.

der _____

das _____

die *Kirche,* _____

> Nähe ~~Kirche~~ Straße
> Allee Gasse Ampel
> Kreuzung Seite

2) Wie heißt das Gegenteil?

1. nah   ↔   *fern /* _____

2. auf der linken Seite   ↔   _____

3. die Straße rauffahren (hinauffahren)   ↔   _____

3) Ordnen Sie die Wegbeschreibung:

Rechts von der Tankstelle geht die Sylvia-Straße ab.

Gehen Sie zuerst hier die Opernallee entlang.

Zum Elisabeth-Krankenhaus? Da können Sie leicht zu Fuß gehen.

Dort biegen Sie nach links ab.

Danach immer geradeaus, bis Sie an eine Tankstelle kommen.

Das Krankenhaus ist auf der linken Seite, ein kleines Stück weiter.

Nach etwa 150 m kommen Sie an eine Kreuzung.

Zum Elisabeth-Krankenhaus? Da können Sie … _____

4) Welche Verben passen?

1. mit dem Auto die Straße _*entlang fahren*_____

2. zu Fuß über die Kreuzung _____

3. mit dem Fahrrad zur nächsten Kreuzung _____

4. den Bus _____

5. nach links _____

> abbiegen
> ~~entlang fahren~~
> fahren gehen
> nehmen

5) Entschuldigung, wo ist bitte die Post?

„Gehen Sie hier die Schillerstraße _*entlang*_ bis zur nächsten _____ ₁

Dort biegen Sie _____ ₂ ab und gehen weiter, _____ ₃

zur nächsten Ampel. Gehen Sie _____ ₄

die Hansestraße, und 50 m weiter auf der _____ ₅

Seite sehen Sie schon die Post, ein rotes Gebäude."

> links rechten über ~~entlang~~
> Kreuzung bis

6) Wie kommt man zu Ihrer Wohnung?
Sie möchten Ihre Kurskollegen zu einem Kaffee zu sich nach Hause einladen. Zeichnen Sie einen kleinen Stadtplan auf und beschreiben Sie den Weg.

Entschuldigung, wo ist das Einwohnermeldeamt?

DAS RATHAUS

der zweite Stock /
das zweite Stockwerk

der erste Stock /
das erste Stockwerk

das Erdgeschoss /
das Parterre (A)

der Notausgang

der Gang

der Aufzug /
der Lift

die Treppe

- „Entschuldigen Sie bitte, wo ist das Einwohnermeldeamt?"
- „Im zweiten Stock, Zimmer 215. Durch die Tür geradeaus
  ist der Aufzug, um die Ecke links ist die Treppe."

- „Verzeihung, wo ist bitte die Toilette?"
- „Gleich hier links."

das Gebäude; der Eingang ↔ der Ausgang; der Notausgang
im Erdgeschoss / im Parterre (A), im zweiten Stock, auf dem Gang; das Zimmer, Zimmer 215
die Treppe hinaufgehen ↔ hinuntergehen; nach oben ↔ nach unten, links ↔ rechts
den Gang entlang gehen, die Ecke, um die Ecke gehen
D = Damentoilette, H = Herrentoilette ⌂

Das sagt man oft:
- Wo ist bitte der Ausgang? ✧ Geradeaus und links.
- Wo ist bitte das Bauamt? ✧ Das weiß ich leider nicht.
- Können Sie mir bitte sagen, wo ich mich anmelden kann? ✧ Im Einwohnermeldeamt, erster Stock.
- Gibt es hier eine Cafeteria? ✧ Ja, im Erdgeschoss.

Wegbeschreibung in der Stadt ◀||| 25

1) der – das – die?

Sortieren Sie die Wörter nach ihrem Artikel.

der *Aufzug,* _____

das _____

die _____

~~Aufzug~~ Zimmer Gang Treppe Toilette Eingang Gebäude Stock
Erdgeschoss Stockwerk Parterre Ecke Lift

2) Wie heißt das Gegenteil?

1. nach unten   ↔ _____
2. oben links   ↔ _____
3. der Eingang   ↔ _____
4. die Treppe hinaufgehen (raufgehen)   ↔ _____

3) Schreiben Sie einen Dialog:

A: (Bauamt ?)   *Entschuldigen Sie, wo ist bitte das Bauamt?* _____

B: (dritter Stock, Zi 311) _____

A: (Lift?) _____

B: (Gang hinten rechts) _____

A: (Dank) _____

4) In einem Gebäude kann man …

Wählen Sie die passenden Verben aus. Nicht alle Verben passen!

1. den Gang   *entlang gehen* _____
2. den Lift _____
3. die Treppe _____
4. auf dem Gang _____
5. um die Ecke _____

nehmen
runterfahren
~~entlang gehen~~
gehen   hinaufgehen
abbiegen
biegen
warten

5) Was sagen Sie, wenn …

Sie sind zum ersten Mal in Ihrem Sprachinstitut. Was sagen Sie in folgenden Situationen?

1. Sie möchten wissen, wo die „Information" ist. → *Wo ist bitte die Information?* _____
2. Sie möchten sich zu einem Deutschkurs anmelden. → _____
3. Sie wissen nicht, ob es einen Aufzug gibt. → _____
4. Sie suchen die Toilette. → _____
5. Jemand hat Sie nach einer Auskunft gefragt, aber Sie wissen es nicht. → _____

Versuchen Sie nun mit einem Partner / einer Partnerin, die Fragen zu beantworten.

der Wald

der Berg

das Dorf

der See

der Fluss

die Wiese

das Feld

der Bauernhof

der Feldweg

Viele Berge zusammen: das Gebirge

Berge, Seen, Flüsse, ...: die Landschaft

Liebe Gisela!   *Schöndorf, den 14.7.2002*

Dieses Jahr machen wir mal Ferien auf dem Land. Stell dir vor, wir wohnen auf einem richtigen Bauernhof! Da können wir die Schweine und Pferde mal ganz aus der Nähe betrachten. Die Kinder dürfen auf den Ponys reiten und zusehen, wenn der Bauer das Vieh füttert. Heute haben wir eine Wanderung in die Berge gemacht und sitzen gerade in einem wunderschönen alten Gasthaus. Das Leben auf dem Land ist für uns sehr erholsam, aber ich weiß natürlich, dass es die Landwirte heutzutage nicht so leicht haben. Gestern zum Beispiel ...

HINWEISE
- Ein Restaurant auf dem Land heißt oft „Gasthaus".
- Menschen essen, Tiere fressen.
- der Bauer = der Landwirt
- Wo? – Auf dem Land. / Am Land. (A)

Hier auf dem Land ist das Leben ...

ruhig	gesund
erholsam	einfach
anstrengend	natürlich
langweilig	

TIERE IN DER LANDWIRTSCHAFT

das Schwein, die Schweine	die Kuh, die Kühe das Rind, die Rinder	das Pferd, die Pferde	das Schaf, die Schafe	das Huhn, die Hühner das Geflügel } das Vieh

LANDWIRTSCHAFTSPRODUKTE

das Schweine-fleisch das Leder	das Rindfleisch die Milch, der Käse das Leder	das Pferde-fleisch	das Lammfleisch der Schafskäse die Wolle	das Hühnerfleisch das Ei

Ferienreisen ⫸ 28

1) Was kann man hier machen?

1. in den Bergen   essen
2. auf dem Land   wandern
3. im See   Blumen pflücken
4. im Gasthaus   schwimmen
5. auf der Wiese   die Ferien verbringen

6. auf dem Pferd   übernachten
7. auf dem Fluss   spazieren gehen
8. im Dorf   reiten
9. im Wald   wohnen
10. auf dem Bauernhof   Boot fahren

2) Was passt nicht?

1. Fleisch – Frühstück – Wolle – Milch – Eier
2. Hund – Kuh – Pferd – Huhn – Papagei
3. Lehrerin – Schülerin – Landwirtin – Ärztin – Verkäuferin

3) Landleben

1. Im Dorf gibt es kaum Autoverkehr. Deshalb ist es immer sehr _ruhig_ .
2. Ein Urlauber-Ehepaar sitzt auf der Wiese und liest. Sie findet das sehr
   _____, er findet es ziemlich _____ .
3. Die frische Landluft ist gut für Ihren Husten, Sie werden sicher schnell
   wieder _____, hat der Arzt gesagt.
4. Jeden Morgen steht die Bäuerin um 4 Uhr auf und melkt die Kühe.
   Ihr Leben ist sehr _____ .
5. Aber viele Menschen meinen, das Leben in der Stadt ist kompliziert und
   das Leben auf dem Land ist _____ . Was denken Sie?

anstrengend

einfach

~~ruhig~~   erholsam

gesund

langweilig

4) Ordnen Sie die Wörter zu drei Gruppen:

?	?	Teile der Landschaft
schwimmen		der Wald

der Berg   ~~schwimmen~~   ~~der Wald~~   das Schwein   sich ausruhen
der Feldweg   essen   das Rind   der Hund   der See
wandern   das Feld   das Pferd   der Fluss   lesen   das Huhn

Mit der Seilbahn hinauf zu den schönsten Schipisten!

Aktivurlaub am Meer und Faulenzen unter Palmen

Möchten Sie ...
... Schi laufen?
... Schlittschuh fahren?
... lange erholsame Spaziergänge im Schnee machen?
... gemütliche Abende in unseren Chalets genießen?

Dann ist Oberberg in Österreich genau das Richtige für Sie!

Reisebüro Schöller
Rheinstraße 35
88888 München
www.reisespass.de

Buchen Sie schnell!

Oder würden Sie lieber ...
... Motorboot und Wasserschi fahren? Segeln?
... vielleicht auch fischen oder angeln?
... aufregende Tauch-Abenteuer erleben?
... am Strand liegen und einfach mal nichts tun?
... am Abend heiße Rhythmen in der Disko hören?
Dann auf in die Karibik!
Preiswerte Fernreisen in exotische Länder!
Mit unseren gut informierten Reiseleitern fühlen Sie sich
auch in der Ferne wie zu Hause!

So kann Urlaub sein:
erholsam, gemütlich ↔ aufregend, exotisch
abenteuerlich (das Abenteuer)
preiswert / billig ↔ teuer

Das kann man im Urlaub machen:
sich erholen, entspannen, faulenzen (= nichts tun)
etwas Neues erleben, Sport treiben, tauchen
Land und Leute kennen lernen

Das sagt man oft:
„Welche Reisezeit ist am besten für Sie?
Die Schulferien oder die Nebensaison?"

der Schi — Schi laufen / Schi fahren
der Schlittschuh — Schlittschuh laufen / Schlittschuh fahren

der Tourismus ⌐, der Urlaub, die Ferien (Plural), der Winterurlaub, der Sommerurlaub,
die Schulferien, die Fernreise, die Pauschalreise (alles inklusive), das Reisebüro,
der Reiseleiter, die ~in; buchen, die Buchung; die Reisezeit, die Saison ⌐, die Hauptsaison ↔ die
Nebensaison; die Seilbahn, der Spaziergang, das Chalet ⌐, die Disko, das Meer,
der Strand, die Palme, das Motorboot; Urlaub haben / machen, sich Urlaub nehmen, Ferien haben

1) Wie heißen die Verben?

1. die Buchung → _buchen_   3. die Reise → _____

2. der Spaziergang → _____   4. der Schlittschuh → _____

2) Was stimmt?

Unterstreichen Sie das richtige Wort.

1. Im letzten Urlaub habe ich mich mal richtig   gefaulenzt – erholt – gespannt

2. Wir waren dieses Jahr in Jamaica und haben dort Land und Leute   gekannt – kennen gelernt – erkannt

3. Nur 580 Euro für die ganze Reise? Das ist aber   gemütlich – leicht – preiswert

3) Wie schreibt man das?

1. Können Sie eigentlich _Schi_ laufen?   3. Das ist genau das __ichtige für Sie!

2. Heiße R__thmen in unserer Disko!   4. Der Himalaya? Das ist mir zu aben__euerlich.

4) Was passt?

1. einen Spaziergang ———————— fahren   5. im Meer ——————— spielen

2. Motorboot ——————   gehen   6. Schlittschuh ——— tauchen

3. in der Disko bis spät in die Nacht   machen   7. Golf   tun

4. früh am Abend schlafen   tanzen   8. faulenzen und oft nichts   laufen

5) Ruhig oder aktiv?

Frau Zett macht gern aktiven Urlaub, Herr Ypsilon hat es lieber ruhig. Ordnen Sie die Aktivitäten aus Übung 4 den Personen zu.

Frau Zett	Herr Ypsilon
fährt Motorboot,	

6) Im Reisebüro

Ergänzen Sie den Dialog. Die Wörter in den Klammern sind nur Vorschläge.

1. Angestellte: Sie möchten eine preiswerte Reise buchen? Wann möchten Sie denn gern fahren?

2. Kundin: (Nebensaison / Hauptsaison / Schulferien / ...) _____

3. Angestellte: Welche Art von Urlaub haben Sie sich denn vorgestellt?

4. Kundin: (etwas erleben / aktiv sein / exotisch / erholsam / ...) _____

5. Angestellte: Darf es auch eine Fernreise oder eine Pauschalreise sein?

6. Kundin: (nicht) gern fliegen / mit der Bahn / lieber allein organisieren / ...) _____

7. Angestellte: Dann wäre _____ genau das Richtige für Sie!

Wie ist das Wetter bei euch?

„Hier in Calgary ist es herrlich warm. Wie ist das Wetter denn bei euch?"

„Ach, hier in Köln regnet es mal wieder."

DAS WETTER

Die Sonne scheint. Keine Wolke am Himmel!

Es regnet. Nach dem Regen ist die Luft feucht.

Es schneit.

Der Wind weht.

Es gibt einen Sturm.

Es gibt ein Gewitter.

TEMPERATUREN (in Celsius):

30 Grad	Es ist heiß. (sehr / schrecklich heiß)
15 Grad	Es ist warm. (ganz / herrlich warm)
8 Grad	Es ist kühl. (ziemlich kühl)
0 Grad	Es friert. Es ist kalt. (sehr kalt)

Thermometer

Das sagt man oft:
• Was sagt der Wetterbericht? Wie wird das Wetter morgen? ◇ Es bleibt schön. / Es soll schön werden. Laut Wetterbericht wird es morgen regnen. / Morgen soll es Regen geben. Heute ist der Himmel bedeckt. Die Luftfeuchtigkeit ist sehr hoch. Es wird gleich ein Gewitter geben. In den Bergen liegt noch hoher Schnee. Bei schönem Wetter findet die Party im Garten statt.

Heute ist es sonnig / heiter. Gestern war es windig und regnerisch.
Die Luft ist trocken. (↔ feucht) Der Boden ist trocken. (↔ nass)
Der Himmel ist bedeckt (*grau, voller Wolken*) / bewölkt. (↔ wolkenlos)
Das Tal liegt im Nebel. Es ist neblig draußen.
das Wetter, die Sonne, der Regen, der Schnee, der Wind, der Nebel, der Sturm, die Wolke, das Gewitter, die Temperatur, der Grad

HINWEIS
Es schneit, **es** regnet. Wetterverben immer mit **es**.

1) Welches Wort passt?

1. Am Abend eines heißen
   Tages gibt es oft ein
   a) Wetter
   b) Gewitter
   c) Wasser

2. So viele Wolken!
   Der Himmel ist
   a) entdeckt
   b) verdeckt
   c) bedeckt

3. Hoffentlich ... es
   kein Gewitter!
   a) gibt
   b) ist
   c) passiert

2) Was passt nicht in die Reihe?

1. warm – kalt – kühl – nass – heiß
2. Erde – Mauer – Wasser – Luft – Wolke
3. bedeckt – feucht – bewölkt – wolkenlos

3) Finden Sie die Fehler?

1. Die Sonne schneit.
2. Die Straße ist immer noch nass, aber jetzt regnet nicht mehr.
3. Wenn die Temperatur unter null Grad sinkt, friert.

4) Ein Kreuzworträtsel

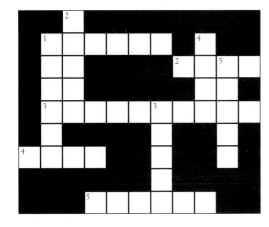

Waagrecht:
1. Heute gibt es viele ... am Himmel.
2. Das Gegenteil von trocken:
3. Die ... misst man in Grad.
4. Die Temperaturen steigen auf 15 ... Celsius.
5. Im Winter wird Regen zu ...

Senkrecht:
1. Wie wird morgen das ...? Es regnet.
2. In Mexiko scheint fast immer die ...
3. Wenn die Wolken zu schwer sind, gibt es ...
4. Das Gegenteil von warm:
5. Ein sehr starker Wind:

5) Was bedeuten diese Symbole?

Ordnen Sie zu und kontrollieren Sie auf www.wetteronline.de

1.   2. 🌞   3.   4.

_____   _____   _____   _____

_____   _____   _____   _____

> teils heiter, teils bewölkt   sonnig   etwas Regen   bewölkt

Wir arbeiten heute weiter an unserem Projekt.

Das sagt man oft:
Bitte bringen Sie morgen Ihre Audio-Kassetten mit. Schlagen Sie bitte Ihre Bücher auf Seite 13 auf.
Bitte stellen Sie die Stühle in einen Kreis. Ich habe meinen Kuli vergessen. Könnten Sie mir bitte mal
Ihren Kuli leihen? / Kannst du mir mal deinen Kuli leihen?

Auf dem Overhead-Projektor kann man Folien zeigen (projizieren).	die Folie
Im Computer kann man wichtige Informationen suchen / finden.	die Information
Im Lehrbuch findet man Texte, Grammatik, Übungen, …	der Text, die Grammatik
Im Arbeitsbuch gibt es weitere Übungen.	die Übung
Die Hausaufgaben schreibt man meist in ein Heft.	die Hausaufgabe
Mehrere Kleingruppen arbeiten an dem Projekt.	die Gruppe, das Projekt
Overhead-Projektor, Kassettenrekorder usw. sind Geräte.	das Gerät

Unterrichtssprache ➔ 31

1) Wo, womit und mit wem kann man das machen?

Ordnen Sie zu. Manche Wörter passen auch mehrmals.

1. üben: *im / mit dem Arbeitsbuch,* _____
2. Deutsch sprechen: _____
3. Schreibübungen machen: _____
4. Wörter korrigieren: _____
5. Aufgaben lösen: _____
6. Texte lesen: _____
7. die Aussprache üben: _____

im
mit dem / Arbeitsbuch
mit der / Kuli
mit den / Lehrbuch   Heft
Kassettenrekorder
Radiergummi   Lehrer, ~in
Mitschüler, ~in

2) Was gibt es im Klassenzimmer?

Ordnen Sie die Wörter von der linken Seite.

?	Möbel	Arbeitsmittel
der Computer,		*der Stift,*

3) Was ist das?

1. ein Blatt Papier
2. eine Seite Papier
3. eine Scheibe Papier

4. ein Bleistift
5. ein Kuli
6. ein Kugelschreiber

4) Was brauchen Sie zum Deutschlernen?

1. Iman: „Ich brauche unbedingt einen _Kassettenrekorder_ . Sonst kann ich mir die Aussprache der Wörter nicht merken."
2. Brad: „Für mich ist mein Vokabel_____ sehr wichtig. Dann kann ich die neuen Wörter im Bus lernen."
3. Lin: „Zu Hause benutze ich sehr gern den _____ . Es gibt so viele interessante Websites mit Informationen über die deutschsprachigen Länder."
4. Fatima: „Ich bin ein visueller Mensch. Ich muss mir alle neuen Wörter aufschreiben. Deshalb verbrauche ich sehr viel _____ !"

5) Und Sie? Was ist für Sie besonders wichtig?

Diskutieren Sie mit Ihrem Nachbarn / Ihrer Nachbarin.

Wie heißt das auf Deutsch?

die Arbeitsanweisung   die Aufgabe

Text 1:

Fotos von Timo
a) Bitte lesen sie den Text.
Der Münsterplatz in
Freiburg …

1. Welches Verb passt?

Ergänzen Sie …

2. …

Dialog 1:

„Hallo, wie geht's?"
„Prima, und dir?"

die Seite

„Machen Sie bitte Aufgabe 1 und 2 im Arbeitsbuch."

- *„Wie heißt das bitte auf Deutsch?"*
- ◇ *„Das ist ein Wörterbuch."*

DAS SAGT MAN OFT IM UNTERRICHT

Kursteilnehmerin:

Wie bitte? Können Sie das noch einmal erklären?
Ich verstehe nicht. Bitte langsam. Ich weiß (es) nicht.
Entschuldigung, ich habe eine Frage.
Wie heißt der Plural von „Buch"?
Wie schreibt man „Haar"?
Wie spricht man dieses Wort aus?

Das macht man im Unterricht:

hören – sprechen – lesen – schreiben
nachsprechen – aussprechen – vorlesen
sich unterhalten, diskutieren, Fehler korrigieren
üben: markieren, ergänzen, ordnen, kombinieren,
Vokabeln lernen, wiederholen, übersetzen
spielen, singen, …

der Aufsatz, die Vokabel, das Heft, der Wortschatz
(*viele Vokabeln*), das Wörterbuch, der Fehler
das Rollenspiel, das Lied, das Spiel
leicht ↔ schwer / schwierig
richtig ↔ falsch

Lehrerin:

Lesen Sie bitte den Text (zuerst einmal leise).
Unterstreichen Sie alles, was Sie verstehen.
Welche Wörter verstehen Sie (nicht)?
Lesen Sie den Text bitte laut vor.
Bitte wiederholen Sie.
Schreiben Sie bitte die neuen Wörter in Ihr Heft.
Hören Sie den Dialog und sprechen Sie ihn nach.
Schreiben Sie einen Aufsatz über Ihre Familie.
Bitte fragen Sie, wenn Sie etwas nicht verstehen.

„haben" immer mit Akkusativ! = die Regel

Klaus hat einen Schäferhund. = das Beispiel

„Tisch" = das Wort

„h" = der Buchstabe

Im Klassenzimmer ◀||||| 30

1) Markieren Sie die Adjektive:

übersetzen – schwer – Vokabeln – lernen – Wörterbuch – leicht – hören – schwierig – machen – richtig

2) Ordnen Sie die Sätze:

Wer sagt das normalerweise?

Lehrer / Lehrerin	Kursteilnehmer / Kursteilnehmerin	beide
Unterstreichen Sie die Verben.		

Bitte wiederholen Sie. – Könnten Sie das bitte noch einmal erklären?
Ist das Verb regelmäßig? – Hören Sie bitte zu. – Sind Sie verheiratet? – Wie bitte?
Ich weiß nicht. – Entschuldigung, ich habe eine Frage. – Wie finden Sie Rockmusik?
~~Unterstreichen Sie die Verben.~~
Wo wohnen Sie? – Welchen Satz verstehen Sie nicht?
Machen Sie bitte Aufgabe 2. – Woher kommen Sie?

3) Ergänzen Sie die Fragen:

1. • *Wie heißt der Plural von ‚Vater‘?*   ⬦ Väter.
2. • _____?   ⬦ Großes S – e – e.
3. • _____?   ⬦ Übung 2 und 3.
4. • _____?   ⬦ Auf Seite 5 im Arbeitsbuch.
5. • _____?   ⬦ Nein, es heißt „ich spreche, du sprichst".
6. • _____?   ⬦ Also noch einmal: Der Komparativ hat immer -er, z.B. größer.

4) Was sagen Sie in dieser Situation?

1. Sie haben die Frage Ihrer Lehrerin nicht verstanden.   *Können Sie die Frage noch einmal wiederholen?*
2. Sie möchten ein Wort / einen Satz noch einmal hören. _____
3. Sie wissen nicht, wie man ein Wort ausspricht. _____
4. Sie haben eine Grammatikregel nicht verstanden. _____
5. Sie möchten eine Frage stellen. _____
6. Sie kennen den Plural von „Baum" nicht. _____
7. Sie kennen das deutsche Wort für „Rockband" nicht. _____

- „Sieh mal, da hinten, ist das nicht dein Ex-Freund?"
- „Ja, aber schau bitte nicht immer zu ihm hin, das ist mir peinlich… !"

„Dieses Bild ist einfach wundervoll. Ich kann es stundenlang anschauen."

„Also Karl, jetzt sieh mir bitte mal genau zu, damit du dieses einfache Rezept auch mal lernst!"

SEHEN

sehen: *Man nimmt etwas wahr (mit den Augen).*
hinsehen / hinschauen: *Man sieht / schaut in eine bestimmte Richtung, auf etwas Bestimmtes.*
wegsehen / wegschauen: *nicht hinsehen / hinschauen*
(sich) eine Sache / Person ansehen / anschauen: *Man sieht etwas bewusst, im Detail.*
jemandem bei einer Sache zusehen / zuschauen: *schauen, wie jemand etwas macht (längere Zeit)*
U: gucken / hingucken / sich etwas angucken / zugucken

Das sagt man oft:
Siehst du das Schiff da am Horizont?
Schauen Sie bitte mal her, ich zeige Ihnen, wie das geht!
Sieh mal an, da bist du ja! *(Überraschung)*

Haben Sie zufällig meine Brille gesehen? Ich kann sie nicht finden.

HÖREN

hören: *Man nimmt etwas wahr (mit den Ohren):* Kannst du das hören?
hinhören: *Man hört in eine bestimmte Richtung:* Hör mal hin – wie schön das klingt!
(sich) etwas [Akkusativ] anhören: *Man hört etwas ganz (z.B. ein Lied, eine CD).*
(jemandem / der Musik ...) zuhören: *Man hört bewusst, was jemand sagt.*

Das sagt man oft:
Hört mir bitte jetzt genau zu, ich muss euch etwas Wichtiges sagen!
Hör dir mal diese CD an, die ist toll!
Haben Sie schon die Nachrichten gehört? Es ist etwas Sensationelles passiert!

FÜHLEN, ANFASSEN, SCHMECKEN, RIECHEN

fühlen: *mit den Fingern / durch die Haut wahrnehmen:* Fühl mal, meine Stirn ist ganz heiß!
anfassen: *mit den Fingern berühren:* Fass das bitte nicht an, das ist zerbrechlich!
riechen: *mit der Nase wahrnehmen:* Hier riecht es gut / angenehm / schlecht. Es riecht nach Rauch!
schmecken: *im Mund wahrnehmen:* Das schmeckt gut / schlecht / süß / sauer / ... Das schmeckt nach Fisch.

> **HINWEIS**
> Trennbare Präfixe: **an-** (ansehen, anhören) **hin-** (hinsehen, hinhören), **zu-** (zuschauen, zuhören)

1) Mit allen Sinnen

1. Das fühlt sich __weich__ an.
2. Das riecht _____.
3. Das Bild sieht _____ aus.
4. Das schmeckt sehr _____.

(interessant ~~weich~~ süß angenehm)

2) Womit macht man was?

schmecken	riechen	fühlen	sehen	hören
mit der Zunge				

die Nase ~~die Zunge~~ der Finger das Auge die Hand die Haut der Mund das Ohr

3) Was passt?

Ergänzen Sie sehen, hören, fühlen, anfassen, schmecken *oder* riechen *in der richtigen Form.*

1. Sag mal, warst du in einer Kneipe? Deine Kleidung __riecht__ sehr nach Rauch!
2. _____ Sie das Gebäude auf diesem Foto? Das ist das neue Volkswagenwerk in Leipzig.
3. Du, ich hab' mir einen neuen Pullover gekauft – _____mal, wie weich er ist!
4. • Das Essen hier _____ wirklich ausgezeichnet! ✧ Finden Sie? Mir _____ es nicht so gut.
5. Bitte die Museumsstücke nicht _____!
6. Können Sie bitte etwas lauter reden – ich kann Sie nicht _____ !

4) Ein schrecklicher Film!

Ergänzen Sie an-, hin-, weg- *oder* zusehen / zuschauen *in der richtigen Form.*

Liebe Karin,
gestern wollten Karl und ich uns einen Liebesfilm im Kino __ansehen__, aber es war alles schon ausverkauft. Darum sind wir in den Film „Die Invasion aus dem All" gegangen – ein schrecklicher Film! Es gab viele brutale Szenen – ich musste immer wieder _____ 1, und wenn ich wieder _____ 2 habe, war es kaum besser. Ich kann gar nicht verstehen, wie so viele Leute bei so viel Gewalt einfach so _____ 3 können. Ich habe gestern dann sehr schlecht geschlafen!

5) Die müssen Sie …

Ergänzen Sie die passenden Verben.

1. So eine prima CD – die müssen Sie sich unbedingt __anhören__ !
2. Könnt ihr mal aufhören zu reden und mir _____?
3. • Siehst du den Turm da vorne? ✧ Nein, ich kann ihn nicht sehen.
   • _____ mal da _____, neben dem roten Haus, da ist er. ✧ Ah ja, danke, jetzt seh' ich ihn.
4. Ich zeige Ihnen jetzt, wie das Computer-Programm installiert wird. Bitte _____ Sie genau _____!
5. Heute Abend kommt der Film „Mephisto" im Fernsehen – den _____ ich mir _____.

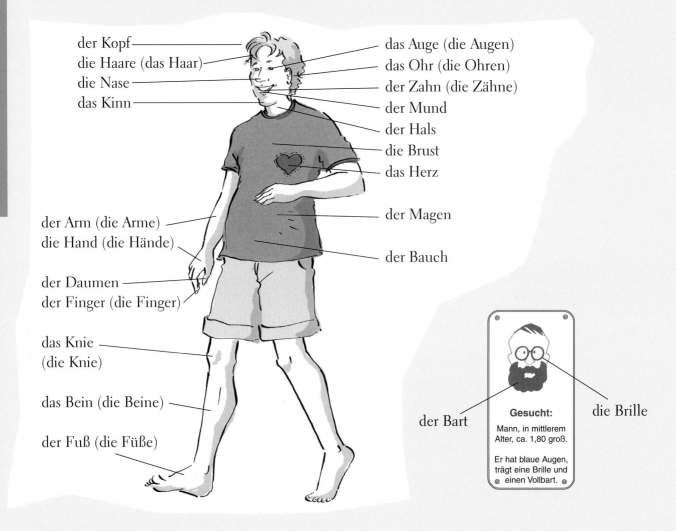

der Kopf
die Haare (das Haar)
die Nase
das Kinn

das Auge (die Augen)
das Ohr (die Ohren)
der Zahn (die Zähne)
der Mund
der Hals
die Brust
das Herz

der Arm (die Arme)
die Hand (die Hände)

der Magen

der Daumen
der Finger (die Finger)

der Bauch

das Knie
(die Knie)

das Bein (die Beine)

der Fuß (die Füße)

der Bart

Gesucht:
Mann, in mittlerem
Alter, ca. 1,80 groß.

Er hat blaue Augen,
trägt eine Brille und
einen Vollbart.

die Brille

Das macht man mit den Körperteilen:

Mit dem Kopf:	denken, nicken, ...
Mit den Augen:	sehen / schauen, ...
Mit der Nase:	riechen
Mit dem Mund:	sprechen, küssen, ...
Mit den Ohren:	hören, zuhören, ...
Mit dem Herzen:	fühlen, lieben, ...
Mit der Hand:	greifen, (an)fassen, ...
Mit dem Finger:	zeigen ☛, klopfen
Mit den Beinen:	gehen, laufen, tanzen, ...

So sagt man oft:
Du siehst heute aber gut / schlecht aus!
Sie haben sich gar nicht verändert!
(= Sie sehen immer noch gleich aus.)

(Leute charakterisieren ▐▐▐➤ 35)

Manche Menschen sind **groß**,
und manche sind **klein**.
Einige Menschen sind **dick**,
andere sind **dünn**.
Manche Menschen findet man
hässlich und andere **schön**.

HAARLÄNGE		HAARFARBE
		blonde Haare
		braune Haare
		dunkle Haare
lange Haare	kurze Haare	schwarze Haare
glatte Haare		
lockige Haare		

1) Ordnen Sie:

der Kopf	die Hand	das Bein
die Augen,		

die Augen   das Knie
das Kinn   die Finger
der Mund   die Ohren
der Daumen

2) Ein Kreuzworträtsel

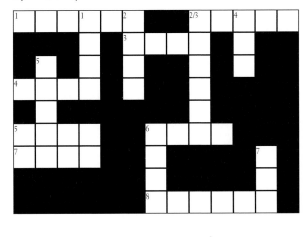

→

Waagrecht:
1. Jede Hand hat einen ...
2. blonde oder braune ...
3. Damit sieht man:
4. Gib mir mal deine ...
5. braucht man zum Gehen
6. Manchmal hängt ein Bart dran.
7. Teil vom Bein
8. Damit schreibt man:

Senkrecht:
1. zum Sprechen und Küssen
2. Damit riecht man:
3. Mit dem ... kann man fühlen.
4. Ein kleines Baby hält man im ...
5. Körperteil, reimt sich auf „Wagen"
6. Damit denkt man:
7. braucht man zum Hören

3) Suchen Sie die Gegensätze:

1. dick ↔ _____   3. schön ↔ _____   5. _____ ↔ kurz

2. _____ ↔ klein   4. _____ ↔ dunkle Haare   6. glatte Haare ↔ _____

4) Was macht man womit?

Versuchen Sie, die Verben einem Körperteil zuzuordnen. Manche Verben passen mehr als einmal.

1. Mit / Auf den Beinen: _stehen,_____
2. Mit den Händen: _____
3. Mit dem Mund: _____
4. Mit dem Kopf: _____
5. Mit den Fingern: _____

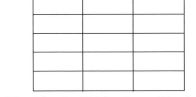

winken   küssen   denken
singen   stehen   klatschen   zeigen
laufen   nicken   anfassen
essen   sprechen   Klavier spielen

5) Akzeptabel?

a. Kreuzen Sie an: Das ist in meinem Land (a) akzeptabel, (b) nur in bestimmten Kontexten bei bestimmten Personengruppen akzeptabel, (c) nicht akzeptabel.

	a	b	c
1. Männer mit langen Haaren			
2. mit dem Finger auf Leute zeigen			
3. Männer ohne Bart			
4. Speisen mit den Fingern essen			
5. sich bei der Begrüßung die Hand geben			

b. Vergleichen Sie die Ergebnisse mit Ihrem Nachbarn / Ihrer Nachbarin. Diskutieren Sie dann, wie das in den deutschsprachigen Ländern ist.

Diese Mode kann jeder (und jede) anziehen!

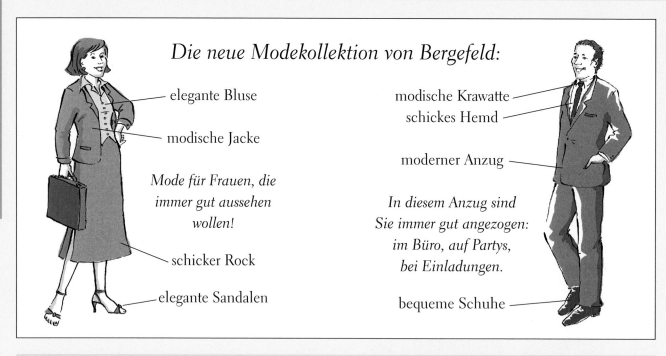

Die neue Modekollektion von Bergefeld:

elegante Bluse

modische Jacke

Mode für Frauen, die immer gut aussehen wollen!

schicker Rock

elegante Sandalen

modische Krawatte

schickes Hemd

moderner Anzug

In diesem Anzug sind Sie immer gut angezogen: im Büro, auf Partys, bei Einladungen.

bequeme Schuhe

---

die Bluse, die Jacke, der Rock / der Jupe (CH ⊖)
die Sandale
elegant, modisch, schick, modern, bequem
etwas [Akkusativ] anziehen, (gut / elegant / ...) aussehen; gut angezogen sein; einen Rock / Jeans / ... tragen

das Hemd, der Anzug, die Krawatte
der Schuh, die Jeans (⊖)

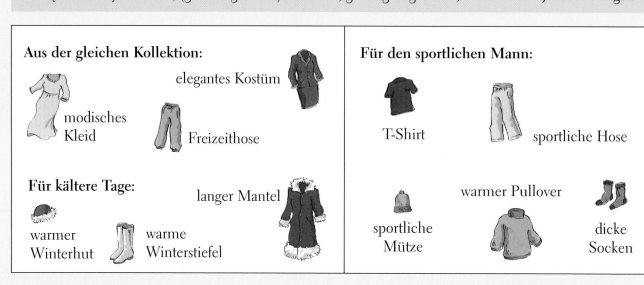

Aus der gleichen Kollektion:

elegantes Kostüm

modisches Kleid

Freizeithose

Für kältere Tage:

langer Mantel

warmer Winterhut

warme Winterstiefel

Für den sportlichen Mann:

T-Shirt

sportliche Hose

warmer Pullover

sportliche Mütze

dicke Socken

---

das Kleid, das Kostüm
der Hut
die Strumpfhose
der Slip, der Unterrock

das T-Shirt ⊖, die Hose, die Freizeithose
der Pullover, der Mantel, die Mütze
die Socke, der Stiefel, der Winterstiefel
die Unterwäsche, das Unterhemd, die Unterhose

Das sagt man oft:
Zieh dich warm an, draußen ist es kalt!
Du siehst heute aber schick aus – hast du etwas Besonderes vor?
Dieses Kleid / ... steht dir sehr gut! (= Du siehst sehr gut darin aus.)

1) Welcher Artikel?

a. Schreiben Sie die Substantive mit dem richtigen Artikel.

der Anzug,	das	die

Kostüm Hose Schuh Rock Hemd Bluse Jacke ~~Anzug~~ Mantel Hut Socke Stiefel Pullover Mütze

b. Formulieren Sie eine Regel: Substantive mit der Endung -e sind meistens _____.

2) Kombinationen

Schreiben Sie alle möglichen Kombinationen auf.

Mantel Wäsche Winter Sommer unter Hut Hose Hemd Freizeit Stiefel

der Winterhut, _____

3) Zuordnungen

Schreiben Sie die Kleidungsstücke von der linken Seite in den richtigen Kasten.

Das bedeckt	den Oberkörper	die Beine	die Füße	den Kopf
	die Bluse,			

4) Wenn es kalt ist …

Schreiben Sie auf, welche Kleidungsstücke man anziehen kann, wenn es kalt ist. Suchen Sie die Wörter auf der linken Seite.

dicke Socken, _____

5) Was sagen Sie in diesen Situationen?

1. Ihr Freund hat einen schicken neuen Anzug an. → *Der Anzug steht …* _____!
2. Ihr Kind will draußen spielen, aber es ist sehr kalt. → _____!
3. Eine Kollegin kommt heute in ihrem besten Kostüm zur Arbeit. → _____?

6) Was zieht man wann an?

Kreuzen Sie an: Das ist in meinem Land (a) normal, (b) möglich, aber nicht notwendig, (c) eher selten, (d) nicht akzeptabel. Vergleichen Sie dann mit Ihrem Nachbarn / Ihrer Nachbarin.

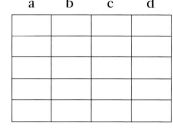

	a	b	c	d
1. Ein Bankbeamter trägt bei der Arbeit Jeans.				
2. Lehrerinnen ziehen bei der Arbeit einen Rock oder ein Kleid an.				
3. Bei einer Rede vor dem Parlament hat ein Minister keine Krawatte an.				
4. Man kann in Jeans in ein klassisches Konzert gehen.				
5. Eine Frau geht in eleganter Hose und Bluse zur Hochzeit ihrer Freundin.				

Früher war sie so verständnisvoll.

„Ich weiß auch nicht – früher war sie so lieb, so verständnisvoll, so herzlich – und jetzt ist sie nur noch ungeduldig und nervös."

● „Was ist eigentlich mit dem Chef los? Er ist auf einmal so freundlich und hat immer gute Laune!"

◇ „Ja, das ist schon sehr komisch. Bisher war er doch immer arrogant und distanziert. Ob er verliebt ist?"

Früher war sie	lieb, geduldig, verständnisvoll, herzlich, höflich, glücklich, ...
+	
Jetzt ist sie	nervös, ungeduldig, unhöflich, unglücklich, ...
–	

Er ist	freundlich, kooperativ, nett, sympathisch, gut gelaunt, hilfsbereit, interessant, ...
+	
Er war	unfreundlich, arrogant, distanziert, kalt, unsympathisch, schlecht gelaunt, egoistisch, ...
–	

● „Mein Peter wird bestimmt mal ein prima Sportler, er hat richtig Talent."

◇ „Ehrlich gesagt, ich finde Sport ganz unwichtig. Hauptsache, das Kind ist intelligent und hat Humor!"

● „Also, den Freund von Susi finde ich richtig süß!"

◇ „Findest du? Ich finde ihn langweilig. Der sagt doch nie was!"

● „Stimmt. Aber er sieht echt gut aus!"

Sie hat Talent, einen guten Charakter, Geduld, Humor.	der Charakter
Er hat oft schlechte / gute Laune.	der Humor
Sie ist eine gute Sportlerin / Musikerin / ...	das Talent
Er sieht gut / interessant / nett / ... aus.	die Geduld
Ich finde ihn (sie) süß / langweilig / intelligent / interessant / nett / komisch / ...	die Laune

! HINWEIS
Sie **ist** sehr **verständnisvoll**.
Ich **finde** ihn **süß**.
Hier hat das Adjektiv keine Endung.
Aber: Er hat oft schlechte Laune.

! HINWEIS
Diese Wörter verstärken die Aussage:
Ich finde Sport **ganz** unwichtig. Ich finde ihn **richtig** süß.
Er sieht **echt** gut aus. U

(Körper und Aussehen ◀▮▮▮ 33)

1) Veränderungen

Wie ist Karl jetzt?

Ich verstehe das nicht: Karl war früher so _geduldig,_ _freundlich_ und _höflich_ .

Alle fanden ihn immer sehr _sympathisch_ und _interessant_ . Vielleicht, weil er _jung_ und _reich_ war?

Heute aber ist er _ungeduldig,_ _____ 1 und _____ 2. Alle finden ihn _____ 3

und _____ 4. Vielleicht, weil er _____ 5 und _____ 6 ist?

2) Nur Geduld!

Wie heißen die Substantive, die zu diesen Adjektiven passen?

1. geduldig → _die Geduld_   3. glücklich → _____   5. höflich → _____

2. interessant → _____   4. verständnisvoll → _____   6. langweilig → _____

3) Finden Sie die Wörter:

Hier sind 12 Wörter versteckt. Markieren Sie sie und schreiben Sie sie daneben.

| C H A N D U S F J O H U M O R W |
| N U N F R E U N D L I C H G E S |
| O Y E C H T W Q U M L Z N G W E |
| E S T H A Z E N T K F V S E Ö Z |
| X I T A L E N T A B S Ü ß C L J |
| N E P R B U M ⟨L I E B⟩ S E W A S |
| K L I A E T K P Ä M E R A V U U |
| I D F K A B W H A R R O G A N T |
| E A C T Ö P L B R G E E S F E Y |
| V D N E R V Ö S M C I T E A R S |
| S E R R Q Z M U Q A T Z K Y Q W |

lieb
_____
_____
_____
_____
_____
_____
_____
_____
_____
_____
_____

4) Susis Traummann

Susi hat ihren Traummann kennen gelernt. Sie ist richtig begeistert – das schreibt sie ihrer Freundin.

Er ist fast perfekt:

1. ++ Aussehen   _Er sieht sehr gut aus._   5. immer: ++ Laune   _____

2. ++ Charakter   _____   6. ++ verständnisvoll _____

3. ++ Geduld   _____   7. ++ reich   _____

4. ++ sportlich   _____   8. Leider: – intelligent _____

5) Ihr Traummann / Ihre Traumfrau

Wie sollte Ihr Traummann / Ihre Traumfrau sein? Wie sollte er / sie nicht sein?

Machen Sie eine Liste und vergleichen Sie dann mit Ihrem Nachbarn / Ihrer Nachbarin.

Herzlichen Glückwunsch zum Geburtstag!

die Kerze   der Kuchen

DAS ALTER

Ich bin zweiundzwanzig (Jahre alt).
• Wie alt bist du denn? ⬥ Vierzig.
• Schon vierzig? Du siehst aber jünger aus!
Mein Geburtstag fällt dieses Jahr auf einen
Sonntag (= ist an einem Sonntag).

ungefähr 0 – 1 Jahr:	das Baby ⌒
2–12 Jahre:	das Kind (der Junge – das Mädchen)
13–18 Jahre:	der / die Jugendliche, der Teenager ⌒
ab 18 Jahre:	der / die Erwachsene

DAS DATUM

• Der Wievielte ist heute?
⬥ Heute ist der 2. Juli 2003.
Man sagt:
... der zweite Juli
zweitausenddrei

• Den Wievielten haben wir heute?
⬥ Den 2. Juli 2003.
Man sagt: ... den zweiten Juli zweitausenddrei
• Wann hast du Geburtstag / Namenstag?
⬥ Ich habe am 28. Oktober Geburtstag / Namenstag.
Man sagt: ... am achtundzwanzigsten Oktober

Zur Erinnerung:

DIE ORDINALZAHLEN

1. der / die / das **erste**
2. zweite
3. **dritte**
4. vierte
5. fünfte
6. sechste
7. siebte   (-te)
8. achte
9. neunte
...

20. zwanzigste   (-ste)
21. einundzwanzigste
30. dreißigste usw.

HINWEIS

Ordinalzahlen haben
Adjektivendungen:
der fünfte Januar
am fünften Januar

Ordinalzahlen schreibt
man mit einem Punkt:
der 15. Mai
10. der zehnte ...
19. der neunzehnte

der Glückwunsch, die Glückwunschkarte
der Geburtstag, der Namenstag, die Fete U
(= das Fest), die Riesenfete (= großes Fest)
das Datum, das Alter, jung aussehen
jünger ↔ älter; eine ältere Dame (*nicht mehr
ganz jung, aber auch nicht alt*), ein jüngerer
Herr (*nicht mehr so jung*)

Tage, Wochen, Monate ◀▐▐▐ 11

1) Welche Endung?

1. Wann haben Sie Geburtstag? – Am dreizehn<u>ten</u> August.
2. Ist heute wirklich schon der achtundzwanzigst__ ?
3. Den Wievielten haben wir heute? Den zweit__ oder den dritt__?

> **März 2003** **31** Montag
> _____
> _____
> _____
> _____

2) Welcher Tag ist heute?

1. Der Wievielte ist heute? → _Heute ist der ..._ _____
2. Den Wievielten haben wir heute? → _____
3. Welcher Tag war gestern? → _____
4. Wann ist Johann Wolfgang Goethe geboren? → _____ (28.8.1749)
5. Wann ist Weihnachten? → _____
6. Wann haben Sie Geburtstag? → _____

3) Wünsche und Träume

Ergänzen Sie die Begriffe das Kind *und* der Jugendliche / die Jugendliche, der Erwachsene / die Erwachsene, der Junge / das Mädchen. *Achten Sie auf die Endungen!*

1. Als ich noch ein _Kind_ war, so mit 5 oder 6 Jahren, wollte ich immer Verkäuferin werden.
2. Aber das hat sich dann bald geändert. Mit 14 wollte ich am liebsten ein Popstar sein. Ich glaube, viele _____ haben solche Träume.
3. Oft können die _____ die Wünsche ihrer Kinder nicht verstehen.
   Sie tun dann so, als ob sie selbst nie _____ gewesen wären.
4. Mit 15 / 16 Jahren haben _____ und _____ ganz verschiedene Vorstellungen vom Leben.
5. Allen _____ kann ich nur raten, sich ab und zu mal daran zu erinnern, wie sie sich als _____ und als _____ gefühlt haben.

4) Und Sie?

Erzählen Sie Ihrem Nachbarn / Ihrer Nachbarin, was Sie sich immer gewünscht haben.
Als Kind wollte ich ... Später, als ... Und nun, als ...

5) Was und wie feiern Sie?

Feiern Sie auch Geburtstag? Oder Namenstag? Was gehört zu diesem Fest? Machen Sie ein Assoziogramm. Vergleichen Sie mit Ihrem Nachbarn / Ihrer Nachbarin.

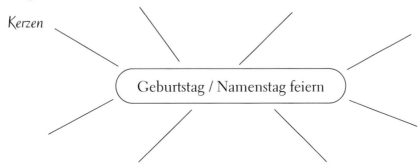

Kerzen

Geburtstag / Namenstag feiern

Ich freue mich so, dass du gekommen bist!

*„Ich freue mich so, dass du
gekommen bist, Rosa!"*

FREUDE UND GLÜCK

sich über etwas freuen	die Freude
sich auf etwas (in der Zukunft) freuen	
glücklich sein / froh sein	das Glück
zum Glück	
fröhlich sein	die Fröhlichkeit
guter Laune sein	die Laune

Das sagt man oft:

> Ich freue mich, dass du hier bist. – Das ist ja toll!
> Ich freue mich schon riesig auf die Ferien nächsten Monat!
> Ich bin so glücklich / sehr froh, dass alles geklappt hat!
> Zum Glück ist alles gut gegangen.
> Mit Anja bin ich gern zusammen — sie ist
> immer so fröhlich und guter Laune.

BEDAUERN

leider …
etwas ist schade
etwas tut mir Leid

Das sagt man oft:

> Leider kann ich nur zwei Tage bleiben.
> Wie schade, dass du schon nach Hause musst!
> Es tut mir sehr Leid, aber ich konnte nicht eher kommen.

*„Nee, da gehe ich nicht weiter, Luise.
Ich habe solche Angst vor Hunden!"*

ANGST UND SORGE

Angst haben	die Angst
ängstlich sein	
sich fürchten	die Furcht
sich Sorgen machen	
sich sorgen	die Sorge

Das sagt man oft:

> Ich habe Angst vor Hunden / vor der Zukunft.
> Sei doch nicht so ängstlich! Es ist ganz ungefährlich. (↔ gefährlich)
> Fürchtest du dich auch im Dunkeln?
> Ich fürchte, er kommt nicht.
> Es ist schon halb elf. Ich mache mir Sorgen, dass etwas passiert ist.

HOFFNUNG

hoffen	die Hoffnung
hoffentlich	

Das sagt man oft:

> Ich hoffe, dass es klappt.
> Hoffentlich wird alles gut!

Liebe, Hass, Wut ▮▮▮➤ 38

1) Welche Gefühle sind das?

1. Huh! Schnell weg, da kommt ein Hund!   _Angst_ | Hoffnung
2. Das tut mir sehr Leid.   _____ | Freude
3. Das hoffe ich aber sehr!   _____ | Bedauern
4. Das Geschenk ist ja toll!   _____ | ~~Angst~~
5. Ich fürchte, ihm ist etwas passiert.   _____ | Sorge

2) Welche Verben passen?

1. Es fehlt überall an Geld. Die Situation an den Schulen _____macht_____ mir Sorgen.
2. Es _____ mir Leid, dass ich zu spät gekommen bin. Der Bus hatte Verspätung!
3. Der neueste Horrorfilm von Senfberg? Der _____ mir zu viel Angst.
4. Ich _____ mich sehr, dass meine Eltern dieses Wochenende zu Besuch kommen.
5. Ich habe mich bei der Computerfirma vorgestellt. Ich _____, ich kriege den Job.

> machen
> hoffen
> tun
> ~~machen~~
> freuen

3) Wie reagieren Sie? Was sagen Sie?

> „Das freut mich sehr!"   „Ich mache mir Sorgen."   „Wie schade!"
>
> „Das ist ja toll!"   „Das tut mir sehr Leid."   „Ich freue mich schon riesig darauf."

1. Sie haben im Lotto gewonnen. → _____ _„Das ist ja toll!"_ _____
2. Sie wollen mit einer Freundin eine Radtour durch Holland machen. → _____
3. Ihre Tochter hat eine gute Note in der Schule bekommen. → _____
4. Ihre Freundin kann nicht zu Ihrer Geburtstagsparty kommen. → _____
5. Der Hund Ihrer Freundin ist gestorben. → _____
6. Ihr Sohn ist spät abends noch nicht von einer Party zurück. → _____

4) Drücken Sie Ihre Gefühle aus!

Ihre Freundin Sabine erzählt Ihnen von ihrem Leben in einer neuen Stadt. Reagieren Sie auf ihre Äußerungen. Sie können auch mehrere Alternativen aufschreiben.

1. Sabine: Wir haben eine sehr schöne Wohnung gefunden.
   Sie: _____ _Das freut mich aber!_ _____ (Freude)

2. Sabine: Ich musste meine gute Stelle aufgeben, um mit Franz nach S. zu ziehen.
   Sie: _____ (Bedauern)

3. Sabine: Jetzt wohnen wir aber näher bei euch, dann sehen wir uns öfter.
   Sie: _____ (Glück)

4. Sabine: Es wird nicht leicht für Jens (Sohn) sein, wieder neue Freunde zu finden.
   Sie: _____ ((keine) Sorgen)

5. Sabine: Ich weiß auch noch nicht, wie seine neue Schule ist.
   Sie: _____ (Hoffnung)

Ich liebe dich!

„Ich liebe dich, Eduard!"

(Sie lächelt, er lacht.)

LIEBEN / GERN HABEN / MÖGEN

lieben, die Liebe (*sehr starkes Gefühl, romantisch*), das Gefühl

jdn. gern haben

(jdn. gern) mögen

Lust haben (*in diesem Moment*)

Das sagt man oft:

Ich liebe meine Kinder über alles! – Ah! Ich liebe die Natur!
Mutti, Uwe und ich lieben uns und wir wollen heiraten! ♡
Ralf ist ein guter Freund, ich habe ihn gern (aber ich liebe ihn nicht).
Harald mag Katzen, aber keine Hunde. Ich mag lieber Goldfische.
Susanne mag zum Frühstück am liebsten Müsli.
Jetzt habe ich richtig Lust, rauszugehen und zu joggen.

HASSEN / NICHT MÖGEN / NICHT LEIDEN KÖNNEN

jdn. / etwas hassen, der Hass

jdn. / etwas nicht leiden können

jdn. / etwas nicht mögen

Das sagt man oft:

Ich hasse diesen Schmutz überall! Putz doch endlich mal dein Zimmer!
Ich kann es nicht leiden, wenn meine Eltern mich nicht ernst nehmen.
Ich mag sie, aber ihn mag ich nicht.

„Kannst du denn nicht aufpassen? Jetzt bin ich aber wirklich sauer!"

weinen

WUT / ÄRGER

wütend sein auf jdn., die Wut

sauer sein auf jdn. **Ü** / jdm. böse sein

ärgerlich sein, der Ärger

sich ärgern über etwas / jdn.

Das sagt man oft:

Meine Mutter ist immer so schnell wütend.
• Jetzt werd' ich wirklich sauer! ◇ Bitte, sei mir nicht böse!
Die Vase ist kaputt! Das ist aber ärgerlich!
Wenn nicht alles klappt, ärgert er sich immer gleich.

TRAUER / ENTTÄUSCHUNG

traurig sein, trauern um jdn.

die Trauer

jdn. enttäuschen

die Enttäuschung

enttäuscht sein von jdm.

Das sagt man oft:

Sie trauert immer noch um ihren Onkel.
Sei nicht traurig! Es wird alles wieder gut.
Herta kann nicht kommen? Ach, wie schade! Das ist aber
eine große Enttäuschung!
Er hat mich sehr enttäuscht. / Ich bin sehr enttäuscht von ihm.

(Freude, Angst, Hoffnung ◀▌||| 37)

1) Welche Gefühle sind das?

1. Meine Katze ist gestorben und ich fühle mich allein. _____ *Trauer* _____
2. Jens!!! Was hast du hier schon wieder gemacht?! Alles ist nass!! _____
3. Er kommt nicht? Er hatte es doch fest versprochen! _____
4. Musst du denn immer so viel Geld ausgeben!? _____
5. Du bist so wunderbar! Wir dürfen uns niemals trennen ...! _____

| Wut |
| ~~Trauer~~ |
| Liebe |
| Ärger |
| Enttäuschung |

2) Leserbrief: Liebe Frau Brigitte!

Ergänzen Sie das Substantiv oder Adjektiv, und wenn nötig, auch die Präpositionen.

Liebe Frau Brigitte!
Heute muss ich mal meinen ganzen __*Ärger*__ loswerden. Gestern Abend war
ich wie oft am Freitag mit meinem Freund verabredet. Und, wie so oft, kam er eine
halbe Stunde zu spät. Ich war richtig _____₁ ! Ich habe ihm gesagt, dass ich
sehr _____ _____₂ sein Verhalten bin, aber er hat nur gelacht.
Das hat meine _____₃ natürlich noch größer gemacht, und ich habe ihn
fortgeschickt. Als ich dann allein war, war ich doch ziemlich _____₄.
Was soll ich jetzt machen?

> sauer
> ~~Ärger~~ / ärgerlich
> enttäuscht /
> Enttäuschung
> traurig / Trauer
> Wut / wütend
> von / über

3) Wie reagieren Sie? Was sagen Sie?

| „Bist du immer noch sauer?"   „Doch, doch, ich habe dich sehr gern."   „Ich hasse das!"
„Da bin ich aber sehr enttäuscht!"   „Ich liebe dich!"   „Das ist aber traurig!" |

1. Ihr Freund gibt Ihnen einen liebevollen Kuss. → _____ *„Ich liebe dich!"* _____
2. Sie können es nicht leiden, wenn jemand immer die Tür offen lässt. → _____
3. Sie möchten wissen, ob Ihre Freundin Ihnen noch böse ist. → _____
4. Ein guter Freund von Ihnen glaubt, Sie mögen ihn nicht. → _____
5. Ihre Freundin kommt nicht zu Ihrer Geburtstagsparty. → _____
6. Der Held in dem Film bleibt am Ende allein. → _____

4) Welche Gefühle drücken Sie hier aus?

Ordnen Sie die Äußerungen den Gefühlen zu.

1. „So ein Mist! Jetzt ist das Radio kaputt."   a. Sie sind traurig.
2. „Ihhh! Katzenhaare auf dem Sofa!"   b. Sie sind enttäuscht.
3. Sie weinen.   c. Sie ärgern sich.
4. „Oh wie schade!"   d. Sie hassen etwas.

5) Wie drücken Sie das in Ihrer Sprache aus?

Diskutieren Sie mit Ihrem Partner / Ihrer Partnerin, wie Sie in Ihrer Sprache Liebe, jemanden gern haben, Hass, Wut, Enttäuschung *oder* Ärger *ausdrücken.*

der Spiegel

das Handtuch

das Waschbecken

die Dusche

die Badewanne

das WC

die Bürste

die Zahnbürste

das Badezimmer / das Bad

der Kamm   die Zahncreme

die Seife

„Vergiss nicht, dir die Ohren zu waschen, Thomas! Und trockne dich nachher gut ab!"

DAS MACHT THOMAS JEDEN MORGEN

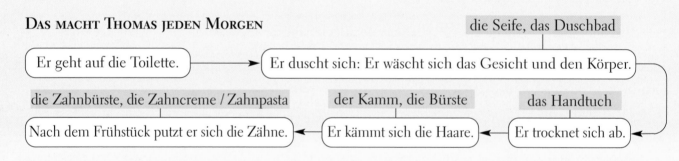

die Seife, das Duschbad

Er geht auf die Toilette. → Er duscht sich: Er wäscht sich das Gesicht und den Körper.

die Zahnbürste, die Zahncreme / Zahnpasta   der Kamm, die Bürste   das Handtuch

Nach dem Frühstück putzt er sich die Zähne. ← Er kämmt sich die Haare. ← Er trocknet sich ab.

Das macht man noch im Badezimmer:	
sich (die Hände / das Gesicht) waschen	die Toilette ⊖ / das WC / das Klo **U**
ein Bad nehmen, sich baden, sich duschen	das Bad; schmutzig ↔ sauber
(sich) die Fingernägel schneiden, (sich) die Zähne putzen	der Fingernagel
(sich) rasieren	
Das macht man auch:	der Friseur, die Friseurin ⊖; die Schere
zum Friseur gehen und sich die Haare schneiden lassen	der Coiffeur, die Coiffeuse ⊖ (CH)

DIE DROGERIE
Hier bekommt man alle Sachen für die Körperpflege und die Wäsche.

Das sagt man oft:
Vor dem Essen immer die Hände waschen!
Hast du ein Pflaster? Ich habe mich geschnitten.
Beim Friseur: Bitte nicht zu kurz schneiden!
In der Drogerie: Können Sie mir eine Hautcreme für trockene Haut empfehlen?

HINWEIS
der Fris**eu**r / der Fris**ö**r
– beides ist richtig.

Körper und Aussehen ‖▶ 33

1) Was passt?

1. die Zähne — nehmen
2. ein Bad — kämmen
3. aufs Klo — putzen
4. sich die Haare — gehen

5. den Bart — schneiden lassen
6. die Haare — aufs Gesicht tun
7. die Fingernägel — schneiden
8. eine Creme — rasieren

2) Welche Wörter haben eine besondere Aussprache? ⌒

1. die Toilette [X]   3. das WC [ ]   5. die Coiffeuse [ ]   7. die Drogerie [ ]
2. das Bad [ ]   4. der Friseur [ ]   6. die Zahnpasta [ ]   8. das Pflaster [ ]

In der alphabetischen Wortliste finden Sie die genaue Aussprache.

3) Was kann man schneiden, waschen, putzen?

Vorsicht! Nicht alle Wörter passen!

schneiden	waschen	putzen
die Haare,		

das Badezimmer   der Bart   die Creme   die Fingernägel   ~~die Haare~~   die Hände
das Handtuch   die Ohren   das WC   das Waschmittel   das Vollbad   die Zähne

4) Womit macht man das?

1. sich die Hände abtrocknen → _____ mit dem Handtuch _____
2. sich die Zähne putzen → _____
3. sich die Hände waschen → _____
4. sich die Fußnägel schneiden → _____

5) Liebe Iris, ...

Ihre deutsche Brieffreundin wird Sie besuchen. Beschreiben Sie einen typischen Morgen in Ihrem Haus.

... ich freue mich sehr, dass du kommst. Ich muss dich warnen, manchmal geht es bei uns recht wild zu. Am Morgen wollen immer alle zusammen ins __Badezimmer__. Ich stehe etwas früher auf, damit ich in Ruhe _____1 kann. Nur am Sonntag nehme ich _____2, da schlafen mein Mann und meine Kinder etwas länger. Weil Katharina lange Haare hat, braucht sie sehr lange zum _____3. Dazu hat sie eine ganze Sammlung von _____4 und _____5. Mein Mann und Kai _____6 sich jeden Morgen. Nach dem Frühstück wollen dann noch mal alle ins Bad, um sich _____ zu _____7. Aber irgendwie schaffen wir alles immer, bevor wir in die Schule und zur Arbeit fahren!

duschen   (sich) die Zähne putzen   (sich) rasieren   (sich) kämmen   (sich) schminken
ein Bad (nehmen)   die Haare waschen   ~~das Badezimmer~~   die Bürste   der Kamm

6) Wie ist es bei Ihnen morgens im Bad? Erzählen Sie sich gegenseitig.

Bitte einmal kräftig einatmen!

der Patient

der Oberkörper

die Ärztin

die Arztpraxis / die Ordination (A)

die Packung Tabletten

das Fieber-thermometer

„Bitte einmal kräftig einatmen! – Danke. Und nun langsam ausatmen.“

DAS SAGT DER ARZT / DIE ÄRZTIN:
- Na, was fehlt Ihnen? / Wie geht es Ihnen heute?
- Haben Sie noch Schmerzen? / Was tut Ihnen weh?
- Machen Sie bitte den Oberkörper frei.
- Sie haben eine starke Grippe. Solange Sie Fieber haben, müssen Sie im Bett bleiben.
- Ich schreibe Ihnen ein Rezept. Das Medikament können Sie sofort in der Apotheke abholen.
- Dreimal am Tag. Lesen Sie bitte gut die Packungsbeilage.

DAS SAGT DER PATIENT / DIE PATIENTIN:
- Es geht mir schon besser, danke.
- Hier der Bauch tut mir weh.
- Können Sie mich bitte krankschreiben?
- Wie oft muss ich die Tabletten / die Tropfen nehmen?“

Das macht der Arzt / die Ärztin:

(den Patienten / den Bauch) untersuchen
ein Rezept schreiben, das Rezept
ein Medikament verschreiben, das Medikament
den Patienten krankschreiben

der Hausarzt ↔ der Facharzt, die ~ärztin
der Hals-, Nasen-, Ohrenarzt; der Zahnarzt,
der Frauenarzt, ...
die Apotheke, die Tropfen, die Tablette, die Packung,
die Salbe, die Tube, die Packungsbeilage

Das macht der Patient / die Patientin:

einatmen ↔ ausatmen
sich frei machen ↔ sich (wieder) anziehen
Husten haben, husten, der Husten
Schmerzen / eine Grippe / eine Erkältung /
Fieber haben; das Fieber, der Schmerz
Fieber messen, das Fieberthermometer

Er ist krank ↔ gesund. Er sieht schlecht aus.
wehtun: Ihm tut der Hals / der Bauch weh.
die Krankheit ↔ die Gesundheit

Das sagt man oft:

Ich muss heute zum Arzt. / Ich habe einen Termin beim Arzt. Die Tabletten haben mir gut geholfen.
Er hat die ganze Nacht gehustet. Er hat keinen Appetit (der Appetit). Er sieht recht / ziemlich blass
aus. Haben Sie schon Fieber gemessen? Das Ergebnis der Untersuchung erfahren / bekommen Sie
nächste Woche.

Im Krankenhaus ▶ 42; Körper und Aussehen ◀ 33

 HINWEIS
Man sagt:
„Guten Tag, Herr Doktor / Frau Doktor.“

1) Wie heißt das Gegenteil?

1. die Krankheit ↔ ___die Gesundheit___   3. der Hausarzt ↔ _____

2. einatmen ↔ _____   4. sich frei machen ↔ _____

2) Was stimmt?

Unterstreichen Sie das richtige Wort / die richtigen Wörter.

1. Der Arzt hat mich für 5 Tage   verschrieben – ein Rezept geschrieben – krankgeschrieben.

2. Würden Sie bitte den Oberkörper   befreien – ausziehen – frei machen.

3. Gestern hat Elvira den ganzen Tag   erkältet – gehustet – wehgetan.

3) Ergänzen Sie die passenden Wörter:

1. Der linke Arm tut mir immer noch ___weh___ .

2. Gestern Abend habe ich Fieber _____ , 39,5 Grad!

3. Herr Doktor, können Sie mir bitte etwas gegen den Husten _____?
   Aber keine Antibiotika, bitte.

4. Nehmen Sie bitte 3 x am Tag 24 _____ in etwas Flüssigkeit.

5. Alle Medikamente erhalten Sie in der _____ .

4) Der Arzt sagt:

1. Wie geht es Ihnen?   Oder: ___Was fehlt Ihnen?___

2. Was tut Ihnen weh?   Oder: _____

3. Ziehen Sie bitte Ihr Hemd aus.   Oder: _____

4. Sie haben eine hohe Temperatur.   Oder: _____

5. Ich muss Ihren Hals ansehen.   Oder: _____

Fieber haben
sich frei machen
Schmerzen haben
untersuchen
~~fehlen~~

5) In der Arztpraxis / In der Ordination

Ergänzen Sie den Dialog. Benutzen Sie dazu die Wörter in den Klammern.

1. Arzt: Na, was fehlt Ihnen denn?

2. Patient: ___Ich habe eine Erkältung.___
   (Erkältung)

3. Arzt: Haben Sie Schmerzen?

4. Patient: _____
   (in der Brust, wehtun – wenn atmen)

5. Arzt: Haben Sie schon Fieber gemessen?

6. Patient: _____
   (gestern Abend hohes Fieber, 40 Grad)

7. Arzt: Soll ich Ihnen ein Antibiotikum verschreiben?

8. Patient: _____
   (ja / und krankschreiben)

Bitte schicken Sie sofort einen Krankenwagen!

der Krankenwagen /
die Rettung (A)

*„Bitte schicken Sie
sofort einen Kranken-
wagen! Hier hat es
einen Unfall mit
Verletzten gegeben!"*

---

der Unfall, die Notrufnummer: 110 (D), 133 (A), 117 (CH)
verletzen   → der Verletzte (*Diese Person wurde bei dem Unfall verletzt.*)
            → die Verletzung (*z.B.: Jemand hat einen Arm gebrochen.*)

Das sagt man oft: Unfälle

• Was ist passiert? / Wie ist das passiert?
• Der Fahrer des Wagens ist zu schnell ge-
  fahren und konnte nicht mehr bremsen.
• Er fuhr mit zu großer Geschwindigkeit.
• Er überholte (den Kleinbus) in der Kurve.
• Der Fußgänger überquerte die Straße und
  wurde von dem Auto überfahren.
• Bei welcher Versicherung sind Sie? (Auto)
• Bei welcher Krankenkasse sind Sie?

Das sagt man oft: Verletzungen

• Sind Sie verletzt? / Haben Sie sich verletzt?
• Sie hat viel Blut verloren.
• Der Verletzte musste sofort operiert werden.
• Die Verletzungen sind schwer . (↔ leicht)
• Der Verletzte ist in Lebensgefahr. (↔ außer Lebensgefahr)
• Ich habe mir (beim Schilaufen) das Bein gebrochen.
• Er ist gestürzt und hat eine Gehirnerschütterung.

50 km/Stunde
die Geschwindigkeitsbeschränkung
(= das Tempolimit)

Hier darf man nur
50 Kilometer in der
Stunde fahren.

---

das Krankenhaus / das Spital (A, CH), die Notaufnahme
die Autoversicherung; die Krankenversicherung, die Krankenkasse / die Krankenkassa (A)
stürzen / fallen, (sich) das Bein brechen; die Gehirnerschütterung
das Blut, bluten, Blut verlieren; die Spritze
operieren, die Operation; die Gefahr, die Lebensgefahr, lebensgefährlich; gefährlich ↔ ungefährlich
bremsen, die Bremse; die Geschwindigkeit, 50 km pro Stunde (km = der Kilometer)
überholen, das Überholverbot, die Kurve; (die Straße) überqueren, (einen Fußgänger) überfahren
Erste Hilfe: Jeder Autofahrer muss bei Unfällen Erste Hilfe leisten. (*dem Verletzten helfen*)

Arztbesuch ◀▏▎▍▌ 40; Im Krankenhaus ▏▎▍▌▶ 42

1) Was stimmt?

Unterstreichen Sie das richtige Wort.

1. Er hat sich beim Schlittschuhlaufen den Arm   verloren – gefallen – gebrochen.
2. Bei dem Unfall gabe es viele   Verletzte – Verletzung – verletzt.
3. Es ist nicht so schlimm, die Verletzungen sind   klein – leicht – schwer.

2) Wie sagt man dazu?

1. 50 km/Stunde ist in der Stadt die erlaubte   →   *Geschwindigkeit*
2. Vor Schulen darf man nur 30 km/Stunde fahren, es gibt eine   →   _____
3. Verletzte bringt man ins Krankenhaus, in die   →   _____
4. Wenn ein Unfall passiert, müssen die anderen Autofahrer   →   _____

3) Ich konnte leider nicht eher schreiben …

Ergänzen Sie die Wörter in der richtigen Form. Achten Sie auch auf den Artikel!

Hallo Horst, ich habe dir nicht eher geschrieben, weil wir vorige Woche einen _Autounfall_ hatten. Meine Freundin Elisabeth und ich fuhren auf der Landstraße, in normaler Geschwindigkeit, so ungefähr 80 _____ 1. Dann kam eine Bergstrecke, und es gab eine _____ 2 von 40 km/Stunde. Plötzlich überholte uns ein schwarzer Sportwagen, genau in der _____ 3. Er konnte das Auto nicht _____ 4, das uns entgegen kam. Erst in letzter Minute ist er nach rechts gefahren, genau vor uns. Ich konnte gerade noch scharf _____ 5. Dabei sind wir an einen Baum gefahren. Elisabeth ist mit dem Kopf gegen die Scheibe gestoßen, aber die Verletzung war glücklicherweise nur _____ 6. Trotzdem sind wir gleich in die Notaufnahme des nächsten _____ 7 gefahren. Dort haben sie Elisabeth _____ 8. Durch den Stoß hatte sie eine _____ 9, und nun muss sie eine Woche lang ruhig im Bett liegen bleiben. …
Dein Klaus

> Kurve   Gehirnerschütterung   Krankenhaus   ~~Autounfall~~   Geschwindigkeitsbeschränkung
> sehen   km/Stunde   bremsen   leicht   untersuchen

4) Die Polizei stellt Fragen

Ergänzen Sie den Dialog. Benutzen Sie die Inhalte aus Übung 3. Spielen Sie den Dialog mit einem Partner / einer Partnerin.

1. Polizei: Wie ist der Unfall passiert?
2. Klaus: _____
3. Polizei: Wie schnell sind Sie gefahren?
4. Klaus: _____
5. Polizei: Gab es Verletzte?
6. Klaus: _____
7. Polizei: Dann fahren Sie jetzt am besten _____.

Sie wurde gestern aus dem Krankenhaus entlassen.

„Frau Stolz?
Die wurde
gestern schon
entlassen."

„Die Patientin auf
Zimmer 204
klagt über
starke Schmerzen.
Bringen Sie ihr
bitte zwei Tabletten."

der Krankenpfleger   die Krankenschwester

IM KRANKENHAUS

das Krankenhaus, die Intensivstation; im Krankenhaus / auf der Intensivstation liegen, (aus dem Krankenhaus) entlassen (werden)

krank, die Krankheit, an einer Krankheit leiden; der / die Kranke, einen Kranken / eine Kranke behandeln, die Behandlung; der Schmerz, Schmerzen haben, über Schmerzen klagen

pflegen → der Krankenpfleger

Viele Väter wollen bei der Geburt
ihres Kindes dabei sein.

„Nach der Operation braucht
die Patientin viel Ruhe."

„Herr Heumann, zum
Röntgen in Kabine 3, bitte!"

die gynäkologische Station	die chirurgische Station	die Röntgenstation
der Gynäkologe, die ~in	der Chirurg, die ~in	der Röntgenarzt, die ~ärztin
die Hebamme (*hilft bei der Geburt*)	die Ruhe, Ruhe brauchen	die Röntgenaufnahme
die Geburt, geboren werden	der Patient, die ~in	die Kabine

Das sagt man oft:

Das Mädchen ist Sonntag früh geboren – es war eine leichte Geburt. (leicht ↔ schwer)

Sein Bruder liegt schon seit drei Wochen im Krankenhaus. Er leidet an einer schweren Krankheit.

• Welcher Arzt behandelt Sie denn? ✧ Doktor Seemann.

Gute Besserung!

Arztbesuch ◀‖‖‖ 40; Ein Unfall ◀‖‖‖ 41

1) Wo passiert das?

1. ein Herz wird operiert   a. in der Röntgenstation
2. der Magen wird geröntgt   b. in der chirurgischen Station
3. ein Kind wird auf die Welt gebracht   c. auf der Intensivstation
4. ein Verletzter wird untersucht   d. in der gynäkologischen Station
5. ein frisch Operierter erholt sich   e. in der Notaufnahme

2) Was passt nicht in die Reihe?

1. die Behandlung – die Verletzung – die Operation – die Untersuchung
2. leiden – behandeln – entlassen – untersuchen
3. die Spritze – die Tablette – der Schmerz – das Fieberthermometer

3) Schreiben Sie diese Sätze neu:

Gutentagichmöchtemeineschwesterbesuchensieliegtaufderintensivstationsiewurdegesternammagenoperiert.
Dannfahrensiebittemitdemaufzugindenviertenstockbesuchszeitistbisachtzehnuhr.

4) Wer macht das?

Ordnen Sie zu.

einem Patienten Tabletten bringen – einen Patienten waschen – ~~eine Patientin untersuchen~~ – eine
Patientin röntgen – einen Patienten entlassen – bei der Geburt helfen – einen Patienten behandeln
– das Bett machen

der Arzt / die Ärztin	der Krankenpfleger / die Krankenschwester
eine Patientin untersuchen,	

5) Was bedeutet das?

Dieser Ausdruck wird auch figurativ benutzt.   **Was bedeutet er?**
„Das war eine schwere Geburt!"   1. Das Baby wiegt mehr als gewöhnlich.
                                   2. Diese Aktion war sehr anstrengend.
                                   3. Es hat leider nicht geklappt.

6. Was assoziieren Sie mit „Krankenhaus"?

*Waren Sie schon mal im Krankenhaus? Oder ein Freund / eine Freundin / Verwandte? Machen Sie
ein Assoziogramm. Vergleichen Sie mit Ihrem Nachbarn / Ihrer Nachbarin.*

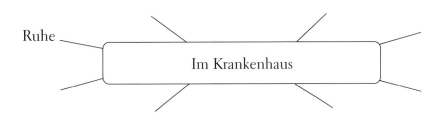

Nein, danke, ich rauche nicht!

die Nicht-Raucherzone

- „Darf ich Ihnen eine
  Zigarette anbieten?"
- „Nein, danke, ich rauche nicht.
  Übrigens: Rauchen ist hier verboten!"

Das sagt man oft:	
Haben Sie Feuer?	der Raucher, die ~in; der Tabak, die Zigarette
Darf ich Ihnen Feuer geben?	das Feuer, das Feuerzeug
	das Streichholz / das Zündholz (A, süddt.) (anzünden)
Tabak ist eine Droge.	die Droge, die Sucht: süchtig, drogensüchtig
Rauchen ist eine Sucht.	der / die Süchtige, ein Süchtiger, eine Süchtige
Wer raucht, ist nikotinsüchtig.	das Nikotin: nikotinsüchtig / süchtig nach Nikotin
Alkoholismus ist eine Krankheit.	der Alkohol: der Alkoholkranke / der Alkoholiker, die ~in
	der Alkoholismus, alkoholabhängig, alkoholsüchtig

Andere Suchtarten:	Jemand ist ...		
die Tablettensucht	tablettensüchtig	(braucht ständig bestimmte Tabletten)	die Tablette
die Kaufsucht	kaufsüchtig	(kauft viele unnötige Dinge)	das Kaufen
die Sucht nach Ruhm	ruhmessüchtig	(will unbedingt berühmt werden / bleiben)	der Ruhm
die Vergnügungssucht	vergnügungssüchtig	(denkt nur an sein Vergnügen)	das Vergnügen

Sie ist magersüchtig.
(Sie will extrem dünn sein.)

Sie ist süchtig nach frischem Obst.
(Sie will immer viel frisches Obst essen.)

Er ist fettsüchtig.
(Er kann nicht aufhören zu essen.)

Das sagt man oft:	
Manchmal endet eine Sucht tödlich.	dünn / mager sein ↔ dick / fett sein
Für Suchtkranke gibt es Beratungsstellen.	die Magersucht ↔ die Fettsucht
Oft hilft eine Therapie.	der Tod, tödlich
Ein Sozialarbeiter betreut die Süchtigen.	beraten, die Drogenberatungsstelle
	die Therapie, die Drogentherapie
	der Betreuer, die ~in; der Sozialarbeiter, die ~in

1) Welches Wort passt?

1. Meine Freundin raucht viel. Sie ist
   a) alkoholabhängig.
   b) nikotinsüchtig.
   c) krank.

2. Er hat 200 Kravatten im Schrank. Er ist
   a) liebessüchtig.
   b) vergnügungssüchtig.
   c) kaufsüchtig.

3. Sie isst fast nichts mehr, sie ist wahrscheinlich
   a) fettsüchtig.
   b) alkoholsüchtig.
   c) magersüchtig.

4. Gegen seine Alkoholsucht beginnt er nun endlich eine
   a) Therapie.
   b) Drogenberatungsstelle.
   c) Abhängigkeit.

2) Da stimmt etwas nicht!

Diese Wörter gibt es nicht. Wie heißen die Wörter wirklich?

Rauschsüchtige – Magertherapie – Alkoholgift – Drogenarbeiter – Sozialsucht

1. _die Alkoholsüchtige_
2. _____
3. _____
4. _____
5. _____

3) Finden Sie die Wörter:

Malen Sie einen Kreis um die Wörter und schreiben Sie sie mit dem Artikel in die Liste. Es gibt 7 Wörter.

D	A	F	S	F	M	O	V	K	I	O	P	A	G	L	N	R
E	F	E	U	E	R	Z	E	U	G	U	A	S	E	R	T	D
R	S	X	J	M	O	U	R	E	O	X	L	S	N	G	A	C
E	R	T	Z	I	P	H	R	N	E	S	K	U	L	E	B	U
S	H	H	A	N	I	E	T	S	K	L	O	C	A	C	L	K
Z	V	E	R	G	N	Ü	G	E	N	T	H	H	D	I	E	O
M	L	R	H	R	S	R	I	N	Y	F	O	T	S	P	T	A
E	E	A	A	L	X	H	F	L	Q	O	L	G	D	L	T	Q
K	R	P	L	U	R	M	E	I	W	E	S	T	E	R	E	E
U	N	I	K	O	T	I	N	N	T	O	T	S	I	Z	T	F
O	X	E	M	N	R	U	V	A	B	C	Y	Q	E	D	F	W

die Therapie
_____
_____
_____
_____
_____

4) Was kann süchtig machen?

Diese Sachen können süchtig machen:	Diese Sachen machen (normalerweise) nicht süchtig:
Tabak,	

Tabak   Marihuana   Kaffee   Tabletten   Mineralwasser   Bücher   Alkohol
Fleisch   Zucker   Arbeit   Erfolg   Käse

44

Was meinst du?

• „Ich finde, wir nehmen die Autobahn hier.
  Das sieht am einfachsten aus. Was meinst du?"
◇ „Ich weiß nicht ... Ich glaube, das ist ein Umweg.
  Nehmen wir lieber die Landstraße!"
• „Na gut, wenn du meinst –."

MEINUNGEN AUSDRÜCKEN

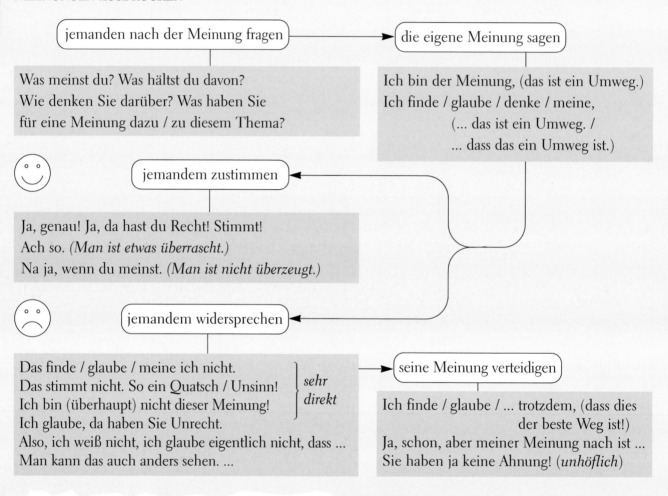

jemanden nach der Meinung fragen → **die eigene Meinung sagen**

Was meinst du? Was hältst du davon?
Wie denken Sie darüber? Was haben Sie
für eine Meinung dazu / zu diesem Thema?

Ich bin der Meinung, (das ist ein Umweg.)
Ich finde / glaube / denke / meine,
　　　　　(... das ist ein Umweg. /
　　　　　... dass das ein Umweg ist.)

☺ **jemandem zustimmen**

Ja, genau! Ja, da hast du Recht! Stimmt!
Ach so. *(Man ist etwas überrascht.)*
Na ja, wenn du meinst. *(Man ist nicht überzeugt.)*

☹ **jemandem widersprechen**

Das finde / glaube / meine ich nicht.
Das stimmt nicht. So ein Quatsch / Unsinn!　⎫ *sehr*
Ich bin (überhaupt) nicht dieser Meinung!　⎬ *direkt*
Ich glaube, da haben Sie Unrecht.　　　　　⎭
Also, ich weiß nicht, ich glaube eigentlich nicht, dass ...
Man kann das auch anders sehen. ...

seine Meinung verteidigen

Ich finde / glaube / ... trotzdem, (dass dies
　　　　　　　　　　der beste Weg ist!)
Ja, schon, aber meiner Meinung nach ist ...
Sie haben ja keine Ahnung! *(unhöflich)*

• „Also meiner Meinung nach müssen wir die
  Steuern senken, und zwar drastisch!"
◇ „Sie haben ja keine Ahnung! Dann hat der
  Staat zu wenig Geld."

das Thema, die Meinung, die Ansicht , die Ahnung, der Quatsch, der Unsinn
etwas finden, glauben, annehmen, meinen, denken, wissen; seine Meinung begründen

1) Darf man lügen?

Schreiben Sie die unterstrichenen Ausdrücke in das richtige Kästchen.

Oliver: „<u>Also ich finde</u>, man darf überhaupt nicht lügen. Nie."

Markus: „<u>Da bin ich ganz anderer Meinung</u>. Es gibt doch viele Situationen, wo man lügen muss! Zum Beispiel, wenn man höflich sein will. "

Oliver: „<u>Naja, das stimmt schon, aber ich meine trotzdem</u>, dass man im Prinzip immer die Wahrheit sagen sollte."

Markus: „<u>Ich glaube nicht</u>, dass das geht. Wenn man zum Beispiel zum Essen eingeladen ist und das Essen schmeckt nicht, dann muss man doch sagen: ‚Das Essen schmeckt mir gut'!"

Oliver: „<u>Ja, da hast du Recht</u>. Solche Situationen gibt es. <u>Ich meine trotzdem</u>, dass Lügen die Ausnahme sein sollte."

die Meinung sagen	zustimmen	widersprechen und seine Meinung verteidigen
Also, ich finde ...		

2) Pro und kontra Fernsehen

a. Bringen Sie den Dialog in die richtige Reihenfolge.

A Eva: Das Fernsehen ist wirklich eine Katastrophe. Es macht richtig dumm!

B Eva: *Du hast ja keine Ahnung!* Du schaust ja nie fern – und Judith sieht sich nur diese elitären Sachen an!

C Simon: *Judith hat Recht*, und es gibt auch oft gute Spielfilme.

D Judith: *Das stimmt nicht*, ich schaue mir auch Sport und Musiksendungen an. Aber man muss natürlich die guten Programme auswählen!

E Judith: *Das ist doch Quatsch!* Es gibt viele gute Sendungen, über Politik und Kultur zum Beispiel.

F Simon: *Genau!*

A					

b. Schreiben Sie jetzt die hervorgehobenen Ausdrücke in Rubriken wie in Übung 1.

3) Herr Unsinn und Herr Quatsch

Herr Unsinn und Herr Quatsch sind Freunde, aber sie haben praktisch immer eine andere Meinung.
Heute diskutieren sie über moderne Kunst. Setzen Sie die passenden Ausdrücke ein.

Herr Unsinn: Moderne Kunst? So ein ___Quatsch___ ! Diese Leute können gar nicht wirklich malen. Sie wollen nur schnell Geld verdienen.

Herr Quatsch: So ein _____ 1! Wann waren Sie denn zuletzt in einer Ausstellung? _____ 2, moderne Kunst muss man ernst nehmen. Die Leute haben Fantasie!

Herr Unsinn: _____ 3, Fantasie haben sie schon, aber sie können nichts!

Herr Quatsch: Also, Sie können sagen was Sie wollen – _____ 4, dass Sie das ganz falsch sehen.

Herr Unsinn: _____ 5, Sie wissen wohl alles besser!

ich finde trotzdem   da haben Sie Recht   naja, wenn Sie meinen   ~~Quatsch~~   Unsinn   ich finde

4) Fernsehen macht dumm!

Diskutieren Sie mit Ihrem Nachbarn / Ihrer Nachbarin.

Könnten Sie mir bitte helfen?

- „Ach entschuldigen Sie, könnten Sie mir bitte helfen?"
- ✧ „Na klar, kein Problem!"

- „Ich hätte gerne eine Tasse Kaffee und ein Stück Apfelstrudel!"
- ✧ „Kommt sofort!"

HÖFLICHE FRAGEN; DANK

Können Sie mir bitte helfen? / Könnten Sie mir bitte helfen? (*noch höflicher*)

Könnten Sie mir bitte die Uhrzeit sagen?

Könnten Sie mir sagen, wie ich zum Bahnhof komme? / Wissen Sie, wo der Bahnhof ist?

Entschuldigen Sie, könnte ich kurz Ihr Telefon benutzen?

Hätten Sie vielleicht einen Moment Zeit?

- Vielen Dank! / Danke sehr!
- ✧ Bitte sehr! / Gern gescheh(e)n.

BESTELLEN UND EINKAUFEN

Ich hätte gerne einen großen Salat und ein Glas Mineralwasser!

Könnte ich noch etwas Brot haben?

Könnten wir bitte zahlen? / Bringen Sie uns dann bitte die Rechnung?

Ich hätte gerne ein Kilo Äpfel und drei Melonen!

Eine Fahrkarte nach Hamburg, bitte!

In der Bäckerei / Auf dem Markt ◀‖‖ 14

HÖFLICHE AUFFORDERUNGEN UND BITTEN

Darf ich Sie bitten, hier nicht zu rauchen?

Kommen Sie doch herein!

Nehmen Sie doch bitte Platz!

Rufen Sie bitte mal Frau Selczuk an.

Schlagen Sie bitte das Buch auf Seite 17 auf.

Könnten Sie bitte das Fenster zumachen, mir ist etwas kalt.

Sagen Sie mir doch bitte Bescheid, wenn Sie gehen!

SICH ENTSCHULDIGEN

- „Oh, entschuldigen Sie bitte!"
- ✧ „Ist nicht so schlimm, ist ja nur Wasser!"

Entschuldigen Sie bitte! Entschuldigung! Tut mir Leid!

> **HINWEIS**
>
> **bitte, kurz, vielleicht, doch, doch bitte, mal, dann** machen Bitten und Fragen höflicher:
> Könnten Sie mir **kurz** helfen?
> Nehmen Sie doch **bitte** noch ein Stück Kuchen!

1) Was ist höflich?

a. Welche Aussagen sind höflich (a), welche sind unhöflich (b)?

	a	b
1. Hallo, Ober – bringen Sie mir noch einen Kaffee.		X
2. Würde es Ihnen etwas ausmachen, kurz zu warten?		
3. Schlagen Sie bitte das Buch auf Seite 27 auf.		
4. Machen Sie das Fenster zu, mir ist kalt.		
5. Rufen Sie mich doch gerne an, wenn Sie noch eine Frage haben.		
6. Wo ist denn hier der Bahnhof?		

b. Unterstreichen Sie alle Wörter, die die Sätze höflich machen.

2) Was wollen diese Leute wirklich „sagen"?

Wenn man höflich ist, ist man oft indirekt.

1. Finden Sie es nicht auch ein bisschen kalt hier drinnen?   a. Rauchen verboten!

2. Würde es Ihnen etwas ausmachen, hier nicht zu rauchen?   b. Ich möchte noch eine Tasse.

3. Könnten Sie mir Bescheid sagen, wenn Sie gehen?   c. Man sollte das Fenster schließen.

4. Dein Kaffee schmeckt wirklich sehr gut!   d. Ich will wissen, wie lange Sie arbeiten.

3) Das kann man auch höflich sagen

Machen Sie diese Sätze höflicher.

1. (Im Restaurant:) Herr Ober, ich will zahlen!   → *Herr Ober, könnte ich bitte zahlen?*

2. (Im Obstgeschäft:) Ein halbes Kilo Bananen   →
   und ein Kilo Äpfel!

3. (Im Büro:) Stellen Sie das Handy aus!   →

4. (Auf der Straße:) Wo geht's hier zum Hotel „Meridian"? →

5. (Ihr Koffer ist schwer:) Helfen Sie mir.   →

6. (Bei Freunden:) Ich muss zu Hause anrufen,
   wo ist euer Telefon?   →

4) Was sagen Sie, wenn ...

... Sie jemandem auf den Fuß getreten haben? → _____ 1

... Sie jemandem für eine Einladung danken wollen? → _____ 2

... Sie jemandem einen Sitzplatz anbieten wollen? → _____ 3

... Sie im Unterricht etwas nicht verstanden haben? → _____ 4

... Sie jemandem geholfen haben und er sich bei Ihnen bedankt? → _____ 5

5) Und bei Ihnen?

a. Welche Ausdrücke verwenden Sie bei den Aufgaben 3 und 4 in Ihrer Sprache?
b. Spielen Sie ähnliche Situationen wie in Übung 4 mit Ihrem Nachbarn / Ihrer Nachbarin.

2-Zimmer-Wohnung gesucht!

Wohnungsmarkt
Uni-Nähe Zimmer (20qm) Tel., Garten, eig. Dusche/WC,
Küchenbenutzung, 250,– Euro warm.
Tel. 6 79 20 33
Innenstadt, 2 Zi-Whg., Küche, WC, Bad, Gasheizung,
150 Euro kalt. Chiffre 12/44337
WG in Rotdorf, 3 Stud. suchen nette Studentin für helles
Zi., 12 qm, Benutzung von groß. gemeinschaftl. Arbeitsraum,
230,– € warm. Tel. 5 55 88 07

*das WC (= die Toilette), Zi = das Zimmer, Whg. = die Wohnung, Tel. = das
Telefon, qm = Quadratmeter, eig. = eigene, Stud. = Studenten, die Nebenkosten = die Heizung + das Wasser + der Strom, warm = mit Heizungskosten, kalt = ohne Heizungskosten, WG = die Wohngemeinschaft (=Einige
Personen teilen sich eine Wohnung.), gemeinschaftl. = gemeinschaftlich,
die Chiffre = Man schreibt unter dieser Nummer an die Zeitung. € = Euro*

„Guten Tag, mein Name ist Turgat. Ich rufe
wegen Ihrer Wohnungsanzeige in der Neuen
Presse an. Ist die Wohnung noch frei?"

HINWEIS
2-Zimmer-Wohnung
= 1 Wohnzimmer und 1 Schlafzimmer

DIE WOHNUNGSSUCHE

die Wohnungsanzeige

der Mieter, die ~in ↔ der Vermieter, die ~in; der Makler, die ~in

eine Wohnungsanzeige lesen → auf eine Anzeige antworten / bei einem Vermieter / Makler anrufen

eine Wohnung mieten, den Mietvertrag unterschreiben ← eine Wohnung besichtigen / anschauen ←

der Mietvertrag

die Wohnungsbesichtigung

die Miete
zur Miete / zur Untermiete wohnen
die Kaution (*Geld als Sicherheit für den Vermieter*)
kündigen, die Kündigung

Die Wohnung ist groß.
groß ↔ klein, alt ↔ neu, laut ↔ ruhig
das Mietshaus, das Wohnhaus, der Wohnblock
ein möbliertes Zimmer, die Möbel (Plural)

DER UMZUG

umziehen / übersiedeln (A); in eine Wohnung einziehen ↔ aus einer Wohnung ausziehen
einpacken ↔ auspacken, sich einrichten / eine Wohnung einrichten
eine Wohnung neu streichen, renovieren
die Umzugsfirma

der
Umzugswagen

der Umzugskarton

DIE LAGE DER WOHNUNG

Die Wohnung liegt in einer guten Gegend / zentral.
Wir wohnen direkt im Zentrum / in der Innenstadt.
Wir wohnen in einem Vorort.
Die Wohnung liegt im Ortsteil ... / im Stadtteil ...

die Gegend
das Zentrum, die Innenstadt
der Vorort
der Ortsteil, der Stadtteil

Das sagt man oft:
Wie hoch ist die Kaution? Wann kann ich einziehen?
Tut mir Leid, die Wohnung im ersten Stock ist schon vermietet.
Wir haben unsere Wohnung über einen Makler bekommen. Wir haben die Wohnung gemietet / gekauft.

Wegbeschreibung im Gebäude ◀▮▮▮ 26

1) Wie heißen die Substantive?

1. mieten → *die Miete, der Mieter*   3. besichtigen → _____

2. kündigen → _____   4. umziehen → _____

2) Welches Verb passt?

1. ein möbliertes Zimmer	wohnen	5. eine Wohnung	einziehen
2. den Mietvertrag	antworten	6. aus einer Wohnung	umziehen
3. zur Untermiete	kündigen	7. in eine neue Wohnung	ausziehen
4. auf eine Wohnungsanzeige	mieten	8. in eine andere Stadt	einrichten

3) Endlich habe ich eine Wohnung gefunden!

Ergänzen Sie die Wörter in der richtigen Form. Achten Sie auch auf den Artikel!

Hallo Elke, hier in München geht alles gut. Endlich habe ich nun auch eine Wohnung gefunden, das war aber nicht so leicht! Zuerst habe ich in der Zeitung die _Wohnungsanzeigen_ angesehen. Es gab alles Mögliche, möblierte _____ 1, 1- oder 2-Zimmer- _____ 2 oder auch _____ 3 . Bei manchen Anzeigen ist eine _____ 4 angegeben, man kann dann an die Zeitung schreiben und auf die Anzeige antworten. Ich habe aber lieber die _____ 5 direkt angerufen und habe mir einige kleine Wohnungen _____ 6. Die Mieten sind recht hoch, und man muss außerdem ein bis zwei Monatsmieten _____ 7 bezahlen. Eine Wohnung hat mir besonders gut gefallen, und sie kostet nur 210 Euro, inklusive Nebenkosten (das sind die Kosten für _____ 8, _____ 9 und _____ 10). Da habe ich gleich den _____ 11 unterschrieben, und kann schon am 1. Mai _____ 12! Toll, was?

Liebe Grüße, deine Emilia

Zimmer   Strom   Wohngemeinschaft   Vermieter   Kaution   ~~Wohnungsanzeige~~
Wohnung   Heizung   Wasser   Chiffre   Mietvertrag   einziehen   ansehen

4) Mieter und Vermieter

Ergänzen Sie die Fragen eines Wohnungssuchenden an den Vermieter. Spielen Sie den Dialog.

1. Wohnungssuchender: _____ ?
2. Vermieter: Ja, Sie haben Glück, die Wohnung ist noch nicht vermietet.
3. Wohnungssuchender: _____ ?
4. Vermieter: 500 Euro kalt.
5. Wohnungssuchender: _____ ?
6. Vermieter: Natürlich, die üblichen zwei Monatsmieten.
7. Wohnungssuchender: _____ ?
8. Vermieter: Sehr zentral, direkt in der Innenstadt.
9. Wohnungssuchender: _____ ?
10. Vermieter: Ja, heute Nachmittag um 15 Uhr können Sie vorbeikommen.

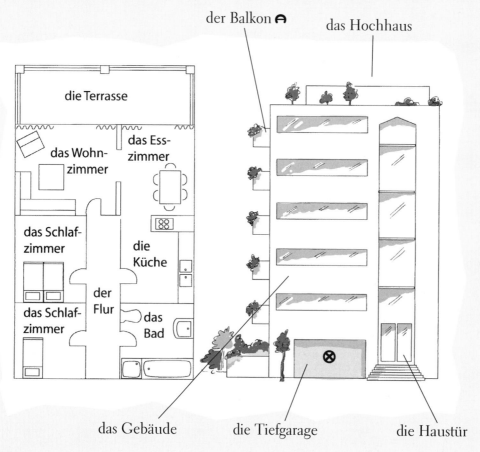

der Balkon ⊝   das Hochhaus

Wohnen im Grünen
**Eigentumswohnungen
in der Nähe des Stadtparks
– 120 qm Luxus und
Eleganz!**

Schlafzimmer, Bad,
geräumiger Wohn- und
Essbereich, Terrasse
oder Balkon, Keller,
Tiefgarage

Hausverwaltung:
**Reichmann Immobilien
66699 Frankfurt
Tel. 069/9375498**

die Terrasse

das Wohn-
zimmer   das Ess-
zimmer

das Schlaf-
zimmer   die
Küche

der
Flur   das
Bad

das Schlaf-
zimmer

das Gebäude   die Tiefgarage   die Haustür

HAUS UND WOHNUNG

die Eigentumswohnung, der Luxus, die Eleganz, der Wohnbereich (*eleganter Ausdruck für: Wohnzimmer*), der Essbereich, der Keller, die Tiefgarage ⊝, die Wohnfläche = 120 qm (der Quadratmeter), die Hausverwaltung

das Kinderzimmer
das Arbeitszimmer
der Hobbyraum
der Altbau ↔ der Neubau
renoviert ↔ neu gebaut

○ Hübner
○ Celik
○ Sedlatcek
○ Stolz
○ Dangl
○ Malek

die Klingel / die Glocke   (A, süddt.)
klingeln / läuten   (A, CH, süddt.)

Das sagt man oft:
Wir wohnen auf dem Land / in der Stadt. Wir wohnen zur Miete / im eigenen Haus.
Bitte klingeln Sie bei „Meier". Bitte 2x klingeln (2x = zweimal).
Die Wohnungen im Erdgeschoss (A: Parterre ⊝) sind schon verkauft.
Er hat eine kleine Wohnung im Dachgeschoss.
Um die Wohnung zu kaufen, mussten wir eine Hypothek aufnehmen.
Von unserem Balkon haben wir eine herrliche Aussicht auf die Berge.
Unser neues Haus hat einen großen Garten mit Apfelbäumen.

das Dach
die Hypothek (aufnehmen)
die Aussicht
der Garten

Wohnungssuche ◀||| 46; *Wohnungseinrichtung* |||▶ 48

1) Wie schreibt man das?

1. Die Wohnung hat ein großes Esszimmer.
2. Guck mal, Hermann, die herrliche Au__icht!
3. Können wir das Auto in der Tiefgara_e einstellen?
4. Hast du gehört? Es hat gekling__t.

2) Was ist wo?

Ordnen Sie die Wörter zu: Wohnung oder Haus? Manche Wörter können auch zweimal vorkommen.

1. Eine Wohnung hat oft / manchmal _einen Balkon,_ _____
2. Ein Haus hat oft / manchmal _____

> Garten   Balkon   Terrasse   Keller   Dachboden   Garage   Einfahrt   Klingel
> Aufzug   Wohnungstür   Haustür

3) Welche Wörter haben eine besondere Aussprache? ⌒

1. die Garage [X]   3. die Terrasse [ ]   5. renoviert [ ]   7. der Luxus [ ]
2. der Balkon [ ]   4. die Hypothek [ ]   6. das Parterre [ ]   8. die Eleganz [ ]

In der alphabetischen Wortliste finden Sie die genaue Aussprache.

4) Wie sagt man?

1. Früher haben wir eine Wohnung _gemietet_, jetzt wohnen wir im eigenen Haus.
2. Für unser Haus mussten wir zur Bank gehen und eine Hypothek _____.
3. Schau mal, ein Haus im Bauernstil! Ist es wohl _____ oder neu gebaut?
4. Ich möchte gern zu Frau Stolz im 3. Stock. Wo muss ich da _____?

5) Komm, ich zeig dir mal unsere neue Wohnung!

Können Sie die Zimmer erkennen und ergänzen? Achten Sie auch auf die richtige Form!

Komm, Angelika, ich zeig dir mal unsere neue Wohnung. Also, hier vorn rechts ist erst mal _die Küche_, das ist Uwes Reich, er kocht so gern. Von da kann man gleich in _____ 1 gehen, das ist praktisch, wenn wir Gäste eingeladen haben. Wochentags essen wir aber einfach in _____ 2. Das nächste Zimmer ist _____ 3, da lesen und spielen wir oder sehen zusammen fern. Von hier geht es raus auf _____ 4. Uwe und ich sitzen so gern draußen, zum Beispiel zum Kaffeetrinken. Leider haben wir ja keinen _____ 5, weil die Wohnung im 4. Stock ist. So, und das sind die _____ 6! Jens und Ute haben jetzt endlich ihr eigenes Zimmer. Aber oft spielen sie einfach im _____ 7, der ist so herrlich lang, da können sie herumtoben. Ist doch eine schöne Wohnung, oder?

> ~~die Küche~~   das Esszimmer   der Balkon   das Wohnzimmer
> das Kinderzimmer   der Flur   die Küche   der Garten

In meinem Studio ist für alles Platz.

STUDIO, MIT WOHN-/ARBEITSZIMMER UND SCHLAFBEREICH

der Spiegel · das (Bücher-)Regal · der Vorhang · das Bett · der Sessel / der Fauteuil ⊖ (A, CH)

die Lampe

das Kissen / der Polster (A)

das Sofa / die Couch ⊖

der Teppich

der Kleiderschrank / der Kasten (A)

der Schreibtisch / das Pult (CH)

der Stuhl / der Sessel (A)

„Na, wie gefällt es dir?"

KÜCHE, FLUR UND GARDEROBE

der Mülleimer / der Mistkübel (A)

die Steckdose

der Lichtschalter

die Küchenuhr

der Hocker

die Wohnungstür

die Garderobe

die Türklinke / die Türschnalle (A)

der Flur / der Gang

die Bank

Rund um die Küche ◀‖‖ 16; Körperpflege (Badezimmer) ◀‖‖ 39

---

die Möbel (Plural); Singular: das Möbelstück
die Wohnungseinrichtung (= Möbel, Teppiche, Bilder usw.)
die Lampe, das Licht, die (Glüh-)Birne
 das Licht einschalten ↔ ausschalten, anmachen ↔ ausmachen

sich Möbel kaufen / anschaffen
die Wohnung einrichten
das Zimmer putzen, aufräumen

Das sagt man oft:
Nach dem Umzug haben wir uns ganz neue Möbel angeschafft.
Ich muss mal wieder mein Zimmer aufräumen!
Das Zimmer / Der Raum ist modern / gemütlich.
Die Wohnzimmerlampe geht nicht mehr, wir brauchen eine neue Birne.
Mach bitte mal das Licht aus!

Trennbare Verben ‖‖▶ 63

1) In welchen Raum passt das?

Welche Möbelstücke passen in welchen Raum? Manche passen auch mehrfach.

Wohnzimmer	Flur, Küche	Arbeitszimmer	Schlafzimmer
		der Computer	

> Garderobe   Polster   Esstisch   Mülleimer   Klavier   ~~Computer~~   Kasten
> Spiegel   Bett   Sessel   Teppich   Schreibtisch   Sofa   Fernseher   Bücherregal
> Fauteuil   Couch   Kleiderschrank   Vorhang   Hocker   Mistkübel   Stuhl

2) Zuordnung

Welche Verben passen zu den Substantiven? Vorsicht: Manche Verben passen gar nicht.

1. Möbel kann man _kaufen,_____

_____

2. Das Licht kann man _____

_____

3. Ein Zimmer kann man _____

_____

> putzen   einrichten   anmachen
> ~~kaufen~~   aufräumen   einschalten
> ausmachen   ausdrücken   heizen
> anschaffen   einziehen

3) Was kann man hier kombinieren?

1. _das_ Esszimmer_____
2. ____Bücher_____
3. ____Steck_____
4. ____Kleider_____
5. ____Kinder_____
6. ____Küchen_____
7. ____Elektro_____
8. ____Wohnungs_____

> -regal   -uhr   -heizung
> -dose   ~~-zimmer~~   -tür
> -schrank   -zimmer

4) Die neue Wohnung meines Freundes

Fügen Sie die Sätze (a) bis (f) an den passenden Stellen in den Text ein.

Wenn ich in die Wohnung komme, stehe ich erst mal im Flur. _(e)_ . Vom Flur aus gehe ich ins Wohnzimmer. ____. Nun kommt das Esszimmer. ____. Dann gehe ich ins Schlafzimmer. ____. Das Bad ist direkt neben dem Schlafzimmer. ____ . Als letztes sehe ich mir das Arbeitszimmer an. _____.

(a) Darin ist eine Dusche, aber keine Badewanne .

(b) An allen Wänden Bücherregale mit technischer Literatur!

(c) Ich probiere die Stühle rund um den Esstisch aus: sehr bequem!

(d) Der Kleiderschrank ist ja riesig!

(e) ~~Die Garderobe ist voll mit Mänteln, Hüten und Jacken.~~

(f) Ich setze mich auf die gemütliche Couch.

Wenn ich in die Wohnung komme, stehe ich erst mal im Flur. Die Garderobe ist voll mit Mänteln, Hüten und

Jacken. Vom Flur aus gehe ich ....

Legen Sie bitte die Briefe auf meinen Schreibtisch!

„Ach ja, bevor Sie gehen:
Legen Sie bitte die Briefe
auf meinen Schreibtisch!
Die Prospekte liegen im Schrank.“

WOHIN?

A ──────► B

Bewegung von ... nach ...
Legen Sie bitte die Briefe **auf meinen Schreibtisch.**

WO?

⊙

Etwas ist oder etwas passiert an einem Ort.
Die Prospekte **liegen im Schrank**.

Verben:

legen (legte, hat gelegt)	liegen (lag, hat gelegen)
stellen (stellte, hat gestellt)	stehen (stand, hat gestanden)
setzen (setzte, hat gesetzt) / sich setzen	sitzen (saß, hat gesessen)
hängen (hängte, hat gehängt)	hängen (hing, hat gehangen)
stecken (steckte, hat gesteckt)	stecken (steckte, hat gesteckt)

 HINWEIS
In Österreich und Süddeutschland sagt man: **ist** gelegen / gestanden / gehangen / gesteckt.

	WOHIN? – AKKUSATIV	**WO? – DATIV**
an	• Welche Lampe hängen wir an die Decke?	◇ Im Flur hängt schon eine Lampe an der Wand.
auf	• Setz dich doch auf den neuen Stuhl!	◇ Danke, ich sitze am liebsten auf dem Fußboden.
hinter	• Die CDs stellen wir hinter die Bücher.	◇ Aber hinter den Büchern ist doch kein Platz!
in	• Steckst du bitte den Schlüssel ins Schloss?	◇ Im Schloss steckt doch schon ein Schlüssel.
neben	• Stellen wir den Fernseher neben das Regal?	◇ Nein, der steht doch gut neben der Tür.
über	• Die Esszimmerlampe kommt über den Tisch.	◇ Ja, direkt über dem Tisch hängt sie gut.
unter	• Den Papierkorb – unter den Schreibtisch?	◇ Ja, unter dem Schreibtisch sieht man ihn nicht.
vor	• Stell bitte die Couch vor das Fenster!	◇ Vor dem Fenster steht doch schon das Regal!
zwischen	• Und stell die Stehlampe zwischen die Couch und das Fenster!	◇ Alles klar, sie steht schon da.

Das sagt man oft:
Die Jacken **gehören in den Schrank**. Sie müssen zuerst **auf den Knopf drücken**! Es hat geklingelt – **geh** doch mal **an die Tür**! Ich geh nur schnell mal **auf die Post**! Steck die Briefe **in den Briefkasten**! **Lauf** bitte nicht **auf die Straße**! Tu die Milch bitte wieder **in den Kühlschrank**!
Bleiben Sie am Apparat! Die Garderobe **befindet sich neben dem Eingang**. Ich **warte an der Tür** auf dich! Ich **wohne in der Blumenstraße**.

die Decke ↔ der (Fuß-)Boden, die Wand, das Fenster, das Schloss, der Knopf, drücken, sich befinden

1) Im Büro

1. Die Sekretärin legt die Briefe	im großen Aktenschrank.
2. Die Prospekte befinden sich	ganz hinten im Buch.
3. Frau Schick sucht eine Telefonnummer	auf den Knopf mit dem Zeichen ⇨.
4. Die Telefonnummer steht	im Büro.
5. Frau Schick bleibt heute bis 18 Uhr	auf den Schreibtisch.
6. Um 18 Uhr geht sie zum Aufzug und drückt	in ihrem Notizbuch.

2) Wie heißt das Verb?

1. _Stell_____ bitte den Topf auf den Tisch!

2. _____ Sie sich bitte auf den Stuhl dort.

3. Sollen wir den Picasso über die Couch _____ ?

4. Die Messer _____ rechts neben dem Teller.

5. Nun hat er schon wieder den Autoschlüssel
   im Schloss _____ gelassen!

6. Vergiss nicht, den Pass in die Tasche zu _____ !

7. Hee, du _____ auf meinem Stuhl!

8. Wer hat die Schere auf das Klavier _____?

9. Warum _____ denn der Papierkorb auf dem
   Tisch?

10. Die Handtücher _____ am Haken neben der Tür.

3) Was kann man setzen, legen, stellen, ...?

setzen	legen	stellen	hängen	stecken
	ein Buch	ein Buch		

~~das Buch~~   der Schreibtisch   der Computer   die Puppe   der Bleistift   die Vase
der Schrank   die Lampe   der Schlüssel   das Blatt Papier   das Bild   der Ausweis
der Kassettenrekorder   das Kind   der Vorhang   das Geld   sich selbst   der Prospekt

4) Wohin gehört das?

Aufräumen nach der Klassenparty.

1. Der Kassettenrekorder steht _auf dem Schrank_.
   Hanna stellt ihn wieder _____ _____ Schrank.

2. Die Kassetten liegen verstreut _____ _____ _____.
   Stefan ordnet sie alle _____ _____ Kassettenregal.

3. Einige Bücher liegen _____ _____ _____.
   Benni stellt sie _____ _____ Bücherregal.

4. Stifte und Papier liegen _____ _____ großen _____.
   Lisa legt die Stifte _____ _____ Schublade und
   wirft das Papier _____ _____ Papierkorb.
   Das schöne neue Plakat hängt sie _____ _____ Wand.

5. Der Papierkorb steht _____ _____ _____ und _____
   _____. Kai stellt ihn wieder _____ _____ Tisch.

6. Zuletzt die Stühle: Sie stehen in einer Reihe _____ _____
   _____. Carlos stellt sie alle wieder _____ _____ Tische.

Wir müssen unbedingt tanken!

der
LKW

der
Gurt

die Fahrerin,
der Fahrer

das Lenkrad lenken

der Beifahrer, die ~in

die Ausfahrt / die Abfahrt (A)

die Autobahn

- „Wir haben kaum noch Benzin.
  Wir müssen unbedingt tanken!"
- ◇ „Fahr doch bei dieser
  Ausfahrt raus!"

RUND UMS AUTO

das Auto / der Wagen / der PKW (der Personenkraftwagen), der LKW (der Lastkraftwagen) / der Camion (CH)
das Motorrad, das Mofa
die Automarke (z.B. Volkswagen)
das Benzin, bleifrei, bleifreies Benzin, das Abgas
der Fahrer, die ~in; der Beifahrer, die ~in
die Tankstelle, tanken

die (Autobahn-)Ausfahrt ↔ Einfahrt
rausfahren ↔ reinfahren
kaum noch (sehr wenig); unbedingt (auf jeden Fall)

DIE AUTOWERKSTATT

„Die Benzinleitung ist defekt.
Das Ersatzteil muss ich
erst bestellen."

der Kofferraum

das Rad

der Kindersitz

der Motor

der Reifen /
der Pneu (CH)

reparieren, die Reparatur, die Inspektion (regelmäßige technische Kontrolle des Autos)
die Panne (etwas im Auto geht kaputt), das Ersatzteil (neues Teil bei der Reparatur)
defekt (= beschädigt), etwas beschädigen

AUTOFAHREN

Stadtverkehr 21; Ein Unfall ◀▥ 41

der Führerschein / der Führerausweis (CH) (Erlaubnis zum Auto- / Motorradfahren)
vorsichtig fahren, (zu) schnell fahren, aufpassen, bremsen, die Bremse; überholen, das Überholverbot
die Vorfahrt (beachten) / der Vortritt (CH) / der Vorrang (A), die Vorfahrt haben (Man darf zuerst fahren.)
der Verkehr, den Verkehr behindern, die Verkehrsnachrichten, das Verkehrszeichen; der Parkplatz, die Parkuhr

So sagt man oft:
Vergiss nicht, dich anzuschnallen! Pass auf, da läuft ein Kind über die Straße! Die Bremsen sind defekt.
Das Benzin soll wieder teurer werden. Im Radio: „Autobahn Richtung München: 2 Kilometer Stau."
Sie macht bald den Führerschein. • Fahren wir Autobahn? ◇ Nein, ich fahre lieber Landstraßen.

1) Wie heißen die Substantive?

1. reparieren → _die Reparatur_   3. rausfahren → _____

2. bremsen → _____   4. fahren → _____

2) Gespräch im Auto

1. „Vorige Woche musste ich mein Auto zur Reparatur bringen.
   Die Benzinleitung war _defekt_."

2. „Wir müssen tanken! Der Benzintank ist fast _____."

3. „Bei meinem kleinen Unfall letzte Woche wurde das hintere Licht _____."

4. „Fahr nicht so _____! Hier darf man nur 50 fahren."

5. „Jetzt müssen wir aber wirklich tanken! Wir haben _____ Benzin."

6. „Fahr bitte _____!"

> leer
> beschädigt
> kaum noch
> ~~defekt~~
> vorsichtig
> schnell

3) Welche Verben passen zu den Substantiven?

Vorsicht: Manche Verben passen gar nicht, manche vielleicht bei beiden Substantiven.

Man kann einen Wagen _fahren,_ _____

Man kann eine Wohnung _____

> fahren   reparieren   einrichten   lenken   beschädigen   aufräumen   bremsen   renovieren
> funktionieren   lieben   tanken   überholen   besichtigen   mieten

4) Fahrschule

Was sagt der Fahrlehrer? Bitte ergänzen Sie auch die Satzzeichen (. , ! ?)

1. Sollen wir heute mal Autobahn ——————┐   die Vorfahrt beachten
2. Bei der Einfahrt in die Autobahn müssen Sie └─ fahren?
3. Rechts fahren, und links   rausfahren
4. An der Ausfahrt Köln-Ost bitte   vollständig bremsen
5. Bei einem Stoppschild müssen Sie   überholen

5) In der Autowerkstatt: Wörter im Kontext erraten

**Sechs der Wörter in diesem Text gibt es im Deutschen gar nicht. Können Sie die „Unsinn-Wörter"
finden? Unterstreichen Sie diese „Unsinn-Wörter" und notieren Sie die richtigen Wörter unten.**

1. Guten Tag, ich möchte gern meinen Wagen zur Inspektion geben. Ich glaube, die <u>Bschillsten</u> funktionieren nicht mehr richtig, es dauert immer so lange, bis der Wagen ganz steht. 2. Außerdem scheint das Laakiir defekt zu sein, es wackelt immer ein bisschen, wenn ich lenke. 3. Auch mit der Benzinleitung ist etwas nicht in Ordnung, ich fahre so langsam auf der Autobahn, ich kann noch nicht mal die schweren LRRSOs überholen. 4. Und checken Sie doch bitte auch das Appkors, ich will ja nicht die Luft verschmutzen. 5. Wenn Sie neue Epckirs einsetzen müssen, rufen Sie mich doch bitte vorher an, wegen des Preises. 6. Kann ich den Wribble morgen Nachmittag abholen? Ich muss morgen Abend damit nach Frankfurt fahren.

1. _Bremsen_   2. _____   3. _____   4. _____   5. _____   6. _____

das Kabel

das Handbuch

das Druckerkabel

• „*So, das ist wohl das Druckerkabel.*"
✧ „*Erst musst du aber den Drucker aufbauen!*"

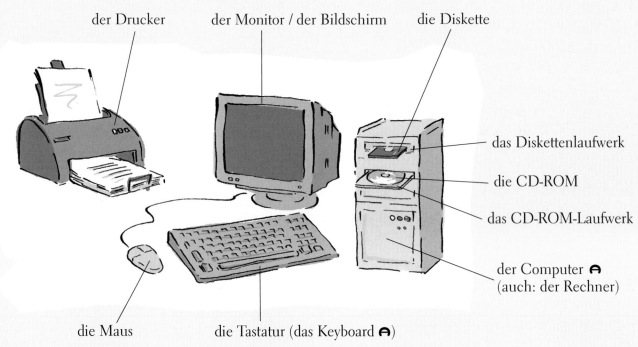

der Drucker

der Monitor / der Bildschirm

die Diskette

das Diskettenlaufwerk

die CD-ROM

das CD-ROM-Laufwerk

der Computer ⊖
(auch: der Rechner)

die Maus

die Tastatur (das Keyboard ⊖)

WAS MAN MIT DEM COMPUTER MACHT

den Computer aufbauen, einschalten und ausschalten
einen (neuen) Ordner anlegen
ein Programm öffnen und wieder schließen
ein Dokument schreiben
ein Dokument speichern (auf der Festplatte,
auf Diskette, auf CD-ROM)
eine Datei / ein Dokument öffnen oder schließen
eine Datei / ein Dokument kopieren
eine CD brennen

der (Computer-)Arbeitsplatz
das Textverarbeitungsprogramm (für Texte)
das Grafikprogramm (für Grafiken)
das E-Mail-Programm (für E-Mails ⊖)
das Internet, die Software ⊖
der Ordner
das Dokument / die Datei
der Laptop ⊖
der CD-Brenner

Zeitung und Internet ‖‖➡ 53

1) Welche Wörter haben eine besondere Aussprache? ⌒

1. der Computer [X]   3. die Diskette [ ]   5. die Software [ ]   7. das Programm [ ]
2. der Monitor [ ]   4. der Laptop [ ]   6. die Tastatur [ ]   8. die CD-ROM [ ]

In der alphabetischen Wortliste finden Sie die genaue Aussprache dieser Wörter.

2) Was kann man anfassen?

Das kann man anfassen:	Das kann man nicht anfassen:
die Tastatur,	

die Tastatur   der Monitor   das Dokument   die Diskette
das Programm   die Maus   die Festplatte   der Ordner

3) Worauf kann man etwas speichern?

auf _der_____ 1 , _____ 2 , _____ 3

der Monitor die Festplatte die Diskette das Programm die Tastatur die CD-ROM das Laufwerk

4) Was passt zusammen?

1. die Diskette   _einlegen_____   4 einen Ordner _____
2. ein Programm _____   5. den Text _____
3. den Computer _____

~~einlegen~~
anlegen
(ab)speichern
öffnen
einschalten

5) Jetzt arbeite ich auf meinem Computer

Bringen Sie die Tätigkeiten in die richtige Reihenfolge.

den Computer ausschalten – den Text speichern – ~~den Computer einschalten~~ – den Text ausdrucken –
das Programm öffnen – einen Text schreiben

(den Computer einschalten) → ( ) → ( )

( ) ← ( ) ← ( )

6) Wie wichtig ist der Computer für Sie und die anderen Kursteilnehmer?

Machen Sie eine Umfrage oder beantworten Sie die Fragen selbst.

1. Wie lange sitzen Sie jeden Tag am Computer? ☐ mehr als 6 Stunden ☐ ca. 4 Stunden ☐ 0–3 Stunden

2. Was machen Sie am Computer? ☐ Texte schreiben ☐ Grafiken erstellen ☐ Tabellen und Listen ☐ …

3. Wie wichtig ist der Computer für Sie? ☐ sehr wichtig ☐ wichtig ☐ unwichtig

4. Nutzen Sie den Computer vor allem ☐ privat ☐ oder für die Arbeit?

5. Was ist Ihr Computer für Sie? ☐ ein guter Freund ☐ eine nützliche Maschine. ☐ Ich hasse ihn. ☐ …

PERSÖNLICHER BRIEF

> Liebe Claudia,
> vielen Dank für deinen langen Brief!
> Ich habe mich sehr darüber gefreut.
> Die Arbeit ist zwar stressig, aber ...
> ...
> Hoffentlich sehen wir uns bald wieder!
>
> Ganz herzliche Grüße,
>
> dein Hans

Liebe Claudia, ... / Lieber Klaus, ...
Meine liebe Claudia, ...
Mein lieber Klaus, ...
Lieber Herr Maier, / Liebe Frau Maier, ...

Wie geht es dir? / Wie geht es Ihnen?
Ich habe schon lange nichts mehr von
dir / von Ihnen gehört.
Endlich habe ich Zeit, dir / Ihnen zu
antworten!

Herzliche Grüße, / Herzlich, / Bis bald,
dein Hans / deine Claudia
Ihr Peter Müller / Ihre Petra Müller

OFFIZIELLER BRIEF

> **SMV-Versicherung · Ruhrallee 92 · D-44139 Dortmund**
> Tel. (0231) 919-2001, Fax (0231) 919-1701, E-mail: SMV@mail.de
>
> Herrn
> Theodor Lusewitz
> Joachimstaler Str. 35
> D-10719 Berlin
>
> den 23.11.2002
>
> Ihr Schreiben vom 13.11.2002
>
> Sehr geehrter Herr Lusewitz,
>
> in Beantwortung Ihrer Anfrage vom 13.11.2002 können wir
> Ihnen mitteilen, dass ...
>
> Bitte schicken Sie uns noch folgende Unterlagen: ...
>
> Mit freundlichen Grüßen,
>
> *A. Schmidt*
> (A. Schmidt, Sachbearbeiter)

der Absender, die ~in
der Empfänger, die ~in
die Adresse
das Datum
das Thema des Briefes

Sehr geehrter Herr ..., / Sehr geehrte Frau ...,
Sehr geehrte Damen und Herren, ...

Bezug nehmend auf Ihr Schreiben / Ihre
Anzeige / Ihren Anruf / Ihre E-Mail ...
Außerdem / Weiterhin wollte ich Ihnen
mitteilen, dass ...

Mit freundlichen Grüßen, ...
Hochachtungsvoll, ... *(sehr formell)*

das Schreiben, der Brief
die Anfrage, die Anzeige, der Anruf, die E-Mail
die Unterlagen (Plural), der Sachbearbeiter, die ~in
der Gruß

das Faxgerät

DAS FAX

Sie wollen ein Fax schicken? Das muss auf Ihrem Fax stehen:
das Datum, der Name und die Fax-Nummer des Empfängers,
der Name und die Fax-Nummer des Senders, die Anzahl
der Seiten.

Angaben zur Person ◀▉▉▊ 2; Auf der Bank / Auf der Post ◀▉▉▊ 15

1) Wie schreibt man das?

1. der Gruß_ 3. Her__liche Grü__e 5. Sehr g_____rte Damen und Herren,
2. die Adre___e 4. L___ber Herr Krause, 6. Wie geht es __hnen?

2) Wann schreibt man was?

Finden Sie alle Ausdrücke auf der linken Seite, die in diese Kästen passen.

Anredeformeln	So kann man mit dem Text anfangen:	Abschiedsformeln
	in Beantwortung ihrer Anfrage vom ...	

3) Wie sagt man dazu?

1. Diese Person hat den Brief geschrieben: → *der Absender* _____
2. Hierhin schickt man den Brief: → _____
3. Diese Person bekommt den Brief: → _____
4. Das braucht man, um ein Fax zu schicken: → _____

4) Persönlich und offiziell

Sortieren Sie die Ausdrücke und finden Sie die richtige Reihenfolge. Setzen Sie Satzzeichen.

persönlicher Brief	offizieller Brief
Lieber Thomas,	
...	...

Herzlich   Mit freundlichen Grüßen   vielen Dank für deine nette Postkarte aus Freiburg
mit freundlichen Grüßen   ich würde gerne einen Französischkurs machen   ~~Lieber Thomas~~
Mir geht es gut – aber ich habe nicht viel Zeit   Sehr geehrte Damen und Herren
deine Sabine   Vielen Dank im Voraus   Ich rufe dich bald mal an
Könnten Sie mir Informationsmaterial zu Ihrem Kursangebot und den Kurspreisen zuschicken
Ich habe mich sehr darüber gefreut

5) Lieber Peter, ...

Ihr Freund Peter hat Sie eingeladen, ihn in Hamburg zu besuchen. Schreiben Sie einen kurzen Brief.

1. Bedanken Sie sich für Peters Brief und die Einladung.
2. Sagen Sie, dass Sie ihn gerne besuchen möchten.
3. Leider haben Sie aber sehr viel Arbeit.
4. Vielleicht können Sie ihn in zwei, drei Monaten besuchen.
5. Sie hoffen, ihn bald wiederzusehen.

Klicken Sie hier!

ZEITUNGEN UND ZEITSCHRIFTEN

die Überschrift / die Schlagzeile

das Foto

MOSSBACHER ZEITUNG

Ausgabe 1   Samstag, 15 März 2003

Die Stadt baut das neue Stadion
Bürgermeister: Das hilft dem Sport in unserer Gemeinde

Das neue Stadion wird gebaut. Das sagte Bürgermeister Meier auf der gestrigen Pressekonferenz …

Bürgermeister Maier auf der Pressekonferenz.

der Artikel
der Zeitungsartikel

TAXI HIEBELE
Wir bringen Sie sicher zum Ziel.
Rufen Sie an:
30333 44004

die Anzeige

die Zeitung: die Tageszeitung, die Wochenzeitung
eine Zeitung kaufen, abonnieren, lesen
die Nachricht: *neue Information zu Politik, Wirtschaft, Sport etc.*
die Zeitungsnachricht, der Journalist, die ~in ⌐, der Reporter, die ~in
der Artikel, die Anzeige
die Printmedien (Plural): *gedruckte Zeitungen*; Zeitung online ⌐ *(im Internet)*
die Pressekonferenz
das Interview ⌐

die Zeitschrift, die Illustrierte *(erscheint einmal pro Woche / Monat)*

DAS INTERNET

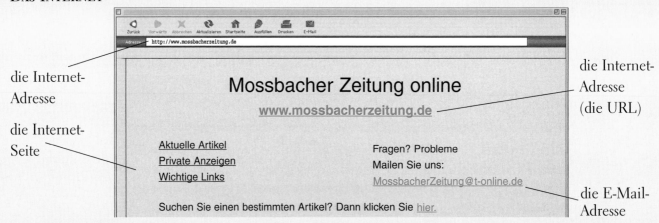

die Internet-Adresse

die Internet-Seite

Mossbacher Zeitung online
www.mossbacherzeitung.de

Aktuelle Artikel
Private Anzeigen
Wichtige Links

Fragen? Probleme
Mailen Sie uns:
MossbacherZeitung@t-online.de

Suchen Sie einen bestimmten Artikel? Dann klicken Sie hier.

die Internet-Adresse (die URL)

die E-Mail-Adresse

das Internet (manchmal: das Netz), das Web ⌐ (das World Wide Web ⌐), der Link (manchmal: das Link),
die Homepage ⌐ / die Leitseite, das Portal *(Sammlung von Informationen und Links)*, die E-Mail ⌐

Das macht man: im Internet surfen ⌐, auf einen Link klicken, eine Homepage öffnen / schließen,
eine E-Mail schreiben und verschicken, jemandem mailen ⌐ / eine Mail schicken
Das sagt man oft: Ich muss noch meine Mails ⌐ lesen.

1) Da stimmt etwas nicht!

Diese Wörter gibt es nicht. Wie heißen die Wörter wirklich?

die ~~Nach~~schrift – die Pressezeile – die Zeitungs~~richt~~ – der Schlagartikel – der Überkonferenz

1. *die Nachricht*   3. _____   5. _____
2. _____   4. _____

2) Welche Wörter haben eine besondere Aussprache?

1. surfen [X]   3. das Web [ ]   5. das Interview [ ]   7. der Journalist [ ]
2. der Link [ ]   4. das Portal [ ]   6. mailen [ ]   8. klicken [ ]

In der alphabetischen Wortliste finden Sie die genaue Aussprache.

3) Wie sagt man dazu?

1. Ein Politiker redet mit vielen Journalisten und Journalistinnen: *die Pressekonferenz* _____
2. Diese Person macht Interviews und schreibt für eine Zeitung: *der* _____ / *die* _____
3. Darauf muss man klicken, um auf eine neue Web-Seite zu kommen: _____
4. Ein konkreter Text in einer Zeitung: _____
5. Hier will jemand etwas verkaufen: _____
6. Das steht über jedem Artikel: _____

4) Was gehört zusammen?

1. auf einen Link ———————————————— a. schreiben
2. eine E-Mail   b. mailen
3. jemandem   c. öffnen
4. die Homepage der Zeitung ————————— d. klicken

5) Was für ein Zeitungsleser / eine Zeitungsleserin sind Sie?

Beantworten Sie die folgenden Fragen und machen Sie dann ein Interview mit Ihrem Nachbarn / Ihrer Nachbarin.

1. Wie oft in der Woche lesen Sie eine Zeitung? ☐ ein- bis zweimal ☐ fast jeden Tag ☐ nie

2. Wo lesen Sie Zeitung? ☐ beim Frühstück   ☐ im Bus / in der U-Bahn
                          ☐ abends im Wohnzimmer   ☐ im Internet   ☐ ...

3. Womit fangen Sie an, wenn Sie Zeitung lesen? ☐ mit Kulturnachrichten ☐ mit Politik
                                                 ☐ mit den Sportnachrichten
                                                 ☐ mit dem Wirtschaftsteil ☐ ...

4. Das ärgert mich am meisten an meiner Zeitung: _____
5. Das finde ich am besten an meiner Zeitung: _____

Kannst du bitte umschalten?

- „Kannst du bitte umschalten,
  auf dem dritten Programm
  kommt jetzt ein guter Film."
◇ „Gleich, die Nachrichten sind
  noch nicht zu Ende!"

der Fernseher

der Videorekorder
die Fernbedienung
die Video-Kassette

FERNSEHEN

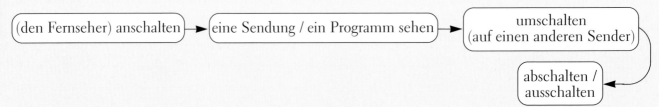

das Programm: ⟶ der Sender (z.B. „Erstes Programm")
                die Sendung (z. B. eine Musiksendung)
der Fernseher / der Fernsehapparat, fernsehen

Fernsehsendungen:
der Film: der Fernsehfilm, der Krimi, der Dokumentarfilm, die TV-Komödie
die Nachrichtensendung (die Nachrichten), die Kindersendung
die Musiksendung, die Unterhaltungssendung
die Sportschau, die Reportage ⊖, die Talk-Show ⊖

Menschen im Fernsehen:
der Nachrichtensprecher, die ~in; der Moderator, die ~in

Das sagt man oft:
Schalt bitte mal die Nachrichten an.
Schauen wir gleich den Film auf dem ersten Programm an?
Gleich kommt ein guter Film im Fernsehen – nimmst du ihn bitte auf Video auf?
Eltern zu Kindern:
„Jetzt schaltet aber mal aus – ihr habt schon genug ferngesehen!"

RADIO HÖREN

das Radio (manchmal: der Rundfunk), der Radiosender (z.B. der Südwestfunk)
das Radio anschalten ↔ ausschalten, Radio hören, eine (Radio-)Sendung hören
die Verkehrsnachrichten („… zwanzig Kilometer Stau auf der A 1 …")

1) der – das – die?

der _Fernseher,_____

das _____

die _____

~~Fernseher~~ Radio Videorekorder Sendung Fernsehsender Radiosender Fernsehen
Nachricht Programm Fernbedienung Film Video-Kassette

2) Formulieren Sie eine Regel:

1. Substantive mit der Endung -er haben häufig den Artikel _____.
2. Substantive mit der Endung -ung haben immer den Artikel _____.

3) Was passt?

1. Du sollst nicht so viel fernsehen – kannst du den Fernseher bitte jetzt _ausschalten / abschalten_ .
2. Heute Abend kommt eine gute Sendung über Afrika, die will ich unbedingt _____.
3. Wenn Heiner Fußball schaut, versteht er keinen Spaß – da kann man nicht einfach _____,
auch wenn auf dem anderen Programm ein guter Film kommt.
4. Kannst du bitte das Radio _____, es kommen gleich Nachrichten.
5. Wenn du den Film nicht sehen kannst, kannst du ihn ja auf Video _____.

4) Zuordnung

Welche Verben passen zu den Substantiven? Vorsicht: Manche Verben passen gar nicht!

1. (das) Radio _anschalten,_____

_____

2. den Fernseher _____

_____

3. einen Film _____

zunehmen   ausgehen   sehen   aufnehmen
abnehmen   ansehen   spielen   zusehen
anschalten   zuschauen   hören   ausschalten

5) Machen Sie eine Umfrage:

Fragen Sie Ihren Nachbarn / Ihre Nachbarin.

1. Wie oft sehen Sie in der Woche fern? ☐ eine Stunde ☐ drei Stunden ☐ sechs Stunden oder mehr
☐ gar nicht

2. Was sehen Sie am liebsten? ☐ Nachrichten ☐ Sport ☐ Krimis ☐ ...

3. Wann sehen Sie meistens fern? ☐ morgens ☐ am Nachmittag ☐ abends / nachts
☐ nur am Wochenende

4. Wo steht bei Ihnen der Fernseher? ☐ in der Küche ☐ im Wohnzimmer ☐ im Schlafzimmer

5. Was glauben Sie: Fernsehen... ☐ macht dumm ☐ macht intelligent ☐ lügt
☐ ist wichtig für aktuelle Informationen ☐ ist unterhaltsam ☐ ...

6. Könnten Sie ohne Fernsehen leben? ☐ Ja. ☐ Nein.

Kann ich bitte Maike sprechen?

der Telefonhörer

• „Tschorau."
◇ „Guten Tag, Frau Tschorau, hier ist Sarah Tosiak. Kann ich bitte Maike sprechen?"
• „Ja, einen Moment bitte ..."

◇ „Hallo, Maike, ..."
◆ „Hallo, Sarah, ..."
◇ „Ja, dann, bis bald!"

HINWEIS
Man meldet sich mit dem Familiennamen.

das Handy

Das sagt man oft:
Kann ich bitte (mit) ... sprechen? – Einen Moment, bitte!
Wer ist am Telefon?
Also dann, ich muss jetzt Schluss machen / aufhören.
Ja, dann – bis bald! Alles klar, bis bald!
Schön, dass du angerufen hast.
Danke für deinen Anruf!
Er hat schon wieder aufgelegt. (Er hat den Hörer aufgelegt.)

den Hörer abnehmen ↔ auflegen
das Telefon läutet / klingelt
ans Telefon gehen
das Telefongespräch
jemanden anrufen
mit jemandem telefonieren
der Anruf, der Anrufer, die ~in

ANRUF IN EINER FIRMA

• „Elektro Berger, guten Tag!"
◇ „Ja, guten Tag, mein Name ist Seel. Ich habe ein Problem mit meinem Fernseher und wollte fragen, ob Sie das reparieren können."
• „Einen Moment bitte, ich verbinde Sie mit unserer Reparaturabteilung!" ...

HINWEIS
Angestellte einer Firma melden sich häufig mit dem Firmennamen.

Das sagt man oft:
Hier spricht ... / Hier ist ...
Einen Moment / Einen Augenblick, bitte. Ich verbinde.
• Guten Tag, ist Herr / Frau ... da? ◇ Leider nein, kann ich etwas ausrichten?
• Nein, danke, ich rufe später wieder an.

Das passiert oft:
Die Leitung ist besetzt / belegt.
(Jemand telefoniert gerade.)

Telefonnummern findet man ...
... im Telefonbuch (das Telefonbuch)
... bei der (Telefon-)Auskunft (die Auskunft)

Apparate und Geräte:
das Telefon, das Handy ✆ (das Mobiltelefon)
die Telefonzelle, die Telefonsäule, der Anrufbeantworter
das Kartentelefon, die Telefonkarte
das Münztelefon (funktioniert mit Geld)

1) „Telefonwörter"

Sammeln Sie alle Wörter auf der linken Seite, in denen das Wort „Telefon" vorkommt.

der Telefonhörer _____

_____   (**das Telefon**)   _____

_____   _____

2) Wie sagt man das?

Unterstreichen Sie das passende Wort.

1. Leider hab' ich grad' keine Zeit. Kannst du mich morgen wieder   abrufen – zurufen – <u>anrufen</u> – abheben.
2. Einen Moment bitte, ich ...   befinde – verbinde – verbringe   ... Sie gleich mit dem Chef!
3. Ich habe immer wieder angerufen, aber die Leitung war immer ...   verlegt – entsetzt – besetzt – gelegt.
4. Ich wollte noch was sagen, aber da hat er schon ...   aufgeregt – aufgelegt – angelegt – aufgeführt.

3) Wie kann man noch sagen?

1. Ich möchte Schluss machen. / _*aufhören*_   4. Guten Tag, hier ist ... / _____
2. Die Leitung ist belegt . / _____   5. Hast du auch ein Mobiltelefon / _____?
3. Das Telefon läutet. / _____   6. Einen Augenblick / _____, ich verbinde.

4) Wann sagen Sie das?

1. „xy" *(Ihr Name)*. ⟍   a. Sie rufen bei einer Firma an.
2. „Ja, also dann, ich glaube,   b. Das Telefon klingelt, Sie heben ab.
   ich muss jetzt Schluss machen."   c. Sie rufen jemanden an, eine andere Person meldet sich.
3. „Einen Moment bitte!"   d. Sie bitten jemanden zu warten.
4. „Guten Tag, hier spricht ..."   e. Sie wollen das Telefongespräch beenden.
5. „Kann ich bitte ... sprechen?"

5) Ein Anruf bei Ihrer Freundin

Schreiben Sie den Dialog. Spielen Sie den Dialog mit Ihrem Partner / Ihrer Partnerin.
(Sie rufen bei einer Freundin an.)

_____   (Der Vater / Die Mutter der Freundin ist am Telefon.)

_____

(Die Freundin kommt ans Telefon, hat aber wenig Zeit
und bittet Sie, morgen noch einmal anzurufen.)

_____   (Sie beenden das Gespräch.)

_____

der Schulranzen

die Schultüte

„Hier, das ist mein erster Schultag, da war ich gerade sechs Jahre alt."

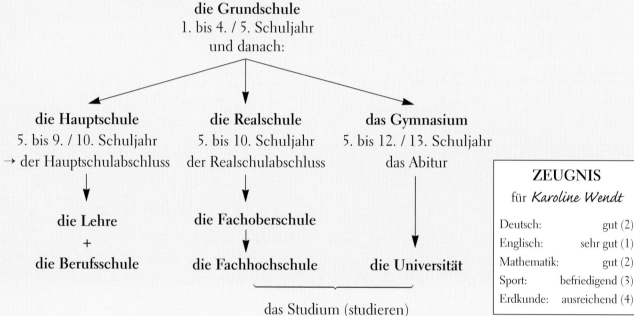

die Grundschule
1. bis 4. / 5. Schuljahr
und danach:

die Hauptschule	**die Realschule**	**das Gymnasium**
5. bis 9. / 10. Schuljahr	5. bis 10. Schuljahr	5. bis 12. / 13. Schuljahr
→ der Hauptschulabschluss	der Realschulabschluss	das Abitur
die Lehre + **die Berufsschule**	**die Fachoberschule** **die Fachhochschule**	**die Universität**

das Studium (studieren)

ZEUGNIS
für *Karoline Wendt*

Deutsch:	gut (2)
Englisch:	sehr gut (1)
Mathematik:	gut (2)
Sport:	befriedigend (3)
Erdkunde:	ausreichend (4)

- Es gibt auch „Gesamtschulen": Hauptschule, Realschule, Gymnasium sind zusammen in einer Schule.
- In Österreich heißt die Grundschule „Volksschule", in der Schweiz „Primarschule".
- In Österreich und in der Schweiz sagt man statt Abitur „Matura".
- In Österreich ist das Schulsystem anders gegliedert als in Deutschland: Es gibt mehr berufsbildende Schulen.
- In der Schweiz ist das Schulsystem je nach Kanton unterschiedlich gegliedert.

DAS GEHÖRT ZUR SCHULE

der Schüler, die ~in; der Mitschüler, die ~in; der Lehrer, die ~in; der Direktor, die ~in; die Ausbildung
die Schule besuchen (= zur Schule gehen), das Schuljahr; die Klasse (= das Klassenzimmer)
der Unterricht, die Unterrichtsstunde, die Pause; die Klassenarbeit / die Schularbeit (A) (*eine Zwischen-prüfung / ein Test, z.B. in Mathematik*), eine Arbeit schreiben; die Hausaufgabe (machen); das Zeugnis (bekommen) (am Ende des Schuljahres), eine gute / eine schlechte Note haben; fleißig ↔ faul
Das machen die Schüler: lesen, schreiben, rechnen, lernen; manchmal: fehlen (*nicht da sein*)
Das machen die Lehrer: unterrichten, lehren, Klassenarbeiten korrigieren, Zeugnisse schreiben

1) In welcher Schule sind diese jungen Leute wahrscheinlich?

1. Martina ist 7 Jahre alt und möchte Bäckerin werden.   *in der Grundschule* _____

2. Peter ist 17 und möchte Physik studieren. _____

3. Hans-Werner ist 18 und möchte Krankenpfleger werden. _____

4. Anita studiert Elektrotechnik. _____

2) Was passt nicht in die Reihe?

1. die Grundschule – die Universität – die Realschule – die Matura

2. Mathematik – Zeugnis – Sport – Englisch

3. zahlen – rechnen – lesen – schreiben

3) Eltern sprechen über ihre Kinder

1. Unser Matthias ist sehr *fleißig*. Er macht jeden Tag vier Stunden Hausaufgaben!

2. Nach der Grundschule soll unsere Tochter unbedingt auf das _____ gehen.

3. Leonardo ist jetzt im vierten _____, nächstes Jahr geht er in die Realschule.

4. Für die Berufsausbildung zum Uhrmacher muss Udo jetzt eine _____ bei einem Uhrmacher machen und gleichzeitig zur _____ gehen.

5. • Anna will Ärztin werden. ✧ Wie lange dauert denn das _____ ?

4) Die Lehrerin kommt in die Klasse (5. Schuljahr)

1. Guten Morgen, Kinder,   eine Englischarbeit.   *Guten Morgen, Kinder, setzt euch bitte!*

2. Heute schreiben wir   die neuen Wörter gelernt. _____

3. Ich hoffe, ihr habt alle   setzt euch bitte! _____

4. Nach der Klassenarbeit   könnt ihr in die Pause gehen. _____

5) Ein Lebenslauf

Ergänzen Sie die fehlenden Wörter – Sie finden sie auf der linken Seite.

Mein Name ist Heino Labritz. Ich wurde am 6. Oktober 1977 in Halburg geboren. Von 1983 bis 1987 *besuchte* ich die Grundschule in Halburg, danach ging ich ins Gymnasium in Kotten. Nach dem _____ 1 begann ich gleich mit dem Studium an der _____ 2 in München. Ich _____ 3 Geschichte und Geographie. Nach dem Studium machte ich meine Ausbildung als Referendar und bin nun _____ 4 an der Realschule. Ich unterrichte hier Geschichte und _____ 5.

6) Welche Schulen haben Sie besucht?

Vergleichen Sie mit Ihrem Nachbarn / Ihrer Nachbarin.

An der Universität

das Skelett

die Professorin
(der Professor)

die Studentin
der Student

„Bitte schauen Sie her,
meine Damen und
Herren, der Humerus
liegt genau zwischen ..."

DAS STUDIUM

die Vorlesung, das Seminar

prüfen, die Prüfung

ein Studium beginnen → Vorlesungen und Seminare besuchen → eine (Abschluss-)Prüfung ablegen

der Magister, das Diplom — ein Diplom / einen Titel bekommen

der Doktor (der Doktortitel): Frau Dr. Hahn

Studienfächer (das Fach): Medizin, Biologie, Jura, Mathematik, Soziologie, Germanistik, ...
das Semester (*ein Studienjahr = 2 Semester*); die Klausur (*schriftliche Semesterprüfung*)
eine Prüfung ablegen = eine Prüfung machen; die Prüfung bestehen ↔ bei der Prüfung durchfallen
die Universität = die Hochschule; die Technische Hochschule, die Fachhochschule (z.B. für
Ingenieurberufe)
lehren, die Lehre; forschen, die Forschung; wissen, die Wissenschaft; die Naturwissenschaften,
die Geisteswissenschaften, die Wirtschafts~, die Rechts~, die Erziehungswisssenschaft (= die Pädagogik)
der Kommilitone, die Kommilitonin (= Mitstudent, ~in)

kennen	↔	wissen
• **Kennst** du die neue Professorin schon?		◇ Nein, aber ich **weiß**, dass sie sehr beliebt ist.
Man muss ein Land gut **kennen**, wenn man		Prof. Hubert **weiß** wirklich viel über die Innuit
seine Kultur verstehen will.		in Kanada.
(*mit einer Person oder Sache vertraut sein*)		(*Tatsachen, Fakten wissen*)
lernen	↔	**studieren**
• Kommst du mit ins Konzert?		• Was **studieren** Sie?
◇ Nein, ich muss noch für die Prüfung **lernen**.		◇ Ich **studiere** Physik, und Sie?

Das sagt man oft:
An welcher Uni studiert er denn?
Das Grundstudium dauert vier Semester.
Die Regelstudienzeit für Betriebswirtschaft beträgt vier Jahre, die meisten brauchen aber fünf Jahre.

Ausbildung und Schule ◀|||| 56

1) Was kann man an der Universität studieren?

Unterstreichen Sie die Studienfächer.

<u>Soziologie</u> – Anglistik – Computer – Chemie – Vorlesung – Jura – Prüfung – Semester – Medizin
Wirtschaftswissenschaften – Forschung – Psychologie – Rechtswissenschaften – Magister – Informatik

2) Studienberatung

1. Wenn Sie sich mit der deutschen Literatur beschäftigen möchten, studieren Sie am besten <u>*Germanistik*</u>.
2. Wenn Zahlen Sie faszinieren, könnten Sie _____ studieren.
3. Wenn Sie wissen möchten, wie man am besten Kinder erzieht, sollten Sie _____ studieren.
4. Sie finden Pflanzen und Tiere interessant? Dann wäre _____ ein gutes Fach für Sie.

3) Wie sagt man in der Schule und wie an der Uni?

Ordnen Sie die Wörter zu und ergänzen Sie die Artikel.

Schule	Universität
der Schüler, die Schülerin;	

Semester   studieren   Zeugnis   Titel   Abitur   Magister   Doktor   Lehrerin   lernen
Professorin   ~~Schüler~~   Student   Kommilitone   Schuljahr   Mitschüler   Matura   Seminar
Klassenarbeit   Klausur   Klasse   Note   Vorlesung   Prüfung Forschung

4) Was stimmt?

Unterstreichen Sie das richtige Wort.

1. Er hat nicht genug gelernt und ist bei der Prüfung <u>durchgefallen</u> – gefallen – gefehlt.
2. • Das Seminar von Frau Dr. Wörlis findet nicht statt.   ◇ Das habe ich nicht   gekannt – bekannt – gewusst.
3. Für die Klausur morgen muss ich noch die Jahreszahlen   studieren – lernen – wissen.
4. Nach vier Semestern muss man eine Zwischenprüfung   absitzen – ablegen – passieren.

5) „Kennen" oder „wissen"?

Nach zwei Semestern an der Universität Wien <u>*kennt*</u> Sofia die Universität schon sehr gut. Sie _____ 1, welche Seminare besonders interessant sind, und kann die neuen Kommilitonen gut beraten. Sie _____ 2, wo sich die verschiedenen Institute befinden, wo die Bibliothek ist, und wann sie geöffnet ist. Es gibt 25 Professoren an ihrer Abteilung, die _____ 3 sie natürlich nicht alle. Aber sie _____ 4, wen sie um Auskunft bitten kann. Mittlerweile _____ 5 sie auch schon eine Menge anderer Studenten, und sie lernen oft zusammen in Arbeitsgruppen.

Karin wird Schreinerin.

die Auszubildende

das Holz

„Das Holz muss
an den Kanten
ganz glatt werden."

der Meister

das Werkzeug } der Schraubenzieher

der Hammer   die Säge

DIE BERUFSAUSBILDUNG

die Lehre   der Betrieb

der Geselle, die ~in; die Prüfung

eine Lehre im Betrieb machen und die Berufsschule besuchen → die Gesellen-Prüfung ablegen

die Meister-Prüfung ablegen ← als Geselle / Gesellin arbeiten ←

der Meister, die ~in

DAS HANDWERK – HANDWERKSBERUFE

der Schreiner, die ~in; der Bäcker, die ~in; der Goldschmied, die ~in; der Zahntechniker, die ~in
der Handwerker, die ~in; die Berufsausbildung, eine abgeschlossene Berufsausbildung *(mit Abschlussprüfung)*
der / die Auszubildende *(ist auszubilden / wird ausgebildet)*, der Lehrling (A)
die Maschine, das Werkzeug (der Hammer, die Säge, ...)
das Material: das Holz, das Metall (= das Gold, das Silber, das Eisen), der Kunststoff, das Plastik

WORTFAMILIE AUSBILDUNG

ausbilden —— die Ausbildung

der Ausbilder, die ~in der / die Auszubildende

WORTFELD AUSBILDUNG

das Praktikum ~ die Ausbildung ~ die Schule
das Studium ~ | ~ der Kurs
die (Abschluss-)Prüfung die Lehre

DAS PRAKTIKUM

Für einige Berufe, zum Beispiel „Sozialarbeiter" oder „Erzieher", muss man ein Praktikum machen,
z.B. in einem Kindergarten (Erzieher).

der Sozialarbeiter, die ~in; der Erzieher, die ~in (erziehen); das Praktikum, der Praktikant, die ~in

DIE ERWACHSENENBILDUNG / DIE WEITERBILDUNG

Man kann sich auch selbst weiterbilden und z.B. einen Kurs an der Volkshochschule machen:
der Deutschkurs, der Englischkurs, der Yogakurs, der Musikkurs, der Computerkurs, der EDV-Kurs, ...

die Volkshochschule; sich weiterbilden, die Weiterbildung; EDV = elektronische Datenverarbeitung
der Kurs, der (Kurs-)Teilnehmer, die ~in; an einem Kurs teilnehmen, der Kursleiter, die ~in; das Zertifikat

Ausbildung und Schule ◀||| 56; Studium und Prüfungen ◀||| 57

1) der – das – die?

der *Erzieher,* _____

das _____

die _____

Erzieher   Lehre   Lehrer   Weiterbildung   Ausbilder   Gold   Silber   Berufsschule
Auszubildende   Praktikum   Prüfung   Beruf

Ergänzen Sie: Substantive mit der Endung -er haben fast immer den Artikel _____.

Finden Sie hier eine Ausnahme? _____

2) ausbilden, Ausbilder, Ausbildung, Auszubildender?

1. Herr Hansen ist Bäckermeister und hat zwei *Auszubildende* in seinem Betrieb.
2. Er ist gern mit jungen Menschen zusammen, und es macht ihm Spaß, die beiden _____
   und ihnen alles zu erklären, was man als Bäcker wissen muss.
3. Er hat viel Erfahrung und ist schon seit vielen Jahren _____ .
4. Kai und Ursula finden ihre _____ interessant und auch wichtig für die Zukunft.

3) Was passt nicht in die Reihe?

1. der Hammer – der Schraubenzieher – die Säge – das Metall
2. Yoga – Zertifikat – Sport – Englisch
3. erziehen – ausbilden – ausziehen – weiterbilden

4) Was gehört dazu?

Achtung: Nicht alle Wörter passen!

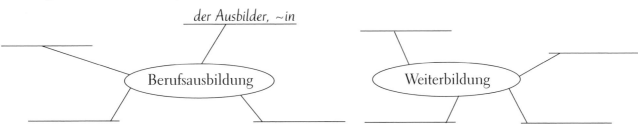

der Ausbilder, ~in

Berufsausbildung   Weiterbildung

Lehre   Gymnasium   Betrieb   Matura   Abschlusszeugnis   Ausbilder   Zertifikat   Kursleiter
Zahntechniker   Kurs   Volkshochschule   Wohnung   Teilnehmer   Konzert

5) Wie war Ihre Ausbildung?

die Bewerberin
(der Bewerber)

die Bewerbungs-
unterlagen (Plural)

*„Welche Fremdsprachen
außer Englisch sprechen
Sie denn, Frau Kumon?"*

die Personalchefin
(der Personalchef)

EINE STELLENANZEIGE

Gefragte Fähigkeiten (die Fähigkeit):
die Flexibilität, der Teamgeist / die Teamfähigkeit ⌒,
die Kommunikationsfähigkeit, die Motivation, das
Organisationsgeschick (~talent), das Engagement ⌒,
die Eigeninitiave, die Belastbarkeit, (das Team ⌒)

Gefragte Eigenschaften (die Eigenschaft):
aktiv, dynamisch, flexibel, kooperativ, teamfähig ⌒,
belastbar, hochmotiviert, engagiert ⌒

Gefragte Kenntnisse:
Fremdsprachenkenntnisse, Computerkenntnisse ⌒,
Produktkenntnisse
(die Fremdsprache; die Kenntnis, die Kenntnisse)

Die Jobsuche (der Job ⌒, die Suche):
sich (um eine Stelle) bewerben, die Bewerbung
sich (bei einer Firma) vorstellen, die Vorstellung
die Voraussetzung, unbedingt (*auf jeden Fall*)

Wir suchen
AKTIVE JUNGE LEUTE,

die in unserem dynamischen Team
mitarbeiten möchten.

- **Fremdsprachenkenntnisse**
- **Flexibilität**
- **Teamgeist**
- **Organisationsgeschick**

sind unbedingte Voraussetzung.

Interessiert? Dann schicken Sie Ihre
Bewerbung schnellstmöglich an:

Fa. Oval Circle
Marxstr. 55 · 88997 München
E-Mail: ovalcircle@mteam.com

DAS VORSTELLUNGSGESPRÄCH

• Ich möchte mich um die Stelle als Sekretärin bewerben.
  (Ich suche eine Arbeit / Tätigkeit als Chef-Sekretärin.)
⋄ An welches Gehalt hatten Sie gedacht?
• In meiner letzten Stelle habe ich 2500 Euro verdient.
⋄ Sind Sie örtlich gebunden?
• Nein, ich bin ganz flexibel. Ich kann auch umziehen.
⋄ Sind Sie bereit, Verantwortung zu übernehmen?

die Vorstellung, das Vorstellungsgespräch
eine Arbeit / eine Stelle / eine Tätigkeit suchen
das Gehalt (Angestellte) der Lohn (Arbeiter)
verdienen, der Verdienst
gebunden ↔ frei; örtlich, der Ort
umziehen, der Umzug; die Verantwortung
verantwortlich sein für etwas

! HINWEIS
In Österreich und in der Schweiz sagt man nur „der Lohn".

Berufe und Tätigkeiten ◀‖‖ 3; Ausbildung und Schule ◀‖‖ 56; Berufsausbildung ◀‖‖ 58; Arbeit und Einkommen ‖‖▶ 71

1) Wie heißen die Substantive?

1. sich vorstellen → *die Vorstellung*
2. sich bewerben → _____
3. kennen → _____
   Plural
4. einen Job suchen → _____
5. verdienen → _____
6. umziehen → _____

2) Wie heißen die Adjektive?

1. Flexibilität → *flexibel*
2. Belastbarkeit → _____
3. Motivation → _____
4. Teamfähigkeit → _____
5. Kooperationsfähigkeit → _____
6. Engagement → _____

3) Was passt zusammen?

1. Ich suche	Verantwortung	sprechen.
2. Ich bin bereit,	in eine andere Stadt	wechseln.
3. Ich könnte auch	meine Arbeitsstelle	als Koch.
4. Ich möchte gern	die Stelle	zu übernehmen.
5. Ich kann	eine Tätigkeit	umziehen.
6. Ich möchte mich um	Englisch und Russisch	als Ingenieur bewerben.

Ich suche eine Tätigkeit als Koch. / Ich ... _____

4) Beim Personalchef

Ergänzen Sie den Dialog. Die Wörter in den Klammern sind Vorschläge.

1. Personalchef: Sie sind an der Stelle als Verkäuferin interessiert?
2. Bewerberin: (ja / arbeite seit ... als ... / Stelle wechseln)
   Ja, ich arbeite seit ...
3. Personalchef: Welche Berufsausbildung haben Sie?
4. Bewerberin: (... Schule besucht / Ausbildung als ....)

   _____

5. Personalchef: Haben Sie Fremdsprachenkenntnisse?
6. Bewerberin: (ja, Englisch, ... / nein, ...)

   _____

7. Personalchef: Wie viel möchten Sie verdienen?
8. Bewerberin: (bisher .... Euro / Gehalt verbessern, ...)

   _____

5) www.arbeitenzuhaus.com

„Als ich noch nicht verheiratet war, war ich örtlich nicht _*gebunden*_ und konnte abends lange im Büro bleiben. Aber dann bekam ich Kinder und _____ ₁ eine Stelle, bei der ich zu Hause arbeiten kann. Ich habe mich bei „Teamworks" _____ ₂ und seitdem kann ich meine Zeit _____ ₃ einteilen. Ich arbeite, wann ich am besten Zeit habe. Probieren Sie es auch!"

A. DER TABELLARISCHE LEBENSLAUF

LEBENSLAUF

Name: Herbert Rossmann
wohnhaft in: München

Schulausbildung:
1975   geboren in Kiel
1981–1985   Grundschule in Kiel
1985–1994   Hansa-Gymnasium in Kiel
1994   Abitur

Studium:
1994–1999   Studium an der Technischen Universität München
1996   Praktikum bei Siemens, München
1999   Diplom

Berufserfahrung:
1999–2000   Tätigkeit als Ingenieur bei Siemens, München
2000–2001   Auslandsaufenthalt in Mexiko
seit 2001   Abteilungsleiter Lateinamerika bei Siemens

Fremdsprachen-
kenntnisse: Englisch, Spanisch

der Lebenslauf
der tabellarische Lebenslauf
die Tabelle, tabellarisch

die Erfahrung, der Beruf
→ die Berufserfahrung
das Ausland, der Aufenthalt
→ der Auslandsaufenthalt
die Abteilung, der Leiter
→ der Abteilungsleiter

B. DER AUSFÜHRLICHE LEBENSLAUF

Ich bin 1975 in Kiel geboren. Von 1981 bis 1985 besuchte ich die Grundschule in Kiel, dann von 1985 bis 1994 das Hansa-Gymnasium. 1994 schloss ich das Gymnasium mit dem Abitur ab. Ich begann im Herbst 1994 mit dem Studium der Ingenieurswissenschaften an der Technischen Universität in München. Im Rahmen meines Studiums machte ich im Jahre 1996 ein Praktikum bei der Firma Siemens, ebenfalls in München. Im Jahre 1999 erwarb ich an der TU München das Diplom. Die Firma Siemens stellte mich im gleichen Jahr als Ingenieur in der Maschinenbau-Abteilung ein. Im Jahre 2000 erhielt ich die Gelegenheit eines einjährigen Auslandsaufenthaltes bei Siemens in Mexiko. Bei meiner Rückkehr im Jahre 2001 wurde mir eine Stelle als Abteilungsleiter angeboten.

ausführlich

abschließen

der Rahmen
erwerben
einstellen als
die Gelegenheit
erhalten
einjährig; anbieten

Ausbildung und Schule ◀||| 56; Studium und Prüfungen ◀||| 57; Berufsausbildung ◀||| 58; Jobsuche ◀||| 59; Arbeit und Einkommen |||▶ 71

1) Was passt?

Wählen Sie die Wörter aus, die zu einem Lebenslauf passen. Schreiben Sie sie in der richtigen Reihenfolge.

> Stelle Abitur Praktikum ~~Gymnasium~~ Schreibtisch Berufserfahrung Studium Geschäft
> Urlaub Arztbesuch Sporthalle Geburtstagsfeier Diplom Klassentreffen Gefühle Theater
> Tätigkeit Krankenwagen Auslandsaufenthalt Abteilungsleiter Ausstellung ~~Grundschule~~

Grundschule → Gymnasium → _____

2) Was kann man hier kombinieren? Schreiben Sie auch den Artikel.

1. *die* Grundschule _____
2. ____ Lebens _____
3. ____ Auslands _____
4. ____ Abteilungs _____
5. ____ Fremdsprachen _____
6. ____ Ingenieur _____
7. ____ Personal _____
8. ____ Arbeits _____

> -leiter -chef -aufenthalt
> -lauf -team
> -wissenschaften
> -kenntnisse ~~-schule~~

3) Wie schreibt man das? Ergänzen Sie zwei oder drei Buchstaben.

1. Ich bin 1970 in Köln geb_or_en.
2. 1989 schlo___ ich das Gymnasium ab.
3. Ich hatte eine Stelle als Ingen____r.
4. Im Jahre 1995 machte ich ein halbjä___iges Praktikum.

4) Welche Verben benutzt man hier?

1. In Dresden *besuchte* ich vier Jahre lang die Grundschule.
2. Das Abitur habe ich am Gymnasium in Leipzig _____.
3. Im Winter 1990 _____ ich mit dem Studium der Psychologie.
4. Im Rahmen meines Studiums musste ich ein Praktikum in einem
   Kindergarten _____.
5. Nach fünf Studienjahren _____ ich an der Uni Leipzig mein Diplom.
6. Kurz nach meinem Studium wollte mich die Firma Saunder als Psychologin _____, aber ich
   wollte zuerst noch mal ins Ausland gehen.

> beginnen machen
> ~~besuchen~~ einstellen
> erwerben ablegen

5) Was hat Spaß gemacht?

Erinnern Sie sich an Ihren eigenen Lebenslauf: Was hat Ihnen Spaß gemacht – was nicht so sehr?

Das hat Spaß gemacht:	Das hat nicht so viel Spaß gemacht:
die Grundschule,	*das Abitur,*

6) Ihr Lebenslauf

Schreiben Sie Ihren eigenen Lebenslauf, zuerst einen tabellarischen, dann einen ausführlichen.

Welche Sprachen sprechen Sie?

„Guten Abend, mein Name ist Waller. Ich werde in diesem Semester Ihr Deutschlehrer sein. Welche Sprachen sprechen Sie? Was ist Ihre Muttersprache?"

die Muttersprache ↔ die Fremdsprache
Deutsch als Fremdsprache
die Sprachschule, die Volkshochschule

Was tut man im Fremdsprachenunterricht?

Viele Texte lesen, einige wichtige unbekannte Wörter im Wörterbuch nachschlagen.	Die Grammatik, die Regeln verstehen (die Ausnahmen lernen) und ihren Gebrauch und ihre Anwendung üben.	Manchmal Sätze in die Muttersprache übersetzen.
Viel mit Muttersprachlern sprechen, viel reden, sich viel unterhalten.	Alle neuen Wörter aufschreiben, Vokabellisten machen.	Keine Angst haben, Fehler zu machen!

der Text, das Wort, die Grammatik, der Fehler
das Wörterbuch, ein Wort nachschlagen / übersetzen / aufschreiben
der Muttersprachler, die ~in; die Vokabelliste, auswendig lernen

falsch ↔ richtig
bekannt ↔ unbekannt
die Regel ↔ die Ausnahme

das Subjekt im Satz   das Objekt im Satz

Hier können Sie die wichtigsten Grammatikwörter lernen.

das Adverb   das Modalverb   der Artikel   das Adjektiv   das Substantiv / das Nomen   das Verb
(das Wort: der Singular)
(die Wörter: der Plural)

. der Punkt   : der Doppelpunkt   ? das Fragezeichen   ⟶ der Pfeil

Das sagt man oft:
Übung macht den Meister! Keine Regel ohne Ausnahme! Aus Fehlern wird man klug.

Im Klassenzimmer ◀‖‖ 30; Unterrichtssprache ◀‖‖ 31

1) Was für Wörter sind das?

Substantive	Verben	Adjektive	Adverbien
die Grammatik	*hören*		

Fragezeichen   übersetzen   Fremdsprache   schwer   Text   dort   Adjektiv   lernen   Sprache   neu   Wörterbuch   leicht   ~~hören~~   schwierig   machen   richtig   lesen   zuerst   unbekannt   ~~Grammatik~~   Regel   Fehler   Verb   Übung   hier   Plural   üben   Ausnahme   Muttersprache   sich unterhalten   heute   sprechen   Wort   gern   nachschlagen   reden   Buchstabe   Angst   Artikel   Punkt   klug

2) Wo ist das Subjekt, wo ist das Objekt?

Unterstreichen Sie das Subjekt einmal und das Objekt zweimal.

1. Meine Mutter ist Spanierin. Deshalb habe ich schon als Kind spanische Bücher gelesen.
2. Wenn ich einen Text lese, schlage ich nur wenige Wörter im Wörterbuch nach.
3. Max lernt nicht gern Regeln – aber er spricht sehr viel mit Muttersprachlern und übt sein Deutsch.

3) Was für ein Lerntyp sind Sie?

Kreuzen Sie an, was für Sie stimmt und diskutieren Sie mit Ihrem Nachbarn / Ihrer Nachbarin.

	Stimmt	Stimmt nicht
1. Ich mache mir Vokabellisten und lerne die Wörter auswendig.		
2. Ich versuche so viel wie möglich zu sprechen – auch wenn ich Fehler mache.		
3. Ich spreche erst, wenn ich ganz sicher bin, dass ich keine Fehler mache.		
4. Ich lese viele deutsche Texte, z.B. in der Zeitung, im Internet, in Büchern.		
5. Ich sehe viel deutsches Fernsehen.		
6. Ich mache mir grammatische Tabellen und schreibe grammatische Übungen.		

4) Was machen Sie in dieser Situation?

Wählen Sie aus „Was tut man im Fremdsprachenunterricht" auf der linken Seite und Übung 3 aus.

1. Sie lesen einen Text und verstehen ein wichtiges Wort nicht.   *Ich schlage das Wort im Wörterbuch nach.*
2. Sie hören im Radio ein neues Wort, das für Sie wichtig ist.   _____
3. Sie möchten einen Satz in einem Text ganz genau verstehen.   _____
4. Sie erinnern sich nicht an alle Formen der Adjektivdeklination.   _____
5. Sie haben Probleme, gesprochene Sprache zu verstehen.   _____

der, das, die

PERSONEN

der (maskulin)

Wörter für Männer haben fast immer „der".

der Mann, Vater, Junge	
-er	der Lehrer, Schüler, Sportler
-ent / -ant	der Student, Praktikant
-or	der Autor, Direktor
-ist	der Polizist, Sozialist
-e	der Pole, Franzose, Kollege
-mann	der Kaufmann, Geschäftsmann
-e / -er	der Angestellte (ein Angestellter)

⟷

die (feminin)

Wörter für Frauen haben fast immer „die".

die Frau, Mutter, Tante	
-in	die Lehrerin, Schülerin, Sportlerin
	die Studentin, Praktikantin
	die Autorin, Direktorin
	die Polizistin, Sozialistin
	die Polin, Französin, Kollegin
-frau	die Kauffrau, die Geschäftsfrau
-e	die Angestellte (eine Angestellte)

> **HINWEIS**
> Alle Wörter mit **-chen** und **-lein** haben **das**:
> das Mädchen, das Männlein (= kleiner Mann), das Kindlein, …
> „Fräulein" benutzt man nicht mehr.

ANDERE WÖRTER

der

Diese Substantive haben *der*:

		immer	oft
-er	der Fernseher, Geschirrspüler, Computer, … (**aber:** die Butter, das Fenster)		χ
-ig / -ich	der König, Honig, Teppich, …	χ	
Tageszeiten, Tage	der Morgen, Mittag, Abend (**aber:** die Nacht), der Montag, Dienstag, …		χ
Monate, Jahreszeiten	der Mai, Juni , … , der Frühling, Sommer, …	χ	

das

Diese Substantive haben *das*:

		immer	oft
-chen, -lein	das Mädchen, das Kindlein, das Kätzchen, …	χ	
-um / -tum	das Studium, das Zentrum, das Altertum, … (**aber:** der Irrtum, der Reichtum)		χ
Infinitiv-Substantive	das Essen (von „essen"), Malen, Lesen, …	χ	
Sprachen	das Deutsche, Englische, Französische, Russische, …	χ	

die

Diese Substanive haben *die*:

		immer	oft
-ung	die Ordnung, Hoffnung, Meinung, Erfahrung, …	χ	
-heit / -keit	die Schönheit, Fröhlichkeit, Möglichkeit, Gerechtigkeit, …	χ	
-schaft	die Freundschaft, Feindschaft, Mannschaft, Lehrerschaft, …	χ	
-e	die Sprache, Rede, Suche, Liebe, … (**aber:** der Junge, der Pole, … , das Auge)		χ
-ion	die Information, Diskussion, Million, Evolution, …	χ	
-ität, -ik, -ur	die Universität, die Politik, die Kultur, die Natur, …	χ	

1) Ergänzen Sie die Bezeichnungen für männliche / weibliche Personen:

1. der Vater   _die Mutter_   6. der Arbeiter   _____
2. _____   die Kauffrau   7. der Franzose   _____
3. _____   die Polin   8. _____ die Bankkauffrau
4. der Kollege   _____   9. _____ die Angestellte
5. der Junge   _____   10. _____ die Hausfrau

2) Welche Substantive sind nicht maskulin / neutrum / feminin?

Schreiben Sie die Wörter, die nicht maskulin / neutrum / feminin sind mit ihrem Artikel.

1. Morgen – Computer – Mutter – Frühling – Teppich – Fenster – Arbeiter – Nacht – Bauer – Butter
Diese Wörter sind nicht maskulin: _die Mutter,_ _____

2. Malen – Altertum – Reichtum – Besen – Mädchen – Irrtum – Essen – Denken – Studium
Diese Wörter sind nicht neutrum: _____

3. Universität – Sprache – Freude – Erde – Russe – Meinung – Freundlichkeit – Auge – Käse
Diese Wörter sind nicht feminin: _____

3) Ergänzen Sie das Substantiv mit dem richtigen Artikel:

1. Ja, sicher, alle wollen schön sein, aber _die Schönheit_ ist eigentlich nicht wichtig im Leben.
2. Leider spreche ich nicht Polnisch – aber _____ klingt so schön!
3. Ich schaue gern fern – aber genau darum will ich (kein) _____.
4. Reich sein ist lange nicht so wichtig wie gesund sein: _____ ist für viele Leute extrem wichtig
   – aber irgendwann merken sie, dass man _____ nicht mit Geld kaufen kann.

4) Eltern und Kinder

Manche Eltern benutzen oft -chen und -lein, wenn sie mit ihren Kindern reden. Formulieren Sie die unterstrichenen Wörter in die Erwachsenensprache um. Vorsicht: Manchmal muss man auch die Artikel (der, das, die) und die Personalpronomen (er, es, sie etc.) ändern.

So, mein Kleines, hier ist dein Fläschchen. Nimm es nur fest in deine kleinen Händchen. Ist es nicht süß, mein kleines Kindlein? Oh, was ist denn das? Da müssen wir gleich das Mündchen abwischen! Halt nur das kleine Köpfchen schön gerade! Ist dir kalt? Dann ziehen wir dir besser ein warmes Höschen an. Und das grüne Jäckchen! Oh, die kleinen Äuglein schauen ja ganz müde aus, da geht's gleich ins kuschelige Bettlein!

_____
_____
_____
_____
_____
_____

„Bitte fass nicht immer alles an!"

„Ich steige hier aus."

WICHTIGE TRENNBARE PRÄFIXE	DAS KÖNNEN DIE PRÄFIXE BEDEUTEN
auf- Kannst du das Papier bitte wieder **auf**heben? Machst du bitte die Dose **auf**? Bist du auch endlich **auf**gewacht? Dieser Korruptionsskandal muss unbedingt **auf**geklärt werden.	*nach oben:* aufstehen, aufbauen, aufheben *öffnen:* aufmachen, (den Wasserhahn) aufdrehen *Anfang:* aufwachen, aufblühen *etwas bis zu Ende machen:* (ein Zimmer) aufräumen, aufklären, aufhören (mit etwas)
ab- Vorsicht auf Gleis 3, der Zug fährt jetzt **ab**! Ich hol' dich nach der Arbeit **ab**, dann geh'n wir ins Kino! Hebst du vorher etwas Geld **ab**? Mit dieser Diät nehmen Sie sofort 5 Kilo **ab**! Ihr Antrag ist leider **ab**gelehnt worden.	*weg von etwas:* abfahren, abfliegen, abreisen abholen, abgeben, abwischen, abheben *nach unten / weniger:* abnehmen, absteigen *etwas bis zu Ende machen:* ablehnen, abrechnen, abschließen, abtrocknen, abwaschen
an- Wann kommt ihr denn morgen hier **an**? Kann ich Ihnen noch etwas **an**bieten? Bitte fass nicht immer alles **an**! Warum schaltest du nicht das Licht **an**? Als der Film aus war, ging das Licht wieder **an**.	*zum Ziel kommen:* ankommen, anreisen *in Richtung auf:* anbieten, anschauen, ansehen *Kontakt:* anfassen, anbinden *Anfang:* (etwas) anmachen / anschalten, anbraten, angehen
ein- Bitte alles **ein**steigen, Vorsicht bei der Abfahrt! Ich würde dich gern **ein**laden! Unsere Firma stellt zur Zeit niemanden **ein**. Seit Wochen kann ich nicht gut **ein**schlafen.	*in etwas hinein:* einsteigen, jdn. (zum Essen) einladen, etwas einpacken, etwas (auf ein Konto) einzahlen *Integration:* jdn. einstellen, (Lebensmittel) einkaufen *Anfang:* (das Licht) einschalten, einschlafen
aus- Wir gehen heute Abend **aus** – ins Theater! Bitte alles **aus**steigen, Endstation! Vorhin ist das Licht plötzlich **aus**gegangen! Ich muss noch dieses Formular **aus**füllen!	*nach außen:* ausgehen, (Geld) ausgeben, aussteigen, (einen Koffer) auspacken *beenden:* (etw.) ausmachen / ausschalten, ausgehen *etwas bis zu Ende machen:* ausfüllen, ausrechnen

WEITERE TRENNBARE PRÄFIXE

her- *(zum Sprecher)*: Komm doch mal her! **hin-** *(weg vom Sprecher)*: Karl macht ein Fest – geh'n wir hin? **los-** *(Anfang von etwas)*: Wann geht das Fest denn los? Fahren wir los? **mit-** *(zusammen)*: Kommt ihr mit? **raus- / rein- / rauf- / runter-**: Komm doch mal raus da! **vor-**: „Darf ich vorstellen: ..." **zu-**: zusehen / -hören *(Richtung)*, zumachen *(schließen)*, zunehmen *(mehr werden)*; **zurück-**: zurückkommen; **weg-**: wegfahren

1) Was passt nicht?

Streichen Sie durch, was nicht passt.

1. die Tür ~~ausmachen~~ – aufmachen – ~~mitmachen~~ – ~~einmachen~~ – zumachen

2. in den Bus aufsteigen – einsteigen – ansteigen

3. den Fernseher – aufschalten – anschalten – wegschalten – ausschalten

4. den Freund vom Bahnhof aufholen – wegholen – abholen – einholen

5. das Formular einfüllen – auffüllen – ausfüllen – zufüllen

2) Synonyme

Finden Sie die Wörter mit der gleichen Bedeutung.

1. aufmachen   a. anmachen
2. schließen   b. öffnen
3. anschalten   c. abnehmen
4. dünner werden   d. zumachen
5. abschalten   e. ausmachen

3) Ordnen Sie:

anmachen	weggehen	ausmachen	anhören
		abschalten,	

losfahren   einschalten   ausgehen   aufhören   anschauen
hinschauen   ~~abschalten~~   abfliegen

4) Gegensätze

Ergänzen Sie die Dialoge.

1. • Ich muss jetzt leider los. ↔ ◇ Wann _kommst du zurück?_

2. • Komm doch mal runter! ↔ ◇ Nein, komm du _____!

3. • Kannst du heute Geld vom Konto _____? ↔ ◇ Nein, da ist nichts mehr drauf, wir müssen erst wieder was _____.

4. • Warum machst du das Licht nicht an? ↔ ◇ Das geht nicht, es ist vorhin plötzlich _____ und geht nicht wieder _____.

5) Welche Perspektive?

Sortieren Sie: a) zum Sprecher b) vom Sprecher weg

hinfahren – weggehen – ~~runterkommen~~ – herschauen – hinfliegen – herkommen – hinschauen

a) _runterkommen,_ _____

b) _____

Sie war energisch, lebhaft, willensstark.

*„Meine Großeltern waren sehr gegensätzlich:
Er war immer vorsichtig, ängstlich,
besorgt; sie war energisch, lebhaft,
willensstark. Trotzdem waren sie
glücklich zusammen!"*

ADJEKTIVE AUS ANDEREN WÖRTERN

vorsicht**ig** ← die Vorsicht, gegensätz**lich** ← der Gegensatz, ängst**lich** ← die Angst, glück**lich** ← das Glück
energ**isch** ← die Energie, leb**haft** ← leben, dunkelrot ← dunkel + rot, willensstark ← der Wille + (ns) + stark

Einige Adjektive mit Suffixen

-ig	bergig (der Berg), sonnig (die Sonne), ein langärmeliges Hemd (*mit langen Ärmeln*)
-lich	ängstlich (die Angst), glücklich (das Glück), kindlich (das Kind), täglich (der Tag)
-isch	französisch (der Franzose), kindisch (das Kind), demokratisch (die Demokratie)
-iv, -ell	aktiv (die Aktion), kooperativ (die Kooperation), kulturell (die Kultur), prinzipiell (das Prinzip)
-haft	lebhaft (leben), meisterhaft (der Meister), wohnhaft (wohnen)
-bar	essbar (essen; *Man kann es essen.*), machbar (machen; *Man kann es machen.*)
-los	arbeitslos (die Arbeit; *ohne Arbeit*), mutlos (der Mut; *ohne Mut*), wolkenlos (*ohne Wolken*)

> **HINWEIS**
>
> Die Adjektive mit **-lich**, und **-isch** können eine ganz besondere Bedeutung haben: Er ist sehr
> **kindlich** (*wie ein Kind, neutral*), **aber:** Sei nicht **kindisch**! (*wie ein Kind, negative Bewertung*)

Zusammengesetzte Adjektive

▶ *Die Farben finden Sie auf der letzten Seite des Buches.*

Farben	**hell- / dunkel-:** hellblau, hellrot, hellbraun, hellgrün, ...; dunkelblau, dunkelrot, dunkelbraun, ...
	Farbkombinationen: rotgrün (*rot und grün*), rosarot (*ein rosa Rot*), blaugrau, ...
	ganz intensive Farben: knallrot, knallgelb; kunterbunt (*sehr bunt*), ...
	Vergleiche: grasgrün (*grün wie das Gras*), pechschwarz (*schwarz wie Pech*), mausgrau, ...
Ver-stärkung	**tod-:** todsicher (*sehr sicher*), todmüde (*sehr müde*), todschick, todunglücklich, ...
	super-: superklug (*sehr klug*), superelegant (*sehr elegant*), superteuer, ...
	hyper-: hypermodern (*sehr modern*), hypersensibel (*sehr sensibel*), hyperaktiv, ...
ohne / mit viel	blei**frei**es Benzin (*ohne Blei*), zucker**frei**er Kaugummi (*ohne Zucker*),
	kalorien**arm**es Essen (*nur wenig Kalorien*), hoffnungs**voll** sein (*mit viel Hoffnung*),
	eine wald**reich**e Region (*mit viel Wald*), ein willens**stark**er Mensch (*mit einem starken Willen*)

Adjektive mit Präfix

un-	ein **un**freundlicher Mensch (*nicht freundlich*); das ist **un**möglich (*gar nicht möglich*); ich finde es
	hier **un**gemütlich (*nicht gemütlich*); ein **un**bekannter Mann (*nicht bekannt*)

> **HINWEIS**
>
> Er ist oft ziemlich unfreundlich. (Das Adjektiv hat keine Endung.)
> Er ist ein unfreundlich**er** Mensch. (Das Adjektiv hat eine Endung.)

1) Aus einem Roman

Unterstreichen Sie die Suffixe und Präfixe der Adjektive.

Ein sonniger Tag! Ein unfreundlicher Mann betritt das schmucklose Restaurant. Atemlose Stille. Ein alter Mann schaut ängstlich aus dem Fenster. Was will der unbekannte Mann? Warum kommt er gerade jetzt in dieses rauchige Restaurant? Er setzt sich an einen Tisch und zündet sich eine Zigarre an. Keiner sieht hin, aber alle fühlen seinen zynischen Blick. Der alte Mann fällt fast von seinem dreibeinigen Hocker. Das ist doch unmöglich! Dieser Mann war einmal sein Kollege ...

2) Ergänzen Sie die Tabelle:

1. der Sozialismus	✕	der Sozialist, die ~in	*sozialistisch*
2. der Kapitalismus	✕	_____	_____
3. ✕	die Akademie	der Akademiker, die ~in	_____
4. ✕	✕	der Vegetarier, die ~in	_____
5. ✕	*die*	der Bürokrat, die ~in	_____
6. der Realismus	✕	_____	_____
7. *der*	✕	die Feministin	_____
8. ✕	die Harmonie	✕	_____

3) Bedeutungen

Was sind die richtigen Bedeutungen der Adjektive? Unterstreichen Sie.

1. am Nachmittag regnerisch   a. *Es regnet nicht.*   b. *es regnet gerade*   c. <u>*Wahrscheinlich regnet es öfters.*</u>
2. ein willensstarker Mensch   a. *Der Mensch ist stark.* b. *Der Mensch hat einen starken Willen.*   c. *Der Mensch will stark sein.*
3. ein wunderbares Konzert   a. *Man wundert sich über das Konzert.* b. *Das Konzert ist toll.*   c. *Man bewundert das Konzert.*
4. Diese Suppe ist essbar.   a. *Man kann diese Suppe essen.* b. *Diese Suppe schmeckt gut.*   c. *Man muss diese Suppe essen.*
5. Er ist todunglücklich.   a. *Er stirbt und ist darum unglücklich.* b. *Er ist sehr unglücklich.*   c. *Er ist unglücklich, weil jemand tot ist.*

4) Finden Sie die Gegensätze:

fleißig ↔ faul, _____

_____

_____

_____

~~fleißig~~   ängstlich   ~~faul~~   unmöglich
sorglos   flach   salzreich   machbar
unglücklich   glücklich   salzfrei
mutig   besorgt   bergig

5) Was kann man kombinieren?

Nicht alle diese Adjektive kann man kombinieren. Schreiben Sie alle möglichen Kombinationen auf.

dunkel-, hell-, kunter-, maus-, pech-, feuer-

blau   schwarz   grün   gelb   rot   weiß   lila   grau   bunt

6) Beschreiben Sie Ihr Klassenzimmer:

Was hat in Ihrem Klassenzimmer welche Farbe? Benutzen Sie die Farbskala auf der letzten Seite des Buches und versuchen Sie, die Farben möglichst genau anzugeben. Beispiel: *Der Boden ist hellbraun. Die Tür ist ...*

Das Buch ist wirklich spannend!

- „Das Buch hier ist wirklich spannend und sehr gut geschrieben!"
◇ „Ja? Meins ist ziemlich langweilig."

Ein Buch / ein Roman / ein Film ist:
spannend ↔ langweilig, lustig ↔ ernst
gut geschrieben ↔ schlecht geschrieben
zauberhaft, wunderbar, unterhaltsam, brutal
ziemlich *(relativ)* langweilig / spannend,
wirklich spannend, sehr spannend

LITERATUR

der Autor, die ~in
der Dichter, die ~in
→ schreibt →
ein Buch
einen Roman
ein Gedicht
ein Theater-
stück
← liest ←
der Leser, die ~in

FILM

der Regisseur, die ~in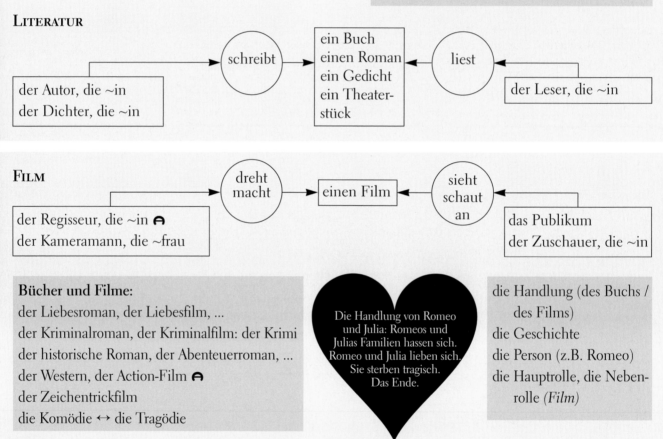
der Kameramann, die ~frau
→ dreht
macht →
einen Film
← sieht
schaut
an ←
das Publikum
der Zuschauer, die ~in

Bücher und Filme:
der Liebesroman, der Liebesfilm, ...
der Kriminalroman, der Kriminalfilm: der Krimi
der historische Roman, der Abenteuerroman, ...
der Western, der Action-Film
der Zeichentrickfilm
die Komödie ↔ die Tragödie

Die Handlung von Romeo und Julia: Romeos und Julias Familien hassen sich. Romeo und Julia lieben sich. Sie sterben tragisch. Das Ende.

die Handlung (des Buchs / des Films)
die Geschichte
die Person (z.B. Romeo)
die Hauptrolle, die Nebenrolle *(Film)*

KUNST

malen, der Maler, die ~in; der Künstler, die ~in
das Bild, die Skulptur

- „Also mir sagt das gar nichts!"
◇ „Aber diese Formen! Mir gefällt's!"

Freizeit und Unterhaltung ◄||| 19

Das sagt man oft:
Der Roman / Film handelt von (einer Frau, die ...). Das Thema des Buchs / Films ist (die Liebe ...).
Wir wünschen Ihnen gute Unterhaltung / viel Vergnügen! Das Bild sagt mir gar nichts. *(Ich finde es uninteressant.)*

1) Buchwerbung

Wie werben Sie für diese Bücher?

1. Dieser Liebesroman ist einfach _zauberhaft_ !!

2. Ein Krimi, wie man ihn sich wünscht: _____ und _____ geschrieben, aber nie _____.

3. Sie werden sich sehr amüsieren: Dieser Roman ist _____ und _____.

(Kreis rechts oben:)
brutal   lustig
spannend
unterhaltsam
~~zauberhaft~~ gut

2) Ergänzen Sie:

1. _____   *das Buch* _____   _____

2. _der Regisseur, die ~in_ _____   _____

3. _____   *das Bild* _____   *der Bildbetrachter, die ~in*

3) Was tun diese Leute?

Kombinieren Sie und ergänzen Sie die richtigen Verben:

1. Ein Regisseur   a. _____ einen Roman.

2. Das Publikum   b. _schreibt_ _____ ein Buch.

3. Der Künstler   c. _____ einen Film an.

4. Der Autor   d. _____ ein Bild.

5. Der Leser   e. _____ einen Film.

4) Wovon handelt dieser Film / dieses Buch?

Schreiben Sie auf, wovon diese Filme handeln. Benutzen Sie „handeln von" und „Das Thema ... ist"...

1. „Vom Winde verweht" (Film)   –   Thema: Amerikanischer Bürgerkrieg

Der Film „Vom Winde verweht" handelt vom Amerikanischen Bürgerkrieg. / Das Thema von „..." ist ...

2. „Die Blechtrommel" (Buch)   –   Thema: Ein kleiner Junge in Nazi-Deutschland.

_____

3. „Paris, Texas" (Film)   –   Thema: Eine unglückliche Liebesgeschichte in Texas, USA.

_____

5) Filmtitel

Welche Filmtitel passen in welche Kategorie? Einige Titel sind reine Fantasietitel ...

1. Liebesfilm: _Romeo und Julia_ _____ | Mord im Orient-Express
2. Western: _____ | Das Gold der Sierra Madre
3. Action-Film: _____ | Die Rache des Kung Fu
4. Kriminalfilm: _____ | Krieg der Sterne
5. Komödie: _____ | Drei Männer und ein Baby
6. Science-Fiction-Film: _____ | Neue Abenteuer von Mickey Maus
7. Zeichentrickfilm: _____ | Der Kommissar   ~~Romeo und Julia~~

6) Welchen Film haben Sie zuletzt gesehen und welches Buch zuletzt gelesen?

Was war das Thema? Wie fanden Sie das Buch / den Film? Sprechen Sie mit Ihrem Nachbarn / Ihrer Nachbarin oder schreiben Sie auf einen Zettel.

Ich habe zuletzt den Film „ ... " gesehen / das Buch „ ... " von ... gelesen. Das Thema des Films / Buches ist ... Der Film / Das Buch handelt von ... Ich fand das Buch / den Film ...

• *„Is echt 'ne prima Fete, ne?"*
◇ *„Findste? Ich find's hier total öde!"*

VERKÜRZTE FORMEN

'ne Fete, 'n Fest	= <u>eine</u> Fete, <u>ein</u> Fest	Findste?	= Find<u>est</u> <u>du</u>?
Hier is' es.	= Hier <u>ist es</u>.	Könn'wa mal anfangen?	= Könn<u>en</u> <u>wir</u> ...
Wie geht's?	= Wie geht <u>es dir</u>?	Was'n los?	= Was <u>ist</u> <u>denn</u> los?
Was machst'n morgen so?	= Was machst <u>du</u> <u>denn</u> morgen so?	aufm Tisch, inner Schule	= auf <u>dem</u> / in <u>der</u>

In der Umgangssprache gibt es viele verkürzte Formen. Besonders oft verkürzt werden: *es, ein, eine, ist, denn, du, wir*. Statt *ich mache, ich fahre* etc. sagt man meistens *ich mach', ich fahr'* etc.

BEWERTEN

Positive Bewertungen   **Negative Bewertungen**

Das find' ich	echt	gut / klasse / super!	Das find' ich	echt	blöd / doof / öde!
Das ist	richtig	spitze / toll / prima!	Das ist	richtig	uncool.
	total	cool / (mega)geil!		total	ätzend / saudoof.

> **HINWEIS**
> Einige der Ausdrücke kommen aus der Jugendsprache, wo besonders stark und emotional bewertet wird. Die Jugendsprache ändert sich ständig.

Das hört man oft:

Das macht mich echt an / gar nicht an! *(Das finde ich sehr gut / gar nicht gut.)*

Ich hab' großen Bock / keinen Bock, schwimmen zu gehen. *(große Lust / keine Lust haben)*

Das ödet mich dermaßen an! *(Das finde ich langweilig.)*
Der Typ / Die Frau ist echt süß! *(gefällt mir sehr)*
Der Typ ist echt gut drauf! *(ist guter Laune)*

• *„Bist du am Wochenende weggegangen?"*
◇ *„Ja, wir war'n im ‚El Pasa'. War echt nett!"*
• *„Da geh' ich nicht gern hin, da hängen so komische Leute ab."*

> **HINWEIS**
> In der Jugendsprache gibt es viele besondere Wörter, z.B.: *abhängen* für: *sich aufhalten, sein*.
> Umgangs- und Jugendsprache sind regional oft unterschiedlich.

FRAGEPARTIKEL

„Is echt 'ne prima Fete, **ne**?" „Klasse Stimmung hier, **nich**?"
„Du kommst auch mit, **oder**?"

} Der Sprecher erwartet eine (positive) Antwort.

1) Echt!

Unterstreichen Sie in diesen Sätzen alles, was die Aussage verstärkt.

1. Deine neue Frisur finde ich <u>echt</u> gut!
2. Heute bist du aber wirklich nicht gut drauf!
3. Die Hausaufgaben öden mich dermaßen an!
4. Diese Musik ist ja total uncool!
5. Die Stimmung gestern war supergut.
6. Arbeit finde ich richtig ätzend.

2) Was heißt das?

Sagen Sie das anders. Benutzen Sie dafür die passenden Ausdrücke unten.

1. Ich bin heute nicht gut drauf.   *Ich habe heute schlechte Laune.*
2. Das ödet mich echt an. _____
3. Das find' ich wirklich geil. _____
4. Ich hab' Bock auf Faulsein. _____
5. Das ist total ätzend. _____

~~gute / schlechte Laune haben~~   etwas langweilig finden   auf etwas Lust haben
etwas gefällt einem / gefällt einem nicht

3) Wie heißt die Standardform?

In diesem Dialog gibt es viele verkürzte Formen. Versuchen Sie, den Dialog in der Standardform (ohne Verkürzungen) neu zu schreiben.

1. • Hallo Heinz, wie geht's?
2. ◇ Prima, das is' 'n prima Café hier, was?
3. • Ja, echt gut. Du sag mal, was machst'n heut' Abend so?
4. ◇ Heut' Abend? Weiß nich', vielleicht geh' ich noch weg, warum?
5. • Inne Kneipe?
6. ◇ Nee, 's gibt 'ne Fete bei Klaus, da will ich mal vorbeischaun. Und du?
7. • Keine Ahnung. Hab' irgendwie nich so'n Bock auf Fete heute. Mal sehen.

1. Hallo Heinz, wie geht es dir? _____

4) Wie ist das in Ihrer Sprache?

Gibt es auch in Ihrer Sprache besondere umgangssprachliche oder jugendsprachliche Wörter oder Ausdrücke? Machen Sie eine Liste und vergleichen Sie mit Ihrem Nachbarn / Ihrer Nachbarin.

5) Projekt: Was heißt ...

Hier finden Sie ein Online-Wörterbuch zur deutschen Jugendsprache: http://www.pons.de
Gehen Sie auf diese Seite und klicken Sie auf „Wörterbuch der Jugendsprache". Finden Sie heraus, was die folgenden Wörter bedeuten und wie man sie verwendet.

1. abhotten _____
2. aufbrezeln _____
3. belasten _____
4. heftig _____
5. heizen _____
6. krass _____
7. peilen _____
8. simsen _____

Prost Neujahr!

Eine Weihnachtskarte

• „Prost Neujahr, Julia!" ◇ „Prost Neujahr, Ernst!"

GESETZLICHE FEIERTAGE

Staatliche Feiertage:
1. Januar: Neujahr
1. Mai: Tag der Arbeit
1. August: Schweizer Nationalfeiertag
3. Oktober: Tag der deutschen Einheit
26. Oktober: Österreichischer Nationalfeiertag

der Feiertag, das Fest
das Gesetz, gesetzlich
die Weihnachtsferien, die Osterferien

Die wichtigsten religiösen Feiertage:
Weihnachten (immer Plural: „Frohe Weihnachten!")
  Heilig Abend = 24. Dezember abends
  Erster Weihnachtsfeiertag = 25. Dezember
  Zweiter Weihnachtsfeiertag = 26. Dezember
Heilige Drei Könige (6. Januar)
Ostern (immer Plural: „Frohe Ostern!")
  Karfreitag, Ostersonntag, Ostermontag
  Ostern ist meist im März oder im April.

> **HINWEIS**
> An gesetzlichen (offiziellen) Feiertagen wird nicht gearbeitet, die Geschäfte sind geschlossen, viele Restaurants sind aber geöffnet.

Das sagt man oft:
Was macht ihr an Weihnachten? Gesegnete Weihnachten und ein schönes neues Jahr! Ein glückliches und erfolgreiches neues Jahr! Wie feiert man bei euch Weihnachten? Was schenkst du deiner Freundin / deinem Mann / ... zu Weihnachten? – Frohe Ostern!

PRIVATE FESTE UND FEIERN	CHRISTLICHE FEIERN	
der Geburtstag	die Taufe *(kurz nach der Geburt)*	
der Namenstag	die Firmung, die Kommunion *(katholische Kirche)*	} *Aufnahme in die*
die Hochzeit, der Hochzeitstag	die Konfirmation *(evangelische Kirche)*	} *Gemeinde*
die Beerdigung	nicht christlich: die Jugendweihe *(in Ostdeutschland üblich, zum Eintritt in die Welt der Erwachsenen)*	

Das sagt man oft:
Herzlichen Glückwunsch zum Geburtstag / zum Namenstag!
Wir gratulieren ganz herzlich zum Geburtstag / zur Hochzeit!
Prost! / Gesundheit! (CH) Ich wünsche Dir alles Gute zum Geburtstag!
Mein (herzliches) Beileid! *(bei einer Beerdigung)*

„Und jetzt stoßen wir auf das Geburtstagskind an! Prost!"

1) Offiziell und privat / persönlich

Welche Feste und Feiern sind in den deutschsprachigen Ländern offiziell, welche sind privat?

offiziell	privat / persönlich
Weihnachten,	

die Konfirmation   der 1. Mai   Ostern   der Hochzeitstag   Neujahr   die Taufe   ~~Weihnachten~~
Tag der deutschen Einheit   Heilige Drei Könige   der Namenstag   der Geburtstag

2) Besondere Tage

Sammeln Sie alle Wörter auf der linken Seite, die auf „-tag" enden.

der Hochzeitstag, _____

3) Wie sagt man?

Unterstreichen Sie das passende Verb.

1. Ich möchte dir ganz herzlich zum Geburtstag   wünschen – anstoßen – <u>gratulieren</u> – freuen.
2. Wir wollten euch zu Weihnachten alles Gute   wünschen – gratulieren – schicken – sagen.
3. Du hast heute Geburtstag? Da müssen wir auf dich   feiern – gratulieren – zustoßen – anstoßen.
4. Nächstes Jahr werden wir unseren 25. Hochzeitstag   machen – wünschen – gratulieren – feiern.

4) Ergänzen Sie:

1. Herzlichen *Glückwunsch* zum Geburtstag!   3. _____ Ostern!
2. Ein _____ und erfolgreiches neues Jahr!   4. _____ Neujahr!

5) Was wird gefeiert?

Ordnen Sie zu.

1. Am dritten Oktober   feiern die Christen die Geburt von Christus.
2. Am ersten Mai   feiert die Schweiz ihre Gründung im Jahr 1291.
3. Am ersten August   feiert Österreich seinen Staatsvertrag aus dem Jahr 1955[1].
4. An Weihnachten   demonstrieren viele Menschen für die Rechte der Arbeiter.
5. Am sechsundzwanzigsten Oktober   feiert Deutschland seine Vereinigung im Jahr 1990[2].

6) Geschenke und Gratulationen

Ergänzen Sie.

1. Was schenken wir ihr _zu_ Weihnachten?   3. Was hast du _____ Geburtstag bekommen?
2. Was schenken wir Ihnen _____ Hochzeit?   4. Ich wollte dir herzlich _____ Geburtstag gratulieren.

7) Was feiert man bei Ihnen?

Welche gesetzlichen und privaten Feiertage gibt es in Ihrem Land? An welchen Tagen wird nicht gearbeitet? Vergleichen Sie mit Ihrem Nachbarn / Ihrer Nachbarin. *Bei uns ... / Wir ...* _____

---

[1] An diesem Tag wurde Österreich wieder souverän. Vorher war es unter Verwaltung der Siegermächte des Zweiten Weltkriegs.
[2] 1989 fiel die Mauer zwischen DDR (Deutsche Demokratische Republik) und BRD (Bundesrepublik Deutschland). Am 3. Oktober 1990 trat die DDR der BRD bei. Aus zwei deutschen Staaten wurde einer.

Besuchen Sie eines der vielen Stadtteilfeste Frankfurts. Hier feiern Menschen vieler Kulturen harmonisch miteinander. Genießen Sie die internationale Küche: deutsche Bratwurst, türkischer Döner oder exotische thailändische Küche – Sie haben die Wahl.

Die Sprache der Musik ist international – in dieser Sprache können sich die verschiedensten Kulturen miteinander verständigen. Und wer sich beim Tanzen gut versteht, lebt auch toleranter miteinander.

Jeder amüsiert sich auf seine Art – ob Sie sich gerne küssen, gerne mit den Fingern essen oder einfach nur die Sonne genießen wollen. Stadtteilfeste finden im Frühjahr und Sommer in vielen Teilen Frankfurts statt – Sie werden nicht enttäuscht sein! Für jeden ist etwas dabei, und viele Feste gehen bis tief in die Nacht.

---

der Stadtteil, das Stadtteilfest; ein Fest findet statt (stattfinden); die Kultur, viele Kulturen
die internationale / die thailändische /... Küche; die Bratwurst, der Döner
sich miteinander verständigen, miteinander leben, sich gut / schlecht verstehen
eine Sache genießen, sich amüsieren, die Wahl haben; enttäuscht sein / jemanden enttäuschen
verschieden, die Verschiedenheit; tolerant, die Toleranz
harmonisch, die Harmonie; exotisch, die Exotik; sich küssen, der Kuss

---

Das sagt man oft:
Jeder amüsiert sich auf seine Art. Für jeden ist etwas dabei. (*Alle finden etwas Interessantes.*)
Das Fest / Die Veranstaltung geht bis tief in die Nacht. (*dauert bis spät in die Nacht*)

1) Ergänzen Sie:

1. har*mon* isch
2. exot____
3. der Sta____eil

4. etwas gen____en
5. sich am___sieren
6. sta___finden

7. verst____en
8. sich kü____en
9. sich verst____digen

2) Was passt?

1. sich in einer Sprache _ *verständigen* _
2. gutes Essen _____
3. sich auf einem Fest _____
4. ein Stadtteilfest _____
5. miteinander _____

genießen
besuchen
feiern
~~verständigen~~
amüsieren

3) Wie kann man noch sagen?

1. Man akzeptiert andere Menschen und Kulturen.
2. Man streitet nicht und versteht sich gut.
3. Etwas ist nicht so gut, wie man gedacht hatte.
4. Etwas kommt aus einem fernen Land.

a. Man ist enttäuscht.
b. Etwas wirkt exotisch.
c. Man ist tolerant.
d. Man lebt harmonisch miteinander.

4) Sagen Sie das anders:

1. Das Fest dauert bis spät in die Nacht. → Das Fest _ *geht bis spät in die Nacht.* _
2. Sie können auswählen. → Sie haben _____
3. Hier findet jeder etwas Interessantes. → Hier ist _____
4. Jeder amüsiert sich, wie es ihm / ihr passt. → Jeder amüsiert sich auf _____

5) Eine ideale Welt

Ergänzen Sie das Reflexivpronomen, wo es nötig ist.

1. In einer idealen Welt verstehen _ *sich* _ alle Menschen gut.
2. Man verständigt _____ auch ohne viel Worte.
3. Man feiert _____ harmonisch miteinander.
4. Jeder kann _____ auf seine Art amüsieren.
5. Man genießt _____ die Vielfalt der Kulturen.
6. Alt und Jung verstehen _____ gut.

6) Wie heißen die Substantive?

1. tolerant → _ *die Toleranz* _
2. harmonisch → _____
3. verschieden → _____

4. exotisch → _____
5. küssen → _____
6. enttäuscht → _____

Treiben Sie auch Sport?

- • „Können Sie denn mit dem Wagen joggen?"
- ◇ „Ja, das geht ganz prima. Und Sie? Treiben Sie auch Sport?"
- • „Nein, ich gehe lieber gemütlich spazieren. Das hält auch fit!"

SPORT TREIBEN

die Sportart	der Sportler, die ~in	das Sportgerät	der Ort
joggen ⌒	der Jogger, die ~in ⌒	die eigenen Beine	überall
schwimmen	der Schwimmer, die ~in	Arme, Beine, Wasser	das Schwimmbad
Fußball spielen	der Fußballspieler, die ~in	der Ball / der Fußball	der Fußballplatz
	die Fußballmannschaft		das Fußballstadion
Tennis spielen	der Tennisspieler, die ~in	der Tennisschläger	der Tennisplatz
		der Tennisball	
Schi fahren	der Schifahrer, die ~in	der Schi	die Berge

So kann man sich auch fit halten:

Aerobic ⌒ machen, ins Fitness-Studio gehen, wandern, Rad fahren, ...

Das sagt man oft:

Machst du gern Sport? Wie hältst du dich fit? Ist er / sie sportlich?

Treiben Sie Sport, das hält Sie gesund! Was ist dein / Ihr Lieblingssport?

Komm, wir gehen schwimmen / Fußball spielen / Tennis spielen / ...

Sport ist Mord! (*Beim Sport verletzt man sich leicht.*)

Er / Sie hat eine sportliche Figur. Sie ist eine gute Schwimmerin.

Er nimmt Sport sehr ernst: Er trainiert dreimal die Woche!

- • Guckst du gerne Sport im Fernsehen? ◇ Nur die Olympischen Spiele!

„Ich? Sport treiben? Wirklich nicht! Sport ist Mord. Lieber lese ich gemütlich ein Buch."

---

der Sport, sportlich, die Sporthalle; der Mord (*jemand wird getötet*), die Figur, trainieren ⌒, das Training ⌒
eine Sache ernst nehmen; sich fit / gesund halten, die Fitness, die Gesundheit; sich verletzen

1) Ergänzen Sie:

1. • _Treiben_ Sie gerne Sport? ◇ Ja, klar, ich will ja _____ bleiben.
2. Ich _____ selbst nicht Fußball, aber ich _____ gern Fußballspiele im Fernsehen an.
3. Morgens vor dem Frühstück geht der Minister immer im Wald _____ .
4. Wenn richtig viel Schnee liegt, macht es Spaß, Schi zu _____.
5. • Und wie _____ du dich gesund? ◇ Ich _____ lieber meinen Geist als meinen Körper!

> gucken   trainieren   ~~treiben~~   halten   fahren   joggen   fit   spielen

2) Wie sagt man dazu?

Finden Sie die Substantive mit dem richtigen Artikel.

1. Mann, der joggt: _____
2. Frau, die schwimmt: _____
3. geht lange durch die Natur: _____
4. Hier spielt man Tennis: _____
5. Mann, der Fußball spielt: _____
6. Damit spielt man Tennis: _____

3) Rund um den Sport

Hier sind zwölf Wörter versteckt. Schreiben Sie sie in die Liste. Schreiben Sie die Substantive mit Artikel.

```
T  E  N  N  I  S  P  L  A  T  Z  Y  D  W  Z  U  I  O  D
D  S  C  E  S  C  H  I  F  A  H  R  E  N  E  R  S  C  V
W  Q  V  D  Ü  H  N  Z  T  R  E  D  S  M  I  O  P  P  E
E  R  K  O  P (W  A  N  D  E  R  N) W  E  F  F  F  D  X
A  S  T  R  A  I  N  I  N  G  X  V  B  B  I  X  S  M  K
Q  S  R  Z  O  M  A  N  N  S  C  H  A  F  T  S  D  E  B
M  E  Q  Y  C  M  B  U  J  K  L  Ö  L  E  N  W  P  M  C
W  M  C  K  A  E  R  O  B  I  C  E  L  W  E  Y  Q  O  Ä
J  O  G  G  E  N  R  K  L  M  F  D  W  E  S  P  O  R  T
Y  Ü  B  R  T  Z  J  K  D  E  A  O  B  D  S  W  S  D  X
A  D  F  J  X  L  R  M  Y  Z  B  C  N  O  T  H  Q  R  S
```

wandern
_____
_____
_____
_____
_____
_____
_____
_____

4) Sport ist Mord!

In diesem Text kommen einige Verben vor, die nicht passen. Notieren Sie die Verben unten.
Lesen Sie den Text mit den richtigen Verben laut.

1. Ich und Sport? Du lieber Himmel. Schrecklich! 2. In der Mittagshitze Tennis spucken? 3. Bei minus 20 Grad auf Schiern den Berg hinunter fallen? 4. Mit 100 anderen Leuten im lauwarmen Wasser schützen? 5. Mit knallrotem Gesicht durch den Park wobben? 6. Und das soll mich gesund heben? 7. Diese Leute verlieren sich doch alle irgendwann oder sie bekommen einen Herzinfarkt. 8. Ich sitze lieber im Café und sage den anderen zu. Sport ist Mord!

2. statt _spucken_ : _spielen_   5. statt _____ : _____   7. statt _____ : _____
3. statt _____ : _____   6. statt _____ : _____   8. statt _____ : _____
4. statt _____ : _____

Spielen wir Schule?

die Karte / die Spielkarte, Karten spielen

die Puppe, Puppen spielen

das Spielzeug

- „Spielen wir jetzt Schule?"
- ✧ „Au ja, ich bin die Lehrerin."

SPIELE FÜR KINDER

das Spielzeug / { die Puppe, die Puppenkleider, der Puppenwagen
die Spielsachen { das Spielzeugauto, die Spielzeugeisenbahn, ...
Versteck spielen, das Versteck, sich verstecken

Das sagen Kinder oft:
Spielen wir Schule?
Spielen wir Versteck?
Spielen wir was anderes?
Spielen wir im Garten?

ANDERE SPIELE

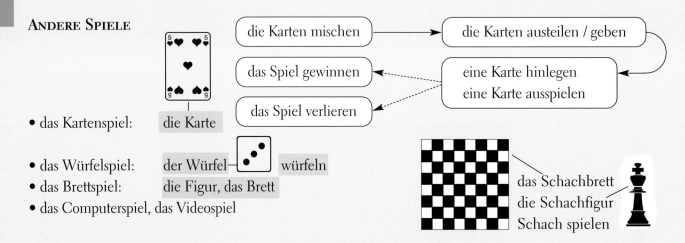

die Karten mischen → die Karten austeilen / geben

das Spiel gewinnen

eine Karte hinlegen
eine Karte ausspielen

das Spiel verlieren

- das Kartenspiel: die Karte

- das Würfelspiel: der Würfel würfeln
- das Brettspiel: die Figur, das Brett
- das Computerspiel, das Videospiel

das Schachbrett
die Schachfigur
Schach spielen

Das sagt man oft:
Wer fängt an? Wer ist dran? Wer teilt aus? / Wer gibt? (Kartenspiel) Ich habe gewonnen! Ich habe schon wieder verloren! Sie hat schon wieder eine Sechs gewürfelt. Schach macht mir keinen Spaß, das dauert immer so lange. Ich habe immer Glück / Pech! Kennst du die Spielregeln?

das Spiel, der Spieler, die ~in; die Spielregel, die Spielanleitung (*erklärt die Spielregeln*); gewinnen, der Gewinner, die ~in; verlieren, der Verlierer, die ~in; Spaß machen, der Spaß, das Glück, das Pech

1) Wie heißt das?

Schreiben Sie auch den Artikel auf.

1. Alles, womit Kinder spielen: _das Spielzeug_   4. Nicht nur Mädchen spielen gerne damit:

2. Damit würfelt man: _____   _____

3. Die mischt man, bevor man anfängt: _____   5. Hier werden die Regeln erklärt: _____

2) Kombinationen

Manchmal gibt es mehrere Möglichkeiten. Achten Sie auf den Artikel!

1. Spielzeug-	4. Spiel-	a. Spiel	d. Wagen
2. Puppe(n)-	5. Schach-	b. Auto	e. Eisenbahn
3. Würfel-	6. Video-	c. Regel	f. Brett

das Spielzeugauto, _____

3) Wie sagt man das?

1. Oh, prima, ich habe _eine Sechs gewürfelt._   (Sechs, würfeln)

2. So, jetzt _____   (du, dran sein)

3. So, ein neues Spiel. _____?   (wer, geben)

4. Jetzt _____   (du, mal anfangen, dürfen)

4) Was passt nicht?

Streichen Sie die Wörter durch, die nicht passen. Vorsicht, manchmal passt mehr als ein Wort.

1. Bevor man mit dem Spiel anfängt, muss man erst einmal die Karten   ~~wischen~~ – mischen – ~~tischen~~.

2. Ich habe aber schlechte Karten – wer hat denn da   angegeben – ausgegeben – vergeben – ausgeteilt?

3. Pech gehabt! Jetzt musst du wieder von vorn   anmachen – gehen – anfangen – spielen!

4. Du hast aber Glück! Jetzt hast du schon wieder   gewinnt – gewannt – gewinnen – gewonnen.

5) Sprichwörter

a. Die folgenden Sprichwörter gibt es im Deutschen. Was bedeuten sie? Ordnen Sie zu.

Sprichwörter	Bedeutung
1. Glück im Spiel – Pech in der Liebe!	a. Man verliert oft genau so schnell, wie man etwas gewinnt.
2. Wer wagt, gewinnt.	b. Wer im Spiel / im Beruf viel Erfolg hat, hat nicht immer Erfolg im Privatleben.
3. Wie gewonnen, so zerronnen.	c. Mut wird belohnt.

b. Gibt es bei Ihnen ähnliche Sprichwörter? Erklären Sie sie Ihrem Nachbarn / Ihrer Nachbarin.

6) Andere Kulturen, andere Spiele

In verschiedenen Ländern spielt man verschiedene Spiele. Beschreiben Sie Ihrem Nachbarn / Ihrer Nachbarin ein relativ einfaches Spiel, das man bei Ihnen spielt. Vergessen Sie nicht, die folgenden Dinge zu sagen/ zu fragen:

Spiel für Kinder oder Erwachsene? – Würfelspiel? Kartenspiel? – Wie viele Leute? – Braucht man vor allem Glück oder ist es ein „intelligentes" Spiel?

71 *Unsere Abteilung*

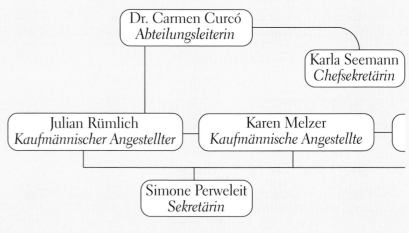

Abteilung 5/ II: Import – Export

- Dr. Carmen Curcó — *Abteilungsleiterin*
- Karla Seemann — *Chefsekretärin*
- Julian Rümlich — *Kaufmännischer Angestellter*
- Karen Melzer — *Kaufmännische Angestellte*
- Simone Perweleit — *Sekretärin*

„Das ist unsere Abteilung: Frau Curcó ist meine Chefin. Ihre Sekretärin heißt Karla Seemann. Mit meiner Kollegin Karen Melzer verstehe ich mich sehr gut. Leider will sie bald die Stelle wechseln! Sie hat letzte Woche gekündigt.“

---

die Abteilung, der Abteilungsleiter, die ~in
der Chef, die ~in; der Sekretär, die ~in *(Meistens sind es Frauen.)*
der Kollege, die Kollegin; die Stelle *(Arbeit bei einer Firma, Institution)*
die Stelle wechseln *(eine neue Stelle suchen / haben)*, kündigen *(sagen, dass man die Stelle wechselt)*

MAN ARBEITET ALS …

- Angestellter / Angestellte
  (z.B. in einer Firma, in einem Büro, in einem Geschäft)
- Beamter / Beamtin (z.B. bei der Stadt, bei der Regierung, in der Schule)
- Arbeiter , ~in (z.B. in einer Fabrik, in einem Werk)

der Arbeitnehmer, die ~in
↔
der Arbeitgeber, die ~in

- Selbstständiger / Selbstständige *(Man ist selbstständig –
  z.B. als Rechtsanwalt / Rechtsanwältin, als Arzt / Ärztin, …)*
- Unternehmer / Unternehmerin *(Man hat eine eigene Firma.)*

der Unternehmer, die ~in

Wenn man 65 Jahre alt ist, geht man in den Ruhestand / in Pension / in Rente. } der Rentner, die ~in

---

der Arbeiter, die ~in; der / die Angestellte, ein Angestellter, eine ~e
der / die Selbstständige, ein Selbstständiger, eine ~e; der Beamte / die Beamtin, ein Beamter, eine ~in
die Rente / die Pension / der Ruhestand; in Rente / Pension / den Ruhestand gehen (= sich pensionieren lassen)
die Firma (z.B. Siemens), die Fabrik, das Werk *(hier wird produziert)*, das Büro; die Regierung

---

 HINWEIS

D: der Rentner, die ~in; der Pensionär, die ~in (Beamte); A: der Pensionist, die ~in; CH: der / die Pensionierte
In Deutschland bekommen Arbeiter und Angestellte „eine Rente", Beamte bekommen „eine Pension".

GEHALT UND STEUERN

- das Monatsgehalt *(feste Geldsumme, die man im Monat verdient)*, das Einkommen *(alles, was man verdient)*
- der Stundenlohn *(Man wird pro Stunde bezahlt.)*
- das Nettogehalt = Bruttogehalt minus Steuern und Abgaben
- die Rente / die Pension *(Geld, das die Rentner / die Beamten einmal pro Monat bekommen.)*

Arbeit und Gesellschaft ▐▐▐➤ 72

---

das Gehalt (Angestellte), der Lohn (Arbeiter), das Einkommen, das Geld, die Steuer, die Abgabe

1) Wer arbeitet wo?

1. Theodor Siebert, Metallarbeiter   a. Touristik-Unternehmen
2. Karla Bohl, Beamtin   b. Rechtsanwaltspraxis Berlin Mitte
3. Dr. Eva Klingenstein, selbstständig   c. Stadt Bonn
4. Ören Öczalam, Abteilungsleiter   d. Stahlwerk Krupp

2) Ergänzen Sie:

1. der _Angestellte_   die _____   die _____   die _Angestellten_
2. der _____   die _Beamtin_   die _____   die _____
3. der _Rechtsanwalt_   die _____   die _____   die _____
4. der _____   die _____   die _Selbstständigen_   die _____
5. der _Rentner_   die _____   die _____   die _____

3) Silbensalat

a. Bei diesen Wörtern sind die Silben vertauscht. Schreiben Sie die Wörter richtig auf.

1. Abteilleiterungs → _der Abteilungsleiter_   4. Gerinbebeitar → die _____
2. Mogenatshalt → das _____   5. Denlohnstun → der _____
3. Herustand → der _____   6. Kreserintä → die _____

b. Suchen Sie selbst einige Wörter und schreiben Sie sie mit vertauschten Silben auf. Dann lassen Sie ihren Nachbarn / ihre Nachbarin den Silbensalat ordnen.

4) Wie heißt das noch?

1. Jemand, der im Ruhestand ist: ein _Rentner_ / eine _____ / _ein Pensionist_ / eine _____
2. Jemand, der eine Abteilung leitet: ein _____ / eine _____
3. Jemand, der eine eigene Firma hat: ein _____ / eine _____
4. Jemand, mit dem man in der gleichen Abteilung zusammen arbeitet: ein _____ / eine _____
5. Jemand, der in der Fabrik körperlich arbeitet: ein _____ / eine _____

5) Was passt?

1. Mit 65 müssen die meisten Leute in den Ruhestand   <u>gehen</u> – laufen – eingehen – haben.
2. Vom Bruttogehalt muss man noch Steuern und Abgaben   geben – nehmen – haben – zahlen.
3. Wenn man seine Firma verlassen will, muss man vorher   sagen – Notiz geben – kündigen – mitteilen.
4. Mir reicht es jetzt – ich will weg! Ich werde jetzt die Stelle   ändern – verwandeln – tauschen – wechseln.

6) Was gehört zusammen?

1. Hier werden Maschinen produziert   a. das Büro
2. Teil einer Institution / Firma   b. die Firma
3. Menschen sitzen am Schreibtisch   c. die Fabrik
4. Ein ganzes Unternehmen, vom Chef bis zum Arbeiter   d. die Abteilung

DIE INTERESSEN DER ARBEITER UND ANGESTELLTEN:
- gutes Gehalt
- sichere Arbeitsplätze
- kürzere Arbeitszeiten
- gute soziale Leistungen
- gute Arbeitsbedingungen
  (z.B. gesundes Arbeiten, Pausen, Abwechslung)

DIE INTERESSEN DER UNTERNEHMER / ARBEITGEBER:
- geringe Kosten
- große Flexibilität
- wenig Pflichten
- hoher Profit
- interessante Produkte

Die Gewerkschaften vertreten die Interessen der Arbeiter und Angestellten.

Die Organisationen der Arbeitgeber vertreten die Interessen der Unternehmer.

„Tarifverhandlungen"
Man verhandelt über die Arbeitsbedingungen,
die Löhne und Gehälter.

Man einigt sich nicht: **Streik**
(Die Arbeiter und Angestellten arbeiten nicht, sie streiken.)

der **Tarifabschluss** *(Man einigt sich.)*

---

die Gewerkschaft, der Streik, der Lohn (Arbeiter), das Gehalt (Angestellte), die Kosten (Plural), das Interesse
die sozialen Leistungen (Plural): z.B. das Weihnachtsgeld, der Betriebskindergarten, …
der Betrieb, der Betriebsrat *(Vertretung der Arbeitnehmer in einem Betrieb)*
die Flexibilität, die Pflicht, der Profit , das Produkt
eine Sache fordern, die Forderung; die Dienstleistung (der Service), die Organisation, eine Sache organisieren

---

ARBEIT UND ARBEITSLOSIGKEIT

Man wird entlassen: *(hat keine Arbeit mehr)* → Man meldet sich arbeitslos. (beim Arbeitsamt) → Man bekommt Arbeitslosengeld.

Man findet eine neue Arbeit. ← Man bewirbt sich bei einer Firma. ←

sich bewerben, die Bewerbung

Wortfamilie **Arbeit:** der **Arbeit**splatz, die **Arbeit**szeit, die **Arbeit**sbedingungen; **arbeit**slos, die **Arbeit**slosigkeit; das **Arbeit**samt; der **Arbeit**nehmer, die ~in; der **Arbeit**er, die ~in; der **Arbeit**geber, die ~in

Wortfamilie Arbeit ◀||||| 3; Jobsuche, Bewerbung, Vorstellung ◀||||| 59; Arbeit und Einkommen ◀||||| 71

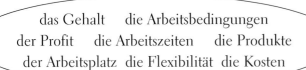

1) Gutes Gehalt

Welche Adjektive passen zu welchen Substantiven? Es gibt oft mehr als eine Möglichkeit.
Achten Sie auf die Endungen!

> das Gehalt   die Arbeitsbedingungen
> der Profit   die Arbeitszeiten   die Produkte
> der Arbeitsplatz die Flexibilität die Kosten

> gering   groß   hoch   gut
> kurz   sicher   lang

gutes Gehalt, _____

2) Wie heißt das Substantiv?

1. (über etwas) verhandeln → *die Verhandlung*   4. streiken → _____
2. (eine Sache) fordern → _____   5. (sich für etwas) interessieren → _____
3. (etwas) organisieren → _____   6. (sich um etwas) bewerben → _____

3) Welches Wort mit „Arbeit" passt?

Schreiben Sie die Wörter mit ihrem Artikel.
1. Hier geht man hin, wenn man arbeitslos ist: *das Arbeitsamt* _____
2. Substantiv zu „arbeitslos": _____
3. Gegenteil von „Arbeitnehmer": _____
4. Das bekommen Arbeitslose: _____
5. Zeit, in der man arbeitet: _____

4) Ergänzen Sie:

1. In der Wirtschaftskrise *entlassen* die Betriebe oft viele Arbeitnehmer.
2. Jeden Tag _____ sich viele Menschen arbeitslos.
3. Gewerkschaften und Arbeitgeber _____ über die Sicherheit der Arbeitsplätze und die Löhne.
4. Wenn sie sich nicht einigen, werden die Arbeiter _____.

5) Die Gewerkschaften fordern …

Schreiben Sie die Forderungen der Gewerkschaften auf.
1. Auch Arbeiter wollen Wohlstand! Wir fordern *höhere Löhne und Gehälter!* _____
2. Abends müssen die Eltern Zeit für Ihre Kinder haben! Wir fordern _____
3. Keine Entlassungen! Wir fordern _____
4. Arbeit darf nicht krank machen! Wir fordern _____

> bessere Arbeitsbedingungen   ~~höhere Löhne und Gehälter~~   sichere Arbeitsplätze   kürzere Arbeitszeiten

6) Glück im Unglück

Frau Geldert hatte Glück im Unglück: Ihre Firma war in der Krise. Frau Geldert wurde *entlassen*. Sie
meldete _____ _____1 und _____ _____2 bei vielen anderen Firmen. Sie
_____3 schnell eine _____ _____4 – und ihre neue Stelle war besser als die alte!

73   # *Kein gutes Jahr für die Autoindustrie!*

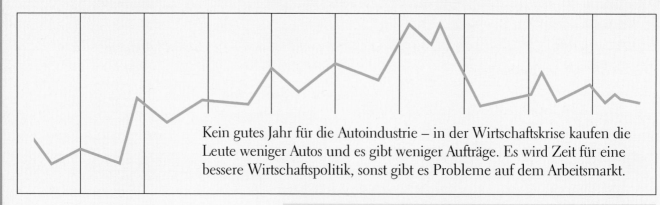

Kein gutes Jahr für die Autoindustrie – in der Wirtschaftskrise kaufen die Leute weniger Autos und es gibt weniger Aufträge. Es wird Zeit für eine bessere Wirtschaftspolitik, sonst gibt es Probleme auf dem Arbeitsmarkt.

> die Wirtschaft, die Wirtschaftskrise ↔ der Boom ⊖
> der Arbeitsmarkt; der Auftrag *(Jemand bestellt ein Produkt.)*

PRODUKTION UND VERKAUF

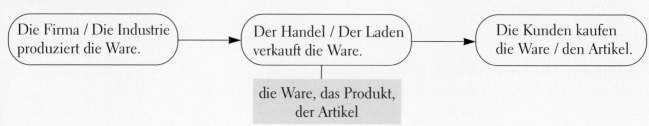

Die Firma / Die Industrie produziert die Ware. → Der Handel / Der Laden verkauft die Ware. → Die Kunden kaufen die Ware / den Artikel.

> die Ware, das Produkt, der Artikel

SO FUNKTIONIERT DER MARKT

hohe Produktion
→ großes Angebot
  (von Waren)

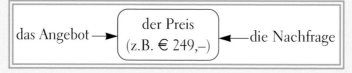

das Angebot → der Preis (z.B. € 249,–) ← die Nachfrage

viele potentielle Kunden
→ große Nachfrage
  (nach Waren)

Angebot und Nachfrage bestimmen den Preis.

Große Produzenten:
die Autoindustrie (produziert Autos)
die Pharmaindustrie (produziert Medikamente)
die High-Tech-Industrie ⊖ (produziert z.B. Computer, Software, ...)
die Landwirtschaft (produziert Obst, Gemüse, Getreide, Fleisch, Milch)

> das Produkt, produzieren
> der Verkauf, verkaufen
> der Handel, mit einer Sache handeln
> der Kunde, die Kundin
> der Kauf, kaufen
> das Auto, das Medikament
> der Computer ⊖, die Software ⊖
> das Obst, das Gemüse, das Getreide

Das liest man oft:
Autos werden in großen Mengen produziert.
Die Nachfrage nach Handys ist in den letzten Jahren stark gestiegen.
Bei einem Boom machen viele Firmen gute Geschäfte.
Die Firma macht Verluste. ↔ Die Firma macht Gewinne.
Die Firma hat viele Schulden.
Das Unternehmen ist pleite. *(Das Unternehmen hat kein Geld mehr.)*

> der Euro (€), der Euro-Raum
> **der Import:** Waren aus dem Ausland kommen ins Inland.
> **der Export:** Waren aus dem Inland werden im Ausland verkauft.
> importieren, exportieren
> die Schulden (Plural)
> der Gewinn ↔ der Verlust
> Die Nachfrage steigt. (↔ sinkt)

1) Wer macht was?

1. Die Kunden *kaufen* Produkte.
2. Die Industrie _____ Produkte.
3. Die Läden _____ Produkte.

2.) Ergänzen Sie:

1. das Produkt — *produzieren*
2. _____ importieren
3. _____ kaufen
4. der Handel — _____
5. _____ verkaufen
6. _____ exportieren

3) Gute Zeiten und schlechte Zeiten

Was passiert in einer Krise, was passiert bei einem Boom?

a. Die Wirtschaft ist in der Krise:

Die Menschen (Produkt, kaufen) → Die Menschen kaufen weniger Produkte,

es gibt (Aufträge) → es gibt _____,

die Industrie (Waren, produzieren) → die Industrie _____.

b. Die Wirtschaft boomt:

Die Menschen _____, es gibt _____ und

die Industrie _____.

4) Wie sagt man?

1. Es gibt sehr viele potentielle Kunden. → *Die Nachfrage* ist groß.
2. Man verkauft Waren aus dem Inland im Ausland. → Man _____ Waren.
3. Eine Firma gibt mehr Geld aus als sie verdient. → Eine Firma macht _____.
4. Die Produktion ist hoch. → Es gibt ein _____.
5. Eine Firma verdient viel mehr Geld als sie ausgibt. → Eine Firma _____.
6. Waren aus einem anderen Land werden im Inland verkauft. → Waren werden _____.
7. Ein Unternehmen hat kein Geld mehr. → _____.

5) Wer produziert das?

1. Obst, Gemüse, Milchprodukte, Fleisch → *die Landwirtschaft*
2. Elektronische Geräte → _____
3. Medikamente → _____
4. Autos → _____

6) Wie heißt das Gegenteil?

1. der Boom ↔ *die Wirtschaftskrise*
2. der Verlust ↔ _____
3. Die Nachfrage sinkt. ↔ _____
4. kaufen ↔ _____

das Plakat

das Schaufenster

ETWAS VERKAUFEN

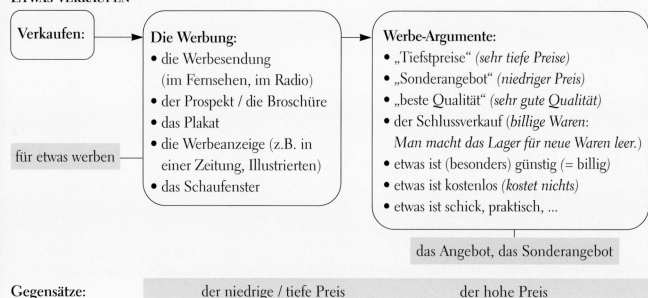

Verkaufen: → **Die Werbung:**
- die Werbesendung
  (im Fernsehen, im Radio)
- der Prospekt / die Broschüre
- das Plakat
- die Werbeanzeige (z.B. in
  einer Zeitung, Illustrierten)
- das Schaufenster

für etwas werben

→ **Werbe-Argumente:**
- „Tiefstpreise" (*sehr tiefe Preise*)
- „Sonderangebot" (*niedriger Preis*)
- „beste Qualität" (*sehr gute Qualität*)
- der Schlussverkauf (*billige Waren:
  Man macht das Lager für neue Waren leer.*)
- etwas ist (besonders) günstig (= billig)
- etwas ist kostenlos (*kostet nichts*)
- etwas ist schick, praktisch, ...

das Angebot, das Sonderangebot

Gegensätze:

der niedrige / tiefe Preis billig, günstig gute Qualität	←→	der hohe Preis teuer schlechte Qualität

ETWAS KAUFEN UND BEZAHLEN

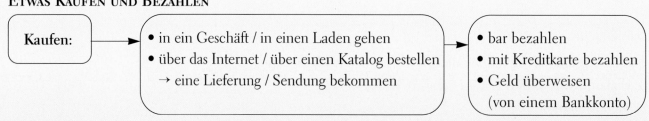

Kaufen: →
- in ein Geschäft / in einen Laden gehen
- über das Internet / über einen Katalog bestellen
  → eine Lieferung / Sendung bekommen

→
- bar bezahlen
- mit Kreditkarte bezahlen
- Geld überweisen
  (von einem Bankkonto)

eine Sache bestellen, die Bestellung; eine Sache liefern / senden / schicken, die Lieferung, die Sendung

UMTAUSCHEN

Die Ware ist beschädigt: „Kann man sie umtauschen?" – „Gibt es eine Garantie?" – „Wie lange gilt die Garantie?" – „Wird die Ware repariert?" – „Hier habe ich die Quittung." – „Bekomme ich das Geld zurück?"

umtauschen, der Umtausch; reparieren, die Reparatur; die Quittung (= die Rechnung)

1) Was passt nicht in die Reihe?

Streichen Sie durch, was nicht passt.

1. das Plakat – die Werbesendung – das Sonderangebot – der Prospekt
2. der Laden – die Kreditkarte – das Internet – der Katalog
3. schick – günstig – kostenlos – teuer

2) Schlechter Service

Ergänzen Sie.

1. • Kann ich das telefonisch bestellen? ✧ Tut mir Leid, wir akzeptieren nur *Bestellungen* über das Internet.
2. • Kann ich das Geld überweisen? ✧ Nein, leider nicht, wir akzeptieren keine _____,
   Sie müssen bar bezahlen.
3. • Kann ich diese Uhr bitte umtauschen – sie ist kaputt? ✧ Tut mir Leid, die Ware ist leider vom
   _____ ausgeschlossen!
4. • Können Sie die Uhr wenigstens reparieren? ✧ Nein, tut mir Leid, wir machen keine _____.
5. Das ist ja ein schlechter *Service* ! Haben Sie schon mal davon gehört, dass der Kunde König ist?

3) Werbung oder keine Werbung?

Sortieren Sie: Womit könnte man Werbung machen, womit nicht?

Werbung	keine Werbung
lange Garantie,	

langsamer Service   ~~lange Garantie~~   kostenlose Reparatur   kein Umtausch möglich
hohe Preise   prima Qualität   schnelle Lieferung   Verkauf nur bei Barzahlung   gute Beratung

4) Werben und Verkaufen

Kombinieren Sie die Wörter und ergänzen Sie die Artikel der Substantive. Manchmal gibt es mehr als eine Möglichkeit.

Sonder-　Kredit-
Werbe-　Schau-　Schluss-

Fenster　Angebot　Anzeige
Verkauf　Karte　Sendung　Prospekt

das Sonderangebot, _____

5) Wie wirbt man ?

1. Im Fernsehen → *die Werbesendung* _____
2. In der Zeitung → _____

3. Auf der Straße → _____
4. Im Briefkasten → _____

6) Typisch deutsch?

Für welche Produkte aus Deutschland, Österreich oder der Schweiz gibt es in Ihrem Land Werbung?
Machen Sie eine Liste und vergleichen Sie mit Ihrem Nachbarn / Ihrer Nachbarin.

Ich würde gern nächstes Jahr mal nach Asien fahren.

- „Herrlich die Ferien! Ganz weg vom Alltag! Sag mal, wollen wir nächstes Jahr wieder hierher kommen?"

⬦ „Ich würde gern nächstes Jahr mal nach Asien fahren."

WÜNSCHE UND HOFFNUNGEN

Ich würde gern nächstes Jahr nach Asien fahren. / Wie gern würde ich nächstes Jahr nach Asien fahren!
Ich wäre gern etwas mutiger.
Hätte ich doch nur etwas mehr Zeit! *(Ich wünsche mir mehr Zeit, aber ich habe keine.)*
Hätte ich das nur nicht zu ihr gesagt! *(aber ich habe es leider gesagt)*

Was wünschst du dir für nächstes Jahr?	sich etwas wünschen
Ich wünsche mir Gesundheit. / Ich wünsche Ihnen alles Gute!	jemandem etwas wünschen
Ich hoffe, dass ich gesund bleibe. / Hoffentlich bleibe ich gesund.	hoffen, hoffentlich

ETWAS MÖGEN

• Magst du Mangos? ⬦ Ja, sehr gern. / Nein, überhaupt nicht.	etwas (gern) mögen *(generell)*
• Welches Obst magst du? ⬦ Aprikosen mag ich besonders gern.	etwas besonders mögen

ETWAS HABEN WOLLEN

Mutti, ich will ein Eis!	etwas wollen *(in diesem Moment)*
Mutti, ich möchte (bitte) ein Eis!	ich möchte *(höflicher)*

ETWAS BESTELLEN / KAUFEN

Ich möchte bitte etwas bestellen! / Bringen Sie mir bitte einen Tee!
Ich möchte gern ein Zimmer reservieren.
Können Sie mir bitte einen Platz im Zug nach Leipzig reservieren?
Guten Tag, ich hätte gern ein Kilo Äpfel.

HINWEIS
möchte ist eine alte Konjunktivform von *mögen*; *möchte* hat keinen Infinitiv.

Einladung ◀|||| 9; Im Supermarkt ◀|||| 13; In der Bäckerei / Auf dem Markt ◀|||| 14; Im Restaurant ◀|||| 18; Höflich sein ◀|||| 45

1) „würde" oder „hätte"?

1. • Hallo Helga, kommst du heute mit ins Schwimmbad?
2. ◇ Heute habe ich keine Zeit, aber ich ___würde___ gern morgen mitkommen.
3. • Alles klar. _____ du lieber zu Fuß gehen oder mit dem Auto fahren?
4. ◇ Lieber zu Fuß. Mit dem Auto fahre ich nicht so gern. Ich _____ gern ein Fahrrad, dann könnte ich immer mit dem Fahrrad ins Schwimmbad fahren.
5. • Ja, das wäre praktisch. Aber ich _____ am liebsten ein Moped. Das fährt etwas schneller als ein Fahrrad.

2) „möchte" oder „mag (mögen)"?

1. Verkäufer: Guten Tag, was _möchten_ Sie bitte?
2. Kundin: Geben Sie mir bitte zwei Croissants, aber die einfachen bitte. Schoko-Croissants _____ mein Mann nicht.
3. Verkäufer: _____ Sie sonst noch etwas?
4. Kundin: Ja, ich hätte gern noch ein Sonnenblumenbrot.
5. Verkäufer: _____ Sie ein ganzes oder ein halbes?
6. Kundin: Das ganze bitte. Wir _____ diese Körnerbrote so gern, das geht bei uns schnell weg.

3) Was wünschen Sie sich?

Ich wünsche mir ...
Ich hätte gern ...
Ich wäre gern ...
Ich würde gern ...

> 2 Pfd. Emmentaler Käse   das rote Abendkleid für 300 Euro
> 10 gelbe Rosen   besser Schi fahren   Russisch lernen   ein berühmter Erfinder
> das neueste Computer-Modell   ein bisschen mutiger   einmal nach Afrika reisen
> ein neues Auto   weniger schüchtern   einen verständnisvollen Partner

Ich wünsche mir einen verständnisvollen Partner, ... _____

4) Wie sagt man das normalerweise – oder wie sollte man das sagen?

1. Mama, ich will eine Limo!   → *Mama, ich möchte gern eine Limo.*
2. Ich will im nächsten Jahr Gesundheit.   → _____
3. Ich will was bestellen.   → _____
4. Reservieren Sie mir ein Zimmer für den 1. Juli.   → _____

5) Was sagen Sie in dieser Situation?

1. Sie möchten im Restaurant einen Tisch am Fenster. → *Ich hätte gern einen Tisch am Fenster.*
2. Sie haben etwas Falsches gesagt und bereuen es.   → _____
3. Sie wünschen, sie wären charmanter.   → _____
4. Sie hätten gern Traubensaft, (aber es gibt keinen). → _____
5. Sie wünschen sich mehr Geld, haben es aber nicht. → _____

Ihr könnt jetzt schon sehr gut lesen.

„Ihr könnt jetzt schon sehr gut lesen.
Da können wir heute mal in die
Schulbibliothek gehen und Bücher ausleihen.“

---

können — FÄHIGKEIT	nicht können
Lisa **kann** schon gut lesen.	Helga **kann nicht** Fahrrad fahren.
Olga **kann** sehr gut Französisch.	Karls Vater will, dass er das Geschäft übernimmt.
Renate **ist fähig**, die schwere Aufgabe zu lösen. (*formell*)	Leider **ist** Karl dazu **nicht in der Lage**.

fähig sein, in der Lage sein   nicht fähig sein, nicht in der Lage sein

---

können — MÖGLICHKEIT	nicht können
Kannst / Könntest du morgen mitkommen?	◇ Tut mir Leid, morgen **kann** ich **nicht**.
Wir **können** dich im Auto mitnehmen.	◇ Es **geht** wirklich **nicht**, ich habe keine Zeit.
Es **kann sein**, dass Lothar auch mitkommt.	◇ Das glaube ich nicht, das **kann nicht sein**.
Vielleicht komme ich morgen mit. (*Es ist möglich.*)	
• **Lässt sich** das machen? ◇ Ja, das wäre schon **möglich**.	◇ Das ist leider **unmöglich**.

etwas lässt sich machen = es ist möglich; Das Problem lässt sich lösen. = Das Problem kann gelöst werden.

---

sollen, müssen — NOTWENDIGKEIT	nicht sollen, nicht müssen, nicht brauchen zu
Der Arzt sagt, ich **soll** mehr Sport treiben. (*eine Empfehlung*)	Und ich **soll nicht** so viel Butter essen.
• **Sollen** wir auf dich warten? ◇ Ja, bitte wartet.	◇ Nein, das **braucht** ihr **nicht**, ich nehme ein Taxi.
Die Kinder **müssen** heute früh ins Bett. (*Es ist notwendig.*)	Morgen **müssen** sie **nicht** so früh ins Bett.
	Sie **brauchen** heute **nicht** aufzuräumen.
Das ist leider **notwendig / nötig**. (*Man muss es tun.*)	Das ist nicht **notwendig / nicht nötig**.

Das sagt man oft:
Herbert ist zu allem fähig. Möglich ist alles! Das hättest du nicht sagen sollen.

1) Was bedeutet dasselbe?

1. Peter kann nicht zwei Stunden auf das Baby aufpassen.   a. Das ist unmöglich.
2. Hans ist fähig, die Prüfung zu schaffen.   b. Das ist unbedingt notwendig.
3. Es könnte morgen regnen.   c. Das kann man machen.
4. Das geht auf keinen Fall.   d. Er kann das.
5. Das lässt sich machen.   e. Er ist dazu nicht in der Lage
6. Jürgen muss den Rasen noch mähen.   f. Das wäre möglich.

2) Positiv und negativ

Antworten Sie möglichst ausführlich und mit Alternativen.

1. Frau Köhler, können Sie morgen etwas früher kommen? → *Ja, das kann ich gern tun. / Das ist möglich.*
   ↘ *Nein, das geht morgen leider nicht. / Das ist*
      morgen leider nicht möglich.

2. Können Sie eine Datenbank einrichten? → Ja, _____
   ↘ Nein, leider _____

3. Soll ich die Briefe an Firma Hoch heute noch schreiben? → Ja, bitte _____
   ↘ Nein, _____
      _____

5. Muss der Elektriker wirklich heute noch kommen? → Ja, _____
   ↘ Nein, _____
      _____

3) Muss man, soll man, kann man oder lässt sich das machen?

1. Wenn man jemanden einen Brief schickt, ___muss___ man Porto bezahlen.
2. Wenn ein grüner Pfeil aufleuchtet, _____ man bei Rot nach rechts abbiegen.
3. Die Ärzte sagen uns immer wieder, dass wir viel frisches Obst essen _____ .
4. Im Herbst _____ es in Mitteleuropa jederzeit regnen, deshalb _____ man immer einen Schirm dabeihaben.
5. Viele Probleme _____ sich lösen, wenn man sich nur richtig bemüht.
6. Diabetiker _____ immer darauf achten, nicht zu viel Zucker zu essen.
7. Dieses Buch ist so spannend, dass ich es gar nicht aus der Hand legen _____ .
8. Mariana hat gesagt, wir _____ schon mal losgehen.
9. • Wie lange wird die Fahrt zur Nordsee dauern? ✧ Das _____ sich schwer schätzen bei dem Verkehr.
10. _____ wir Klaus nicht doch lieber vom Bahnhof abholen? Es regnet in Strömen.

Nächstes Jahr fahren wir wieder in die Alpen.

„Aber nächstes Jahr fahren wir wieder in die Alpen!"

ABSICHTEN UND PLÄNE

- Was **machst** du **morgen**?
- **Hast** du heute Abend schon **etwas vor**?
- Wohin **wollt** ihr in Urlaub **fahren**?
- Was **hast** du **vor**? / Was sind deine **Pläne**?

- **Willst** du wirklich **heiraten**?
- **Beabsichtigen** Sie wirklich zu **kündigen**?

◇ Für morgen **habe** ich noch keine konkreten **Pläne**.
◇ Da besuche ich meine Freundin Ute.
◇ Nächstes Jahr fahren wir nach Griechenland.
◇ Nach dem Abitur **möchte** ich **studieren**.
◇ **Am liebsten** würde ich Zahnmedizin **studieren**.
◇ Ich **habe** es fest **vor**.
◇ Ja, ich **habe es mir** fest **vorgenommen**. *(formell)*

etwas vorhaben, sich etwas vornehmen, etwas planen, der Plan; etwas beabsichtigen, die Absicht

GEWISSHEIT UND VERMUTUNG

Weißt du das mit Sicherheit? – Ja, er kommt **bestimmt** (nicht). / Aber ja doch!		*sicher*
Stimmt das?	Hundertprozentig. / Ich **zweifle nicht** daran.	
Bist du **sicher**?	Ich **weiß ganz genau, dass ...**	
	Ich **vermute** / **nehme an** / **kann mir gut vorstellen, dass ...**	
	Wahrscheinlich hat sie's vergessen.	
	Ich **weiß nicht genau, ob ...**	
	Vielleicht / **Möglicherweise** kommt er bald.	
	Das **könnte/dürfte wohl/müsste** eigentlich geklappt haben.	*nicht sicher*

wissen, sicher sein, genau wissen ↔ vermuten, annehmen, sich vorstellen, zweifeln an (+ Dativ)

ANDERE ETWAS MACHEN LASSEN

Gestern **habe** ich mein Auto endlich **reparieren lassen** – das war sehr teuer.

Mein Bruder **lässt sich** immer mit dem Taxi **abholen**.

etwas machen lassen = *Man macht es nicht selbst.*

Heute lasse ich den Rasen mähen – ich selbst habe keine Zeit dafür.

1) Was passt?

1. einen Plan _machen_ _____

2. am Abend noch etwas _____

3. den Urlaub ganz genau _____

4. den Anzug reinigen _____

5. etwas nicht wissen, sondern nur _____

6. sich etwas für den Abend _____

vorhaben   vornehmen   planen   lassen   vermuten   ~~machen~~

2) Was gehört zusammen?

1. Habt ihr für morgen schon was vor?

2. Wohin wollt ihr heute Abend gehen?

3. Seid ihr sicher, dass das Schwimmbad auf hat?

4. Was macht ihr morgen?

5. Wollt ihr wirklich Snowboard fahren?

a. Wir vermuten es.

b. Wir haben es fest vor.

c. Nein, wir haben noch keine Pläne.

d. Am liebsten in die Disko.

e. Wir gehen schwimmen.

3) Was antworten Sie?

1. Was machst du am Wochenende?

→ _Ich habe noch nichts vor._ _____

2. Willst du wirklich morgen mit der Diät anfangen?

→ _____

3. Was sind Ihre beruflichen Pläne für das nächste Jahr?

→ _____

4. Wo wäschst du eigentlich deinen Wagen?

→ _____

5. Seid ihr auch wirklich um zehn Uhr zurück?

→ _____

keine festen Pläne haben
~~noch nichts vorhaben~~
etwas machen lassen
etwas fest vorhaben
nicht genau wissen, ...

4) Was wissen Sie genau?

Schreiben Sie Sätze und diskutieren Sie mit Ihrem Nachbarn.

1. Ich weiß genau, ...

2. Ich weiß nicht genau, ...

3. Ich nehme an, ...

4. Ich kann mir gut vorstellen, ...

5. Wahrscheinlich ...

6. Vielleicht ...

7. Möglicherweise ...

mein Sohn wird ein guter Tierarzt – Toronto ist die Hauptstadt von Kanada
– der Computer denkt mit – am Freitag gibt es wieder Fisch –
das Wetter wird morgen wieder gut – in der Türkei gibt es Sommerzeit –
die Erde ist rund – Mexiko-Stadt ist die größte Stadt der Welt –
meine Freundin hat unseren Termin vergessen – die Erde ist ein Planet –
in der Schweiz wird mit Euro bezahlt – ein Glas Rotwein am Tag ist gesund
– ~~mein Freund ist kleiner als ich~~ – alle Geschäfte schließen um 19 Uhr –

1.   _Ich weiß genau, dass mein Freund kleiner ist als ich._ _____

• *„Du kennst doch dieses Restaurant.*
  Was würdest du mir empfehlen?"
◇ *„Nimm doch den Fisch! Der ist hier sehr gut."*

RAT UND EMPFEHLUNG

┌─────────────────────────┐   ┌──────────────────────────────────┐
│ jemanden um Rat fragen │───────▶│ jemandem etwas raten, empfehlen │
└─────────────────────────┘   └──────────────────────────────────┘

• Was würdest du mir   ◇ Ich würde das so machen.
  raten?   ◇ Mach das doch folgendermaßen: ...
• Würdest du das auch
  machen?   ┌──┐
• Ich würde gern deine   │ jemandem von etwas abraten / vor etwas warnen   │   (von / vor + Dativ)
  Meinung dazu hören.   └──┘

                              ◇ Ich rate dir, das nicht zu machen. Das solltest du nicht machen!
                              ◇ Da kann ich dir nur davon abraten. Da kann ich dich nur davor warnen.
                              ◇ Mach das lieber nicht! – Vorsicht! Achtung! Halt!

raten, der Rat; empfehlen, die Empfehlung; warnen, die Warnung

ERLAUBNIS

┌──────────────────────────────┐   ┌──────────────────────────────┐
│ jemanden um Erlaubnis bitten │───────▶│ jemandem etwas erlauben   │
└──────────────────────────────┘   └──────────────────────────────┘

• Darf ich hier parken?   ◇ Ja, hier dürfen Sie das / ist das erlaubt.
• Gestatten Sie, ist der   ◇ Bitte sehr!
  Platz noch frei?
                              ┌──────────────────────────────┐
                              │ jemandem etwas verbieten   │
                              └──────────────────────────────┘

┌───────────────────────────────┐
│ **Das sagt man oft:**   │
│ Die Karten dürfen nur   │
│ 10 Euro kosten,   │
│ mehr habe ich nicht.   │
│ Das darf nicht wieder   │
│ vorkommen.   │
└───────────────────────────────┘

                              ◇ Nein, hier ist Parken verboten. / Fahren Sie bitte weiter.
• Dürfte ich wohl noch hinein? ◇ Das geht leider nicht mehr, wir haben schon geschlossen.

erlauben, die Erlaubnis; verbieten, das Verbot; dürfen, gestatten (*alte Form von erlauben: formell*)

VERSPRECHEN

┌──────────────────────┐   ┌──────────────────────────────────┐
│ etwas versprechen   │───────▶│ auf ein Versprechen reagieren   │
└──────────────────────┘   └──────────────────────────────────┘

• Morgen bekommst du das Geld.   ◇ Hoffentlich!
• Das verspreche ich dir!   ◇ Wirklich? Versprochen?
• Darauf kannst du dich verlassen!

versprechen, das Versprechen; sich auf etwas / auf jemanden verlassen

1) Welche Antwort passt?

1. Was würdest du mir raten?	a. Ja, natürlich!
2. Darf ich mal kurz telefonieren?	b. Ja, ich würde das auf jeden Fall tun.
3. Gestatten Sie, darf ich mal durch?	c. Hoffentlich!
4. Würdest du ihm das sagen?	d. Bitte sehr.
5. Morgen stehe ich ganz früh auf.	e. Das solltest du auf keinen Fall machen.

2) Kannst du mir einen Rat geben?

1. Ich habe Kopfschmerzen. Was soll ich machen?   _Nimm doch eine Tablette!_

2. Ich habe mein Portemonnaie verloren.   _____

3. Der Drucker geht nicht.   _____

4. Ich habe Rotwein verschüttet.   _____

5. Die Suppe ist versalzen.   _____

> nachgießen   ~~nehmen~~   ausschalten / einschalten   gehen und nachfragen   drauf schütten
>
> das Salz   das Fundbüro   der Computer   die Sahne   ~~die Tablette~~

3) Hannes Eltern sind schlecht gelaunt

Überlegen Sie sich so viele alternative Formen für die Antworten wie möglich.

1. Vati, darf ich heute Abend auf die Party?
   → _Nein, heute darfst du nicht mehr ausgehen. / Nein, heute nicht, das verbiete ich dir._

2. Mutti, meinst du, ich kann heute das Sommerkleid anziehen?
   → _____

3. Vati, dürfte ich wohl deinen Wagen mal leihen?
   → _____

4) Welches Verb passt? (nicht alle Verben passen)

> mögen   können   lassen   sollen   müssen   vorhaben   ~~wissen~~   dürfen   empfehlen   versprechen

- _Wissen_ Sie schon, was Sie hier in München machen wollen?
- ⬦ Nein, können Sie uns was _____ 1?
- Sie _____ 2 auf jeden Fall den Englischen Garten besuchen. _____ 3 ich Ihnen beschreiben, wie man hinkommt?
- ⬦ Oh ja, bitte. _____ 4 man da auch Fahrräder ausleihen?
- Ja, ich glaube schon. Interessieren Sie sich für Kunst?
- ⬦ Mein Mann _____ 5 gern moderne Malerei.
- Dann gehen Sie doch ins Haus der Kunst! Die Ausstellung wird Sie begeistern, das _____ 6 ich Ihnen.

Füllen Sie bitte das Formular hier aus!

das Formular,
ein Formular
ausfüllen

die Nummer,
eine Nummer ziehen

- *„Guten Morgen, ich bin
  umgezogen und möchte
  mich polizeilich anmelden.
  Bin ich hier richtig?"*
- ◇ *„Ja, hier sind Sie richtig. Füllen
  Sie bitte dieses Formular hier aus."*

AUF DEM (EINWOHNER-)MELDEAMT

der Umzug: [Man meldet sich bei der alten Adresse ab.] → [Man meldet sich bei der neuen Adresse an.]

das (Einwohner-)Meldeamt / das Ordnungsamt / die Einwohnerkontrolle (CH)

sich abmelden + sich anmelden = sich ummelden; statt „das Amt" sagt man auch manchmal: „die Behörde".

VOM DORF ZUR STADT ZUM LAND / KANTON:

das Dorf / die Gemeinde	die Gemeindeverwaltung	der Bürgermeister, die ~in der Ammann (CH)
die Stadt	das Rathaus (Verwaltung der Stadt)	der Bürgermeister, die ~in der Stadtpräsident, die ~in (CH)
der Landkreis / der Kreis	das Landratsamt (Verwaltung des Landkreises)	der Landrat, die Landrätin
D: das Bundesland / das Land A: das Bundesland / das Land CH: der Kanton	der Landtag / die Landesregierung das Landesparlament / die Landesregierung der Kantonsrat	der Ministerpräsident, die ~in der Landeshauptmann, die ~frau der Kantonsratspräsident, die ~in

Welches Amt wofür?

→ das Meldeamt: sich polizeilich anmelden / abmelden / ummelden

→ das Standesamt: heiraten, eine Geburtsurkunde beantragen

→ die Kfz-Zulassungsstelle: ein Auto anmelden (das Kfz = das Kraftfahrzeug)

→ das Finanzamt: die Steuern bezahlen

! HINWEIS
Die Institutionen und ihre Namen sind in Deutschland, Österreich und der Schweiz oft verschieden.
Hier finden Sie nur einige der wichtigsten. Manche Begriffe sind auch innerhalb eines Landes verschieden.

Das sagt man oft:
Dieses Dorf hat nur 60 Einwohner.
Hannover ist die Hauptstadt des Landes Niedersachsen.
Ich gehe nachher auf's Meldeamt. Haben Sie schon das Formular ausgefüllt?
Haben Sie schon einen Antrag auf Verlängerung des Visums gestellt?

der Einwohner, die ~in
die Hauptstadt
der Antrag, die Urkunde

(Fremd in Deutschland ◀▐▐▐ 5)

1) Was gehört wohin?

Sortieren Sie. Manche Ausdrücke passen mehr als einmal.

das Dorf	die Stadt	der Landkreis	das Bundesland
	das Rathaus,		

der Landtag ~~das Rathaus~~ die Gemeindeverwaltung der Ministerpräsident das Landratsamt
der Ammann die Landrätin die Bürgermeisterin

2) Wohin müssen Sie?

Sie haben ...

1. ... ein Auto gekauft und wollen es anmelden. Sie müssen zur ___Kfz-Zulassungsstelle___ gehen.

2. ... ein Kind bekommen und brauchen eine Geburtsurkunde. Sie müssen auf das _____ gehen.

3. Sie wollen wegziehen und wollen sich abmelden. Sie müssen auf das _____ gehen.

4. Und jetzt wollen Sie auch noch heiraten! Dazu müssen Sie auf das _____ gehen.
   Herzlichen Glückwunsch!

3) Bürokraten!

Wie sagen die Bürokraten korrekt?

1. Sie wollen sich polizeilich anmelden:
   • Dann müssen Sie erst mal dieses Formular hier   füllen – einfüllen – abfüllen – ausfüllen.

2. Sie wollen einen neuen Pass: • Da müssen Sie erst einen Antrag   machen – geben – stellen – schreiben.

3. Sie haben ein neues Auto gekauft: • Das müssen Sie sofort   melden – anmelden — vormelden.

4) Was passt nicht?

1. das Meldeamt – das Standesamt – das Bundesland – die Kfz-Zulassungsstelle

2. der Landrat – der Einwohner – der Ministerpräsident – der Bürgermeister

3. das Rathaus – der Landkreis – das Landratsamt – die Gemeindeverwaltung

5) Erteilen Sie Ratschläge:

Spielen Sie diesen Dialog mit Ihrem Nachbarn / Ihrer Nachbarin oder schreiben Sie ihn auf.
Antworten Sie und sagen Sie, was man tun muss und wo man das tun kann.

1. • Ich habe ein Auto gekauft. Was muss ich tun? ⬦ *Sie müssen* _____

2. • Ich ziehe hier weg. Was muss ich tun? ⬦ _____

3. • Wir haben ein Kind bekommen. Muss ich außer Windeln wechseln noch was tun?
   ⬦_____

6) In Deutschland gibt es keine ...

... Landeshauptleute, sondern _Ministerpräsidenten_, keine Kantone, sondern _____ [1],
keine Ammänner, sondern _____ [2].

Gruppenbild mit Bundeskanzler

Gruppenbild mit Bundeskanzler:
Nach der Wahl stellte der Bundeskanzler
seine neue Regierung vor.
Vorne von links: Außenminister Müller,
Innenministerin Kühn, Bundeskanzler
Schmieder, Wirtschaftsminister Schiller, …

> der Bundeskanzler / der Kanzler, die ~in
> der Bundestag; der Minister, die ~in
> der Bundespräsident, ~in
> die Regierung, regieren

DAS POLITISCHE SYSTEM DER BUNDESREPUBLIK DEUTSCHLAND

Das Volk wählt … (Die Bürger wählen) → den Bundestag. (= das nationale Parlament) → Der Bundestag wählt … (Die Abgeordneten wählen) → den Bundeskanzler / die Bundeskanzlerin.

das Volk, der Bürger, die ~in

jemanden wählen, die Wahl

Der Bundespräsident ernennt die Regierung. ← Der Kanzler wählt die Minister aus.

jemanden ernennen (= jemandem ein Amt geben)

> **! HINWEIS**
> In Österreich und der Schweiz heißt das Parlament „Nationalrat"; in Österreich heißt der Regierungschef auch Bundeskanzler. In der Schweiz gibt es keinen Bundeskanzler, der „Präsident" bildet die Regierung. Es gibt viele Unterschiede in den politischen Systemen in Deutschland, Österreich und der Schweiz.

EIN GESETZ WIRD BESCHLOSSEN

Die Regierung schlägt ein Gesetz vor. → Das Parlament berät das Gesetz.

(Bei vielen Gesetzen muss auch der Bundesrat zustimmen.)

Ja: Die Mehrheit im Parlament stimmt dem Gesetz zu. ← die Abstimmung ← Die Opposition kritisiert das Gesetz ←

die Entscheidung

Nein: Die Mehrheit im Parlament lehnt das Gesetz ab.

der Staat, das demokratische System, die Demokratie; der Bundestag (*die Vertretung des Volkes*), der / die Abgeordnete, der Bundesrat (*die Vertretung der Länder*), die Politik, die Wirtschaftspolitik, die Außenpolitik ein Gesetz beraten, einem Gesetz zustimmen / ein Gesetz beschließen ↔ ein Gesetz ablehnen

> **! HINWEIS**
> Die Monarchie: Hier ist der König / die Königin an der Spitze des Staates, z.B. in Großbritannien.

Parteien und politisches Leben ⫸ 81

1) Wie heißen die Minister?

1. Dieser Minister verhandelt mit anderen Staaten. → _der Außenminister_

2. Diese Ministerin kümmert sich um die Industrie, den Handel usw. → _____

3. Dieser Minister ist für die Polizei und die Ordnung im Land verantwortlich → _____

2) Welche Funktionen haben diese Personen / Institutionen?

Manche Institutionen / Personen haben mehr als eine Funktion.

1. Der Bundespräsident   _ernennt die Regierung._
2. Der Bundeskanzler   _____
3. Der Bundestag   _____
4. Die Bürger   _____
5. Die Opposition   _____
6. Die Regierung   _____

> wählt den Bundeskanzler
> kritisiert die Gesetze
> ~~ernennt die Regierung~~
> beschließt die Gesetze
> schlägt die Gesetze vor
> kontrolliert die Regierung
> wählen den Bundestag
> berät die Gesetze
> wählt die Minister aus

3) Kombinieren Sie:

ernennen, _____
_____

> er- vor-
> be- ab-
> zu-

> -stimmen
> -nennen -lehnen
> -schlagen -raten

4) Was passt wohin?

In welche Sätze passen die Verben aus Übung 3? Achten Sie auf die richtige Form!

1. Die Mehrheit im Parlament hat dem neuen Gesetz _zugestimmt_ .

2. „Seien Sie doch mal etwas positiver und _____ Sie nicht immer alle Gesetzesvorschläge ____ !"

3. Die Regierung hat dem Bundestag ein neues Gesetz _____ .

4. Nach der Wahl hat der Bundespräsident den neuen Bundeskanzler _____ .

5. Das Parlament hatte das Gesetz den ganzen Tag _____, aber es gab kein Ergebnis.

5) Ergänzen Sie:

1. die Wahl   → _wählen_
2. die Regierung   → _____

3. die Kritik   → _____
4. die Entscheidung   → _____

6) Wie sagt man das?

1. die meisten Leute → _die Mehrheit_
2. kritisiert die Regierung → _____
3. etwas nicht gut (genug) finden → _____

4. „Nein" zu etwas sagen → _____
5. jemandem ein Amt geben → _____

7) Bundes ...

„Bundes-" bedeutet: Das gehört zum Gesamtstaat „Bundesrepublik Deutschland". Sammeln Sie alle Wörter, die mit „Bundes-" anfangen. Suchen Sie auch in Kapitel 79.

Bundes- _____

Wählen Sie ...

Arbeit, Gerechtigkeit und Sicherheit!

Wählen Sie darum
am 5. Oktober

Die Sozialdemokraten

Für Umwelt und Frieden.

Es ist höchste Zeit.

Wählen Sie die
UMWELT-PARTEI

Leistung und Verantwortung.

Darum:

Konservative wählen!

---

wählen, die Wahl, das Wahlplakat, die Bundestagswahl (D), die Nationalratswahl (A, CH)

DIE WICHTIGSTEN PARTEIEN

- die Sozialdemokraten, die Sozialisten, die sozialdemokratische / sozialistische Partei
  der Sozialdemokrat, die ~in; der Sozialist, die ~in; der Sozialismus
- die Konservativen, die konservative Partei; die Christdemokraten, die christlich-demokratische Partei
  der / die Konservative, der Christdemokrat, die ~in
- die Grünen, die Umweltpartei, die ökologische Partei, die grüne Partei, der / die Grüne, ein Grüner, eine -e
- die Liberalen, die liberale Partei, der / die Liberale, ein Liberaler, eine -e, der Liberalismus
- die Kommunisten, die kommunistische Partei, der Kommunist, die ~in; der Kommunismus

Parteien im Parlament:

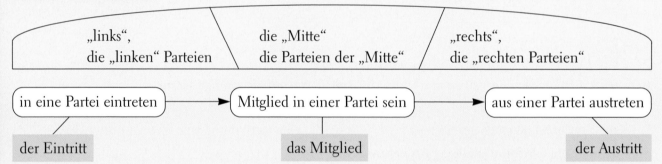

„links",
die „linken" Parteien

die „Mitte"
die Parteien der „Mitte"

„rechts",
die „rechten Parteien"

in eine Partei eintreten ➔ Mitglied in einer Partei sein ➔ aus einer Partei austreten

der Eintritt   das Mitglied   der Austritt

Das liest man oft:

Auf dem Parteitag wählten die Delegierten Anke Zasche zur neuen Parteivorsitzenden. Der Gegenkandidat, Horst Ahrendt, gratulierte ihr zur Wahl. Die Delegierten stimmten auch über das neue Parteiprogramm ab. Dann hielt der Kanzler eine Rede.

der Parteitag (*Treffen der Delegierten*)
der / die Parteivorsitzende (ein ~r, eine ~e)
der (Gegen-)Kandidat, die ~in
der / die Delegierte (ein ~r, eine -e)
das Parteiprogramm, eine Rede halten
über eine Sache abstimmen
der Einfluss, Einfluss auf jdn. nehmen
der Politiker, die ~in; politisch, die Politik
die Demonstration,
demonstrieren (für / gegen eine Sache)
sich bei jdm. über eine Sache beschweren
die Unterschrift, sammeln

PROTEST UND BÜRGERINITIATIVEN

Auch außerhalb der Parteien kann man Einfluss nehmen:
z.B. in einer Bürgerinitiative oder auf Demonstrationen.
Man kann sich auch direkt bei den Politikern über etwas
beschweren oder Unterschriften gegen etwas sammeln.

---

die Bürgerinitiative: *Gruppe von Menschen, die zusammen ihre Interessen vertreten (z.B. für Umweltschutz)*

Staat und politische Institutionen ◀▮▮▮ 80

1) Die Liberalen sind dagegen

Formulieren Sie die Sätze um.

1. Die liberale Partei ist gegen höhere Steuern. → _Die Liberalen sind dagegen._
2. Die sozialdemokratische Partei ist für soziale Gerechtigkeit. → _____ _sind dafür_.
3. Die konservative Partei ist gegen soziale Experimente. → _____ _sind_ _____.
4. Die grüne Partei ist für mehr Umweltschutz. → _____.
5. Die sozialistische Partei ist für höhere Steuern. → _____.

2) Ein Interview

Ergänzen Sie die Präposition mit dem richtigen Kasus.

1. • Frau Ohlers, warum sind Sie _aus_ _____ Partei ausgetreten?
2. ✧ Ich war mit der Politik nicht mehr einverstanden.
3. • Sie sind vor 10 Jahren ____ ____ Partei eingetreten – was hat sich denn seitdem geändert?
4. ✧ Sehr vieles. Mein Prinzip ist: Wenn ich Mitglied _____ _____ Partei bin, muss ich 80 % der Politik gut finden. Das ist heute nicht mehr so.

3) Wie sagt man dazu?

1. Sie ist die „Chefin" der Partei. → Sie ist die _Parteivorsitzende_ _____.
2. Er kandidiert gegen Frau Zasche. → Er ist der _____.
3. Ihr Beruf ist die Politik. → Sie ist _____.
4. Treten Sie ein – werden Sie _____ bei den Sozialdemokraten!

4) Werden Sie politisch aktiv!

Ergänzen Sie passende Präpositionen und achten Sie auf die Endungen.

1. (gehen: eine Demonstration, die Arbeitslosigkeit) → _Gehen Sie auf eine Demonstration gegen die Arbeitslosigkeit!_
2. (sammeln: Unterschriften; der Bau der Autobahn) → _____!
3. (sich beschweren: die Politiker, der schlimme Verkehr) → _____!
4. (demonstrieren: bessere öffentliche Verkehrsmittel) → _____!

5) Ein Parteitag

Hier sehen Sie die Notizen eines Journalisten. Abends schreibt er einen kurzen Bericht für seine Zeitung. Formulieren Sie diesen Text. Tipp: Verwenden Sie das Präteritum.

Um 9 Uhr _hielt_ _____.	9.00: Rede des alten Parteivorsitzenden
Danach _____die Delegierten _____.	10.00: Abstimmung über neues Parteiprogramm
Um 11 Uhr _____die Delegierten _____	11.00: Wahl der neuen Parteivorsitzen-
_____. Gleich nach der Wahl	den, Rita Koch
_____.	12.00: Gegenkandidat Martin Wendlinger gratuliert ihr.
Dann _____.	13.00: Rede von Frau Zasche

Am 18. Mai überfiel Karl Krause eine Bank in der Innenstadt. Die Polizei hat ihn sofort verhaftet.

KRIMINALITÄT, POLIZEI, GERICHT

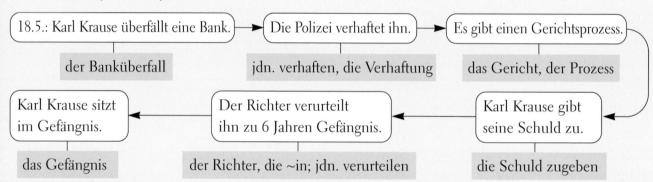

18.5.: Karl Krause überfällt eine Bank.	→	Die Polizei verhaftet ihn.	→	Es gibt einen Gerichtsprozess.
der Banküberfall		jdn. verhaften, die Verhaftung		das Gericht, der Prozess

Karl Krause sitzt im Gefängnis.	←	Der Richter verurteilt ihn zu 6 Jahren Gefängnis.	←	Karl Krause gibt seine Schuld zu.
das Gefängnis		der Richter, die ~in; jdn. verurteilen		die Schuld zugeben

Die Kriminalität:

z.B. die Drogenkriminalität der Banküberfall, das Verbrechen der Mord (*jemand tötet jemanden*) jemanden ermorden / töten	der Täter, die ~in ↔ das Opfer der Verbrecher, die ~in der Mörder, die ~in	die Polizei, die Kriminalpolizei der Polizist, die ~in

DER PROZESS

Der Anwalt verteidigt den Angeklagten.	Der Richter spricht das Urteil: Er verurteilt den Angeklagten oder spricht ihn frei.	Der Kläger klagt gegen den Angeklagten.
der / die Angeklagte ein Angeklagter, eine Angeklagte		der Kläger, die ~in

Das Gesetz / Das Recht ist die Basis für die Entscheidung des Richters.

die Schuld ↔ die Unschuld, schuldig ↔ unschuldig, die Schuld / Unschuld beweisen, etwas beweisen
eine Sache entscheiden, die Entscheidung; das Urteil, das Urteil sprechen, die Strafe
jemanden freisprechen ↔ jemanden schuldig sprechen, jemanden (zu einer Strafe von ...) verurteilen
der Anwalt, die Anwältin; jemanden verteidigen, die Verteidigung; gegen jemanden klagen

1) Trennbar oder nicht trennbar?

Welche dieser Verben sind trennbar (z.B. abholen: ich hole jemanden ab), welche sind nicht trennbar? Schreiben Sie die Verben in der dritten Person: er ...

trennbar	nicht trennbar
er gibt etwas zu,	

(etwas) zugeben   (jemanden) verhaften   (eine Bank) überfallen   (jemanden) verurteilen
(jemanden) freisprechen   (etwas) entscheiden   (jemanden) verteidigen
(jemanden) ermorden   (etwas) beweisen

2) Gegensätze

1. schuldig   ↔ *unschuldig*
2. der Täter ↔ _____

3. jemanden freisprechen ↔ _____
4. der Anwalt   ↔ _____

3) Wie sagt man das?

1. Die Polizei kam zu spät, sie konnte die Täterin nicht   verlassen – verführen – verlieren – verhaften.
2. „Ja, ja", sagte Karl Krause, „ich habe ja schon alles   zugelassen – zugegeben – zugeteilt – zugenommen".
3. „Machen Sie sich keine Sorgen", sagte die Anwältin,
   „wir werden Ihre Unschuld   beweisen – beschließen – besuchen – besitzen."

4) Ein Zeitungsbericht

Setzen Sie die Substantive in den Text ein, die zu den unterstrichenen Verben passen.
Gestern um 15.30 h <u>überfiel</u> ein jüngerer Mann die Bank in der Amalienstraße. Es ist schon der dritte
<u>Überfall</u> in diesem Jahr in München. Der Täter konnte aber sofort von der Polizei <u>verhaftet</u> werden. Ohne
die Hilfe einer Bankangestellten wäre die _____ ₁ nicht möglich gewesen. Beim letzten Mal wurde
ein Kunde <u>ermordet</u>. Diesmal konnte die Polizei einen _____ ₂ zum Glück verhindern.

5) Rund um Recht und Gesetz

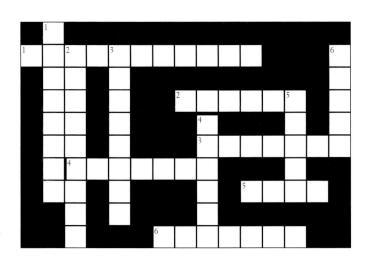

Waagrecht: 1. Ein ... wird von einem Anwalt verteidigt. 2. Der ... verteidigt den Angeklagten. 3. Er spricht das Urteil: 4. Der Angeklagte steht vor .... 5. Sehr schweres Verbrechen: 6. Die ... sucht die Verbrecher.

Senkrecht: 1. Das will der Anwalt beweisen: 2. Hier sitzen die Verbrecher, wenn der Richter sie verurteilt hat: 3. Sie hält den Angeklagten für schuldig: 4. Das spricht der Richter am Ende des Prozesses: 5. Hat etwas (Kriminelles) getan: 6. Sie ist ... eines Verbrechens geworden.

In Brüssel trafen sich die EU-Außenminister.

In Brüssel trafen sich heute die EU-Außen-minister. Sie verhandelten über gemeinsame Positionen in der Außenpolitik.

> die EU (die Europäische Union)
> die EU-Außenminister (= Außenminister der EU-Länder)
> über etwas verhandeln, die Verhandlung

DIE EUROPÄISCHE UNION (EU)

* **Funktion der EU:** Die EU ist eine politische und wirtschaftliche Union. Der „Rat der Europäischen Union" beschließt Gesetze und Verträge für alle EU-Mitgliedsländer. Alle Bürger der EU können in jedem EU-Land wohnen und arbeiten.
* **Die EU-Mitgliedsländer 2002:** Belgien, Dänemark, Finnland, Frankreich, Deutschland, Griechenland, Großbritannien, Italien, Irland, Luxemburg, die Niederlande, Österreich, Portugal, Schweden, Spanien. Bald werden einige weitere Länder aus Mittel- und Osteuropa der EU beitreten.
* **Wichtige Institutionen der EU:** Die Europäische Kommission (Brüssel, Belgien) („*Regierung*" der EU), das Europäische Parlament (Straßburg, Frankreich), der Europäische Gerichtshof (Straßburg).
* **Der Euro:** Seit dem 1. Januar 2002 ist der Euro die Währung der meisten EU-Länder (außer Großbritannien, Dänemark, Schweden). Diese Länder nennt man auch den „Euro-Raum". 1 Euro = 100 Cent

> die Union; etwas beschließen, das Gesetz; der Bürger, die ~~in
> der Vertrag *(offizielles Dokument, das zwei oder mehr Partner unterschreiben)*
> (einer Organisation) beitreten *(Mitglied werden)*, das EU-Mitgliedsland
> die Währung *(Der Euro, der Dollar sind Währungen.)*, der Euro-Raum / die Euro-Zone, der Cent ⊖

EUROPA

der Norden, nördlich

der Westen, westlich

der Osten, östlich

der Süden, südlich

Europa ist ein relativ kleiner Kontinent. Hier leben viele verschiedene Kulturen, aber die Völker Europas haben vieles gemeinsam: eine lange Geschichte, gegenseitige kulturelle und sprachliche Einflüsse, Migration und eine gemeinsame Zukunft.
Seit den politischen Veränderungen in Osteuropa (1989/1990) ist Europa noch enger zusammengewachsen.

> der Kontinent, das Volk, gemeinsam
> die Geschichte, der Einfluss, die Kultur, kulturell
> die Sprache, sprachlich; die Migration, die Zukunft
> die Veränderung, sich verändern, zusammenwachsen, eng
> Osteuropa, Westeuropa, Südeuropa, Nordeuropa
> osteuropäisch, westeuropäisch, südeuropäisch, nordeuropäisch

1) Die EU und der Euro

Suchen Sie die passenden Wörter auf der linken Seite.

1. *der Euro*: gemeinsame Währung von 12 EU-Ländern
2. _____: oberstes Gericht in der EU
3. _____: so heißt das Parlament der EU
4. _____: hier gilt die gemeinsame Währung
5. _____: „Regierung" der EU

2. Was passt?

Setzen Sie das passende Wort in der richtigen Form ein.

In der Praxis gibt es in der EU viele Konflikte, denn die Mitgliedsstaaten haben oft verschiedene Interessen. Über viele Dinge wird darum oft sehr hart *verhandelt*, bevor man etwas _____ 1. Manchmal gibt es aber trotz aller _____ 2 kein Ergebnis. Das Problem wird noch größer werden, wenn mehr Länder der EU _____ 3. Die Völker Europas haben zwar vieles _____ 4, und Europa ist in den neunziger Jahren viel enger _____ 5, aber die wirtschaftlichen und politischen Interessen sind trotzdem vielfältig.

> gemeinsam   beitreten   Verhandlung   beschließen   ~~verhandeln~~   zusammenwachsen

3) Wie heißt das Adjektiv / das Verb?

Substantiv	Adjektiv		Substantiv	Verb
1. die Sprache →	*sprachlich*		3. die Veränderung →	_____
2. die Kultur →	_____		4. die Verhandlung →	_____

4) Das ist Europa!

Ergänzen Sie.

Europa hat eine lange gemeinsame *Geschichte*. Zwischen den europäischen Ländern hat es viele gegenseitige kulturelle _____ 1 gegeben. Trotzdem leben in Europa sehr viele _____ 2 Kulturen. Darin sehen viele Menschen gerade die Chance für ein neues Europa mit einer gemeinsamen _____ 3.

5) Süden, Osten, Norden, Westen

Drücken Sie das anders aus.

1. Frankreich liegt im Westen Europas. → *Frankreich ist ein westeuropäisches Land.*
2. Finnland liegt im Norden Europas. → _____
3. Italien liegt im Süden Europas. → _____
4. Weißrussland liegt im Osten Europas. → _____
5. Und Deutschland? Deutschland ist ein mitteleuropäisches Land, es liegt in der Mitte Europas.

Gestern traf die UNO-Delegation ein.

Gestern traf die UNO-Delegation im Krisengebiet ein.

INTERNATIONALE ORGANISATIONEN

- **Die UNO** (auch: die Vereinten Nationen): Die UNO ist eine Organisation, die auf der ganzen Welt für Frieden und Entwicklung arbeitet. Die meisten Länder auf der Erde sind Mitglied der UNO. In Krisensituationen versuchen UNO-Soldaten, den Frieden zu bewahren. Der Sitz der UNO ist New York.
- **Die NATO** (auch: das nordatlantische Bündnis): Die NATO ist ein Militärbündnis vieler westlicher Länder. Die USA, Kanada, Großbritannien, Frankreich, Deutschland und viele andere Länder sind Mitglied der NATO. Der Sitz der NATO ist in Brüssel. Österreich und die Schweiz sind nicht Mitglied der NATO.

die Delegation, die Organisation; die Krise, das Gebiet, das Krisengebiet, die Krisensituation
die Welt, die Erde, das Land, der Frieden, die Entwicklung; das Mitglied, Mitglied sein
der Soldat, die ~in; das Militär, militärisch, das Bündnis *(Zusammenschluss)*, das Militärbündnis
der Sitz (einer Organisation, einer Firma): *Ort, wo die Zentrale ist*; eintreffen (= ankommen)

KONFLIKTE, KRIEG UND FRIEDEN

militärische Konflikte: ⟶ der Krieg *(Feindliche Armeen verschiedener Länder kämpfen gegeneinander.)*
⟶ der Bürgerkrieg *(Verschiedene Gruppen in einem Land kämpfen gegeneinander.)*

Frieden schaffen: ⟶ einen Dialog beginnen
⟶ über den Frieden verhandeln
⟶ einen Vertrag schließen / Frieden schließen

ARMUT UND REICHTUM

In vielen Ländern der Welt gibt es Hunger, Armut, Not. Einige Länder haben sehr viel Reichtum und Wohlstand.

der Konflikt, die Armee; gegeneinander kämpfen, gegen etwas kämpfen; feindlich, der Feind ↔ der
Freund, der Dialog, der Vertrag, einen Vertrag schließen; Frieden schaffen, den Frieden bewahren
der Hunger, die Armut, die Not ↔ der Reichtum, der Wohlstand; arm ↔ reich, hungrig ↔ satt

Das liest man oft:
Gestern traf der UNO-Generalsekretär zu wichtigen Gesprächen in Wien ein. Die UNO-Soldaten sollen in der Region den Frieden bewahren *(dafür arbeiten, dass es keinen Krieg gibt)*. Ein Grund für Konflikte ist der Unterschied zwischen armen und reichen Ländern. Der Reichtum auf der Welt muss besser verteilt werden.

1) UNO und NATO

Ergänzen Sie.

UNO

1. Sie hat ihren _Sitz_ in New York.
2. Sie arbeitet auf der _____ Welt _____ Frieden und Entwicklung.
3. UNO-Soldaten versuchen, in Krisenregionen den Frieden _____ _____.

NATO

4. Sie hat ihren _____ in _____.
5. Die NATO ist ein Militär_____.
6. Viele _____ Länder sind _____ in der NATO.

2) Definitionen

1. _Ein Bündnis_ ist ein Zusammenschluss von Ländern oder Personen mit einem gemeinsamen Ziel.
2. _____ ist ein Krieg zwischen verschiedenen Gruppen eines Landes.
3. _____ ist das Gegenteil von einem Freund.
4. _____ ist ein anderes Wort für „ankommen".
5. _____ ist man, wenn man in eine Organisation eingetreten ist.
6. _____ ist ein Mensch, der Mitglied einer Armee ist.
7. _____ ist das Gegenteil von „Reichtum".

3) Weltpolitik

Formulieren Sie wichtige Forderungen.

1. Die Mehrheit der Menschheit lebt in Armut. → _Wir müssen mehr Wohlstand schaffen!_
2. In viel zu vielen Ländern gibt es Krieg. → _Wir müssen_
3. Der Frieden ist in Gefahr. → _Wir müssen_
4. Armut schafft Konflikte. → _Wir müssen gegen_
5. Der Reichtum auf der Welt ist nicht gerecht verteilt. → _Der Reichtum auf der Welt muss_

4) Positiv – Negativ

Sammeln Sie Stichwörter für eine positive und für eine negative Entwicklung in der Welt. Vergleichen und diskutieren Sie mit Ihrem Nachbarn / Ihrer Nachbarin.

positive Entwicklung	negative Entwicklung
Frieden,	*Krieg,*

Könnten Sie das bitte noch mal sagen?

- „Entschuldigen Sie, fährt die Straßenbahn zum Deutschen Museum?"
- „Da sans ja ganz verkeat. Da fahrns am beschtn wieder zruck zm Stachus. Da nehmans de 18 bis zua Haltestelle Deutsches Museum."
- „Entschuldigung, aber das habe ich nicht ganz verstanden. Könnten Sie das bitte noch mal sagen?"

DAS VERSTEHEN SICHERN

- „... Da nehmans de 18 ..."

bitte noch mal:
→ Entschuldigung, das habe ich nicht ganz verstanden.
→ Könnten Sie das bitte noch mal sagen? / Könnten Sie das bitte noch mal wiederholen?

nachfragen:
→ Entschuldigung, wohin muss ich zurückfahren? Was muss ich machen?
→ Welche Linie muss ich dann nehmen?

wiederholen:
→ Ah so, ich fahre also zurück bis zum Stachus, und dann mit der Linie 18?
→ Ah, vielen Dank. Habe ich das also richtig verstanden: Ich fahre zurück bis zum Stachus und dann ...

VERSTÄNDNISFRAGE

- „... da müssen Sie zum Kreisverwaltungsreferat."
→ Entschuldigung, was ist das?
→ Entschuldigung, was heißt das letzte Wort?
→ Könnten Sie das letzte Wort noch mal wiederholen?
→ Ah ja, können Sie mir das bitte aufschreiben, ich kenne das Wort nicht.
→ Ah ja, ist das ein Amt? Was für ein Amt ist das?

BUCHSTABIEREN

- „Da rufen Sie am besten die Firma Kreuzpointner an."
→ Aha, vielen Dank. Könnten Sie das bitte buchstabieren?
→ Können Sie mir bitte sagen, wie man das schreibt / buchstabiert?

MAN WEISS EIN WORT NICHT: ETWAS UMSCHREIBEN

- Ich brauche **etwas, um** was an der Wand auf**zu**hängen – ich weiß gerade das richtige Wort nicht.
  ◇ Ah, einen Nagel? Oder lieber eine Schraube – hier, ich zeig' sie Ihnen.
- Da stand **so ein Ding**, mit dem man den Rasen kurz macht – **wie heißt das noch**?
  ◇ „Ah, ein Rasenmäher!
- Ich brauche **so eine Sache, die sieht so ähnlich aus wie** ein Buch, **aber** man kann Papier rein tun.
  ◇ Ah, Sie meinen einen Ordner? Den bekommen Sie im Schreibwarenladen.

1) Bitte nochmal!

1. Können Sie das noch mal wiederholen, ich habe das nicht _verstanden_ .
2. Entschuldigung, könnten Sie das letzte Wort noch mal _____?
3. Ah, habe ich das dann _____ verstanden – ich muss die Linie 18 nehmen?
4. Könnten Sie mir das bitte hier auf den Zettel _____ – ich weiß nicht, wie man das schreibt.
5. [Am Telefon] Das ist ein schwieriger Name. Könnten Sie ihn bitte _____?

2) Verständnisfragen: Wo – was – wohin ...?

Sie verstehen das unterstrichene Wort nicht. Fragen Sie, was das ist.

1. • Da müssen Sie zum Einwohnermeldeamt.   ◇ _Entschuldigung, wohin muss ich?_____
2. • Da müssen Sie am Alexanderplatz aussteigen.   ◇ _____
3. • Am besten rufen Sie Herrn Vorderobermaier an. ◇ _____
4. • Zuerst müssen Sie ein Antragsformular ausfüllen. ◇ _____
5. • Da sprechen Sie am besten mit der zuständigen
   Sachbearbeiterin, die wird Ihnen sicher helfen.   ◇ _____

3) Was passt zusammen?

1. Ich suche etwas, womit ich den Boden sauber
   machen kann, ich weiß das Wort leider nicht.   a. Sie meinen sicher einen LKW.

2. Ich suche das Amt, wo ich mein Auto anmelden
   kann. Wissen Sie, wie das heißt?   b. Eine Bohrmaschine?

3. Da kam so ein großes Auto, in dem man schwere
   Sachen transportiert, wie heißt das noch?   c. Besen finden Sie in der Haushaltsabteilung.

4. Er hat so eine Maschine, mit der man Löcher
   in die Wand macht, wissen Sie, was ich meine?   e. Das war sicher ein Eichhörnchen.

5. Da stand so ein Tier, das sah so ähnlich aus wie
   eine Maus, aber es war braun und hatte einen   d. Da müssen Sie zur Kfz-Zulassungsstelle.
   langen Schwanz.

4) Wie sagt man das ?

1. Sie wollen wissen, wie man ein Wort schreibt.   → _Können Sie mir das bitte buchstabieren?_
2. Sie möchten, dass jemand Ihnen ein Wort aufschreibt.   → _____
3. Sie glauben, Sie haben verstanden, dass Sie zum Alexanderplatz zurückfahren sollen und in die
U-Bahn-Linie 3 umsteigen sollen, aber Sie sind sich nicht sicher. Sie fragen nach.   → _____

_____

4. Sie haben gar nichts verstanden. Sie möchten, dass Ihr Gesprächspartner alles noch mal wiederholt.
→ _____

5) Das ist ...

*Spielen Sie mit Ihrem Nachbarn / Ihrer Nachbarin das Spiel: etwas umschreiben. Sie suchen sich einen
Gegenstand und umschreiben ihn, Ihr Nachbar / Ihre Nachbarin muss den Begriff finden. Dann tauschen Sie.*

Wir unterhalten uns gerade prima!

„Ja, Erika ist gerade hier, wir trinken einen Kaffee und unterhalten uns prima. Sie erzählt mir gerade von ihrer Reise nach Krakau. Willst du nicht auch herkommen?"

MITEINANDER REDEN

(mit jdm. über etwas) **sprechen / reden**	Ich muss mal mit ihm darüber sprechen / reden.
	Sie sprechen aber gut Deutsch!
(jdm. etwas) **sagen** / (jdm.) **Bescheid sagen**	Das hat er nicht gesagt. Sag mir doch Bescheid!
sich (mit jdm. über etwas) **unterhalten**	Wir trinken Kaffee und unterhalten uns prima.
(in Ruhe über verschiedene Themen sprechen)	
(jdm. eine Sache / von einer Sache) **erzählen** (z.B. eine Geschichte, etwas, was passiert ist)	Sie erzählt mir gerade von ihrer Reise nach Krakau.
(jdm. etwas) **erklären / erklären, wie ...**	Sie hat mir erklärt, wie der Computer funktioniert.
(Man sagt jdm., wie etwas funktioniert / ist.)	Erklär mir doch bitte diese Grammatikregel!
(jdm. etwas) **verraten**	Verrat mir doch mal, wer dein neuer Freund ist!
(Man sagt jdm. etwas, das geheim ist.)	

DISKUSSION UND STREIT

kontrovers, aber nicht aggressiv

(mit jdm. etwas / über etwas) **diskutieren**	Das müssen wir noch mal diskutieren!
	Sie diskutieren immer über Politik.
(jdm.) **widersprechen** ↔	Da muss ich Ihnen widersprechen!
(jdm.) **zustimmen**	Da stimme ich Ihnen vollkommen zu!

kontrovers, manchmal aggressiv

(jdm.) **die Meinung sagen** *(jdm. klar sagen, was man denkt, oft konfrontativ)*	Herr Peters hat seinem Chef neulich deutlich die Meinung gesagt, das hat dem Chef gar nicht gefallen.
sich (bei jdm. über etwas) **beschweren** *(jdm. sagen, dass man mit etwas nicht einverstanden ist)*	Ich werde mich bei dem Hotel über den schlechten Service beschweren.

aggressiv und kontrovers

sich (mit jdm. über etwas) **streiten**	Mit Julius streite ich mich immer über Politik. Die
(über etwas) **schimpfen**	Leute schimpfen seit Tagen über das schlechte Wetter.

ÜBERZEUGEN, WARNEN

(jdn. zu etwas) **überreden**	Ich konnte sie nicht dazu überreden, mit mir essen zu gehen.
(jdn. vor einer Sache) **warnen**	Ich habe dich ja vor diesem Essen gewarnt, es ist sehr scharf.
(jdm. etwas) **versichern**	Ich versichere Ihnen, das ist ein erstklassiger Computer!
(sagen, dass etwas wirklich so ist)	

Die Meinung sagen ◀▮▮▮ 44; *Sagen und Sprechen* ▮▮▮▶ 87

1) Kommunikationsprobleme

Setzen Sie die passenden Verben ein.

Streiten Sie sich oft mit Ihrer Partnerin? Versuchen Sie, Ihre Partnerin zu etwas zu _____ 1, was sie eigentlich gar nicht will? Sind Sie so unzufrieden, dass Sie auf alles und jeden _____ 2 und immer schlechte Laune verbreiten? _____ 3 Sie sich über jede Kleinigkeit? Müssen Sie immer _____ 4, wenn Sie anderer Meinung sind? Dann haben Sie ein Kommunikationsproblem! Kommen Sie zu uns zur Gesprächsberatung – hier können wir uns in Ruhe über alles _____ 5.

~~streiten~~	unterhalten	überreden	beschweren	schimpfen	widersprechen

2) Wie heißt das Substantiv / das Verb?

1. streiten	_der Streit_	5. zustimmen	_____
2. _____	das Gespräch	6. _____	die Warnung
3. _____	die Beschwerde	7. diskutieren	_____
4. _____	der Widerspruch	8. unterhalten	_____

3) Erzähl doch noch eine Geschichte!

Finden Sie die passenden Verben und setzen Sie sie in der richtigen Form ein.

1. Oma, _erzähl_ mir doch noch eine Geschichte!
2. Ich habe dich ja davor _____, so schnell zu heiraten – nun siehst du, dass ich Recht hatte!
3. So geht das bei dir in der Arbeit nicht weiter – dein Chef nützt dich viel zu sehr aus. Du musst ihm mal richtig _____.
4. _____ mir doch Bescheid, wenn du ins Kino gehst!
5. Dieses Auto ist wirklich Spitzenklasse, das _____ ich Ihnen! Sie werden nur Freude damit haben.
6. Sie hat mir gestern von ihrer Kindheit in Russland _____. Das war sehr interessant!

4) Was „machen" diese Leute?

1. • Also, das musst du so machen. Zuerst machst du das Programm auf, dann musst du ...   _erklären_
2. • Pass auf, da kommt ein Auto!   _____
3. • Also, neulich kam meine Schwester vorbei, und weißt du was? Sie bringt diesen Hund mit, den sie auf der Straße gefunden hat, und ...   _____
4. • Aber Martin, dieses eine Mal kannst du doch wirklich mitkommen!
   ◇ Na gut, wenn du meinst.   _____
5. • Da haben Sie vollkommen Recht, stimmt genau!   _____
6. • Entschuldigen Sie, aber das Essen ist ja viel zu salzig, das kann man ja gar nicht essen!   _____
7. • Komm mal her, ganz nah, ich muss dir was sagen, aber nicht weitersagen!   _____

Ich soll dir herzliche Grüße ausrichten!

„Also, Schatz, eine gute Reise und grüß deine Mutter ganz herzlich von mir!"

„Ah, bevor ich's vergesse, ich soll dir herzliche Grüße von Theo ausrichten!"

GRÜSSEN

(jdn. von jdm.) **grüßen**
(jdm. von jdm.) **Grüße sagen / ausrichten**

Grüß deine Eltern herzlich von mir!
Ich soll dir Grüße von Inge ausrichten!

FRAGEN, BITTEN, VERSPRECHEN

(jdn. etwas) **fragen**
(jdn. um etwas) **bitten**

(jdm. auf etwas) **antworten**
(jdm. für etwas) **danken**

Darf ich Sie noch etwas fragen?
Darf ich dich um einen Gefallen bitten?

Sie antwortete ihm nicht (auf seine Frage). Ich möchte Ihnen herzlich für Ihre guten Wünsche danken.

(jdm.) **vorschlagen** (dass / Infinitiv + zu)
(jdm.) **versprechen** (dass / Infinitiv + zu)

Sie hat vorgeschlagen, noch etwas zu warten.
Ich habe ihm versprochen, nicht mehr zu rauchen.

INFORMATIONEN GEBEN / EINHOLEN

sich (bei jdm.) nach etwas **erkundigen**
(*sich Informationen holen*)

(jdm. etwas) **mitteilen**

Hast du dich schon nach Flügen erkundigt?

Wir werden Ihnen den Termin dann per Post mitteilen.

RUFEN, SCHREIEN

(jdn.) **rufen**

Ruf doch mal die Kinder rein, es gibt Essen!
Ich glaube, ich muss den Arzt rufen, mir geht es schlecht.

schreien (*sehr laut rufen*)

Da schreit jemand um Hilfe!
Was schreien die Kinder denn so?

Reden ist Silber, Schweigen ist Gold.

STILLE

schweigen (*nicht reden*)

Plötzlich schweigen alle einige Minuten.

Sagen und Sprechen ◀||| 86

1) Welche Verben passen zusammen?

Schreiben Sie die Verben mit ihren Objekten auf.

1. _jemanden etwas fragen_ ↔ _jemandem_____
2. _____ ↔ _____
3. _____ ↔ _____

> ~~fragen~~
> danken   erkundigen
> mitteilen   bitten
> antworten

2) Grüßen

Sie sollen jemandem Grüße ausrichten. Was sagen Sie?

1. Herr Maier: „Grüßen Sie bitte Ihre Frau herzlich von mir!" → _„Ich soll dich herzlich von Herrn Maier_
   _grüßen!" / „Ich soll dir herzliche Grüße von_____.
2. Der Lehrer: „Richte bitte deinen Eltern schöne Grüße von mir aus!" → _____

Sie wollen jemandem Grüße ausrichten: Was sagen Sie?

3. Frau Sievers soll ihren Mann von Ihnen grüßen: → _____
4. Stefan soll ihren gemeinsamen Freund Karel von Ihnen grüßen: → _____

3) Bitten

Erich ist freundlich, aber faul. Er bittet alle Leute um einen Gefallen.

1. (Hilfe beim Kochen) → _Darf ich dich um deine Hilfe beim Kochen bitten?_
2. (etwas Geld leihen) → _Darf ich dich darum bitten, mir etwas Geld zu leihen?_
3. (beim Reisebüro nach Flügen erkundigen) → _____
4. (ihn zum Essen einladen) → _____

4) Danke!

Erich bedankt sich.

1. (Karl, Hilfe beim Kochen) → _Karl, ich danke dir für deine Hilfe beim Kochen!_
2. (Erika, Geld geliehen) → _Erika, ich danke dir, dass du mir Geld geliehen hast!_
3. (Paul, beim Reisebüro nach Flügen erkundigt) → _____
4. (Sabine, mich zum Essen eingeladen) → _____

5) Wie heißen die Substantive?

1. antworten → _die Antwort_ 4. rufen → _____ 7. vorschlagen → _____
2. fragen → _____ 5. mitteilen → _____ 8. schreien → _____
3. bitten → _____ 6. versprechen → _____ 9. danken → _____

6) Endlich Ruhe!

Geschafft! Sie hatte sich aus dem Lärm in die Stille gerettet. Auf dem Bahnsteig _riefen_ Eltern ihre
Kinder, die Kinder _____₁ und tobten herum, Züge ratterten in den Bahnhof und eine Ansage
folgte auf die andere. Endlich war sie in einem ruhigen Abteil, mit Leuten, die alle _____₂.

> schweigen   schreien   ~~rufen~~

Die Deutschen bekommen immer weniger Kinder.

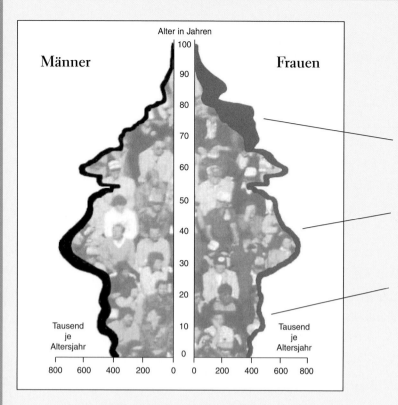

ALTERSAUFBAU DER BEVÖLKERUNG DEUTSCHLANDS IM JAHR 2000

In der Gruppe der 65- bis 90-Jährigen gibt es mehr Frauen.

In der Gruppe der 30- bis 50-Jährigen gibt es mehr Männer.

Die Deutschen bekommen immer weniger Kinder: Jedes Jahr sterben 80 000 mehr Menschen als geboren werden.

DIE GESELLSCHAFT...

der Bürger, die ~in (*meist politisch definiert: der Bürger eines Staates*), der Mitbürger, die ~in
der Einwohner, die ~in (*meist geografisch definiert, der Einwohner eines Landes*)
die Bevölkerung, das Volk; die Gesellschaft, gesellschaftlich; das Alter, der Altersaufbau (*das Alter der verschiedenen Bevölkerungsgruppen*)

... UND EINIGE GESELLSCHAFTLICHE GRUPPEN

Frauen
die Frau   (weiblich)

Männer
der Mann   (männlich)

Kinder
das Kind   (kindlich)

Jugendliche
der / die Jugendliche (jugendlich)

Senioren (ab etwa 60 Jahren)
der Senior, die ~in

Frauen und Männer sind gleichberechtigt.
(Artikel 3.2 Grundgesetz)

In vielen gesellschaftlichen Bereichen sind die Frauen aber immer noch benachteiligt.

Familie und Verwandtschaft ◀||||| 6, 7; Gesellschaftliche Gruppen (2) |||||▶ 89

die weibliche Bevölkerung, die männliche Bevölkerung; die Gleichberechtigung, gleichberechtigt (*haben die gleichen Rechte*); der Nachteil, die Benachteiligung, benachteiligt, jemand benachteiligen
die Ehe, der Schutz, der Staat, das Gesetz, das Grundgesetz der Bundesrepublik Deutschland

Das kann man lesen:
23% der Deutschen sind über 60 Jahre, 21% sind unter 20 Jahre alt. Ehe und Familie stehen unter dem besonderen Schutz des Staates. Aber: Die Deutschen heiraten immer später. Jede dritte Ehe wird geschieden.

1) Wie heißen die Adjektive?

1. die Benachteiligung   → _benachteiligt_
2. die Gleichberechtigung → _____
3. die Jugend   → _____

4. die Gesellschaft → _____
5. das Kind   → _____
6. der Mann   → _____

2) Wie sagt man das?

Schreiben Sie die Substantive mit ihrem Artikel.

1. das Alter der verschiedenen Bevölkerungsgruppen   → _der Altersaufbau_
2. ältere Menschen ab 60 in Deutschland   → _____
3. alle Menschen in einem Land   → _____
4. Beide Partner haben gleiche Rechte.   → _____
5. Ein Partner wird benachteiligt.   → _____

3) Hier stimmt etwas nicht!

Ordnen Sie passende Adjektive zu den Substantiven. Manchmal gibt es mehrere Möglichkeiten.

1. weibliche Väter   → _weibliche Jugendliche,_
2. gleichberechtigte Bevölkerung   → _____
3. ältere Jugendliche   → _____
4. benachteiligte Rechte   → _____
5. gesellschaftliche Gesellschaftsgruppen   → _____

4) Welches Verb fehlt hier?

1. Die Deutschen _heiraten_ immer später.
2. In der Gruppe der Senioren _____ es mehr Frauen.
3. Jedes Jahr _____ mehr Menschen als geboren werden.
4. Die Deutschen _____ immer weniger Kinder

> sterben   geben
> bekommen
> ~~heiraten~~

5) Frauen in der Gesellschaft

Bei gleicher Arbeit _verdienen_ Frauen oft weniger als die Männer.
Nur etwa 10 % der berufstätigen Frauen haben leitende Positionen,
bei den Männern sind es _____ 1 so viele. Daran
sieht man, dass die _____ 2 bisher leider nur auf
dem Papier verwirklicht ist. In der Praxis sind Frauen noch stark
_____ 3.

> benachteiligt
> doppelt   ~~verdienen~~
> die Gleichberechtigung

6) Frauen und Männer

Sind Frauen und Männer in Ihrem Land gleichberechtigt? Wer ist benachteiligt? Diskutieren Sie mit Ihrem Partner / Ihrer Partnerin.

„... mehr Verständnis für kulturelle Minderheiten..."

„Meine Damen und Herren, liebe Jugendliche! Wir brauchen mehr Verständnis für Minderheiten in unserem Land, gegenseitige Achtung und intensivere Kontakte ..."

> verstehen, das Verständnis
> achten, die Achtung
> die Kultur, kulturell
> die Minderheit ↔ die Mehrheit

KULTURELLE MINDERHEITEN

In den letzten 40 Jahren sind viele Menschen aus verschiedenen kulturellen Gruppen nach Deutschland zugewandert. Etwa ein Fünftel der Zuwanderer stammt aus EU-Ländern (= Europäische Union). Umgekehrt wandern Deutsche in andere Länder aus, aber die Zuwanderung ist höher als die Auswanderung.

> der Zuwanderer, die ~in; die Zuwanderung, zugewandert *(Menschen aus Land X lassen sich in Land Y nieder.)*
> = der Einwanderer, die ~in; die Einwanderung, eingewandert ↔ ausgewandert, der Auswanderer, die ~in
> = der Migrant, die ~in; die Migration
> der Ausländer, die ~in *(Person mit einer anderen Staatsangehörigkeit)*, ausländisch
> der / die Einheimische *(Person, die schon lange an einem Ort lebt)*, einheimisch
> die Einbürgerung *(Zuwanderer erhält die deutsche Staatsangehörigkeit)*
> die doppelte Staatsangehörigkeit *(zwei Staatsangehörigkeiten)*
> das Asyl *(Einwanderung aus politischen Gründen)*, der / die Asylsuchende, um politisches Asyl bitten
> die Flucht, fliehen *(Manchmal müssen Menschen aus politischen Gründen ihre Heimat verlassen.)*

Wenn bei den Einheimischen Verständnis und Toleranz für die verschiedenen Kulturen der Zuwanderer fehlen, wird das Zusammenleben schwierig. Es gibt Fremdenangst (Angst vor Fremden), Ausländerfeindlichkeit, sogar Rassismus. Die Zugewanderten fühlen sich oft fremd und ausgeschlossen, nicht in die Gesellschaft integriert.

> verschieden (= anders), der / die Fremde, ein Fremder, eine Fremde, sich fremd fühlen
> sich niederlassen, das Einwanderungsland
> die Integration, jemanden integrieren ↔ jemanden ausschließen, sich ausgeschlossen fühlen
> die Toleranz, tolerant ↔ die Intoleranz, intolerant; die Angst, die Fremdenangst; der Hass, der Fremdenhass
> der Feind, die ~ in, feindlich, die Feindlichkeit, die Ausländerfeindlichkeit; der Rassismus, rassistisch

Das sagt man oft:
Die Zahl der Einwanderer hat zugenommen / abgenommen.
Die Zunahme der Einwanderung in den letzten Jahren ...
Er engagiert sich für mehr Toleranz, er will die Gesellschaft verändern.

> zunehmen ↔ abnehmen
> die Zunahme ↔ die Abnahme
> gleich ↔ anders / verschieden
> verändern

Fremd in Deutschland ◀||| 5; *Multikulturelle Feste* ◀||| 68

1) Wie heißen die Verben?

1. das Verständnis   → _verstehen_
2. die Achtung   → _____
3. die Flucht   → _____

4. die Zunahme   → _____
5. die Einwanderung   → _____
6. die Integration   → _____

2) Wie heißt das Gegenteil?

1. tolerant   ↔ _intolerant_
2. gleich   ↔ _____
3. Zunahme   ↔ _____

4. ausgewandert   ↔ _____
5. die Minderheit   ↔ _____
6. integrieren   ↔ _____

3) Welches Wort passt?

1. Die _Einwanderung_ nach Deutschland war im Jahr 1999 etwas höher als die Auswanderung.
2. Familie Wang ist schon in den 50er-Jahren in Österreich _____ .
3. In der Talk-Show wurde diskutiert, ob Deutschland ein _____ ist.
4. Der Minister meinte, die _____ seien für das Land sehr gut und würden dafür sorgen, dass das Land nicht „vergreise". (der Greis = ein alter Mensch)
5. Er beantragt eine Arbeitserlaubnis, aber er weiß noch nicht, ob er tatsächlich _____ will.

> einwandern   die Einwanderung   der Einwanderer   eingewandert   das Einwanderungsland

4) Was passt nicht?

1. Verständnis – Achtung – Ausländerfeindlichkeit – Toleranz
2. Einwanderer – Auswanderer – Asylsuchender – Einheimischer
3. gleich – anders – verschieden – verändern

5) Ergänzen Sie:

1. Ein anderes Wort für Einwanderer ist _Zuwanderer_ .
2. Manche Menschen müssen aus ihrer Heimat _____.
3. Ein Mensch, der schon lange an einem Ort lebt, ist ein _____.
5. Für das Zusammenleben verschiedener Kulturen braucht man gegenseitige _____.

6) Der Liedermacher Benny wirbt für mehr Verständnis

Benny ist ein Deutscher schwarzer Hautfarbe. In seinen Liedern kritisiert er die _Ausländerfeindlichkeit_ und den _____ 1, den er in Deutschland manchmal spürt. Seine Eltern verließen vor 25 Jahren Afrika und wanderten in Deutschland ein.
Schon oft gab es_____ 2 zwischen Benny und seinen deutschen Kollegen, weil er ihnen zu „anders" ist. Seine Lieder fordern auf, andere Kulturen zu _____ 3.

> Rassismus   achten   Problem   ~~Ausländerfeindlichkeit~~

Die Beiträge sind wieder erhöht worden.

„Das ist ja unglaublich! Die Beiträge für die Krankenversicherung sind schon wieder erhöht worden!"

der Beitrag
die Beiträge sinken ↔
die Beiträge steigen / werden erhöht

DAS „SOZIALE NETZ" IN DER BUNDESREPUBLIK DEUTSCHLAND

Die Sozialversicherung soll die Bürger gegen Risiko versichern / vor Risiko und vor Armut schützen.

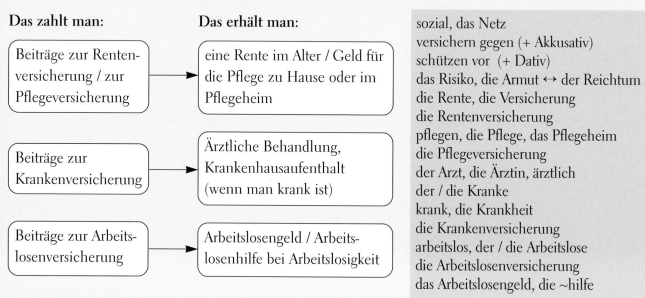

Das zahlt man:

Beiträge zur Renten-versicherung / zur Pflegeversicherung

Beiträge zur Krankenversicherung

Beiträge zur Arbeits-losenversicherung

Das erhält man:

eine Rente im Alter / Geld für die Pflege zu Hause oder im Pflegeheim

Ärztliche Behandlung, Krankenhausaufenthalt (wenn man krank ist)

Arbeitslosengeld / Arbeits-losenhilfe bei Arbeitslosigkeit

sozial, das Netz
versichern gegen (+ Akkusativ)
schützen vor (+ Dativ)
das Risiko, die Armut ↔ der Reichtum
die Rente, die Versicherung
die Rentenversicherung
pflegen, die Pflege, das Pflegeheim
die Pflegeversicherung
der Arzt, die Ärztin, ärztlich
der / die Kranke
krank, die Krankheit
die Krankenversicherung
arbeitslos, der / die Arbeitslose
die Arbeitslosenversicherung
das Arbeitslosengeld, die ~hilfe

DIE SOZIALBETREUUNG

Alte Menschen, Behinderte, Waisen, Obdachlose werden oft in Heimen betreut.

die Waise (*Kind ohne Eltern*); jemanden betreuen (*sich um jemanden kümmern*), die Betreuung
das Altenheim / das Altersheim; der / die Behinderte, behindert, körperbehindert
der Rollstuhlfahrer, die ~in; blind, der / die Blinde (*kann nicht sehen*)
gehörlos, der / die Gehörlose (*kann nicht hören, ist taub*); stumm, der / die Stumme (*kann nicht sprechen*)
taubstumm, der / die Taubstumme (*kann nicht hören und nicht sprechen*); obdachlos (*ohne Wohnung*)

Arztbesuch ◀||| 40; Arbeit und Einkommen ◀||| 71; Arbeit und Gesellschaft ◀||| 72

DER LEBENSSTANDARD

Manche Leute verdienen gut, andere verdienen schlecht. Manche haben nur ein Mindesteinkommen. Die Einkommenssituation hat sich insgesamt in den letzten 30 Jahren gebessert. Es gibt aber auch viele Menschen, besonders Familien mit vielen Kindern, die arm sind. Sie bekommen Sozialhilfe (= Hilfe zum Lebensunterhalt). Die Sozialhilfe soll allen Menschen eine „menschenwürdige Existenz" ermöglichen.

der Lebensstandard, die Einkommenssituation, die Sozialhilfe, menschenwürdig, arm ↔ reich

1) Was stimmt?

Unterstreichen Sie das richtige Wort.

1. Die Sozialversicherung soll die Bürger vor   Krankheiten – Armut – Lebensstandard   schützen.
2. Wenn die Firma Herrn Lux kündigt, bekommt er   Einkommen – Rente – Arbeitslosengeld.
3. Im Krankheitsfall erhält der Versicherte ärztliche   Krankenhaus – Behandlung – Beitrag.

2) Wie heißen die Substantive?

1. versichern   →   *die Versicherung*   3. betreuen   →   _____
2. pflegen   →   _____   4. leben   →   _____

3) Finden Sie die Fehler?

1. Was ein Geschäftsmann verdient, nennt man seine Einkommung.
2. Wenn man immer Rente bezahlt hat, erhält man im Alter die Beiträge.
3. Das Gegenteil von „Reichtum" ist „Armtum".

4) Ein Kreuzworträtsel

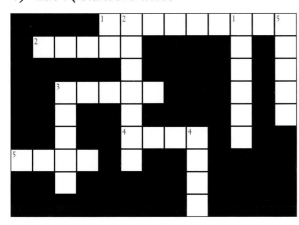

Waagrecht:

1. Wer keine Wohnung hat, ist ...
2. Ein Kind, das keine Eltern mehr hat, ist eine ...
3. Dieses Geld bekommt man im Alter:
4. Er behandelt die Kranken:
5. Das Gegenteil von tief ist ...

Senkrecht:

1. Sie ... an einer schweren Krankheit.
2. Was man in die Versicherung einzahlt:
3. Das Gegenteil von arm ist ...
4. Wenn man nicht hören kann, ist man ...
5. Wenn man nicht sprechen kann, ist man ...

5) Soziales

Ergänzen Sie die Wörter in der richtigen Form.

Arbeitnehmer zahlen einen Prozentsatz von ihrem Gehalt in die gesetzliche Renten-, Kranken-, Pflege- und __*Arbeitslosen*_ versicherung. Im Jahre 2002 betrugen die Beiträge zur Rentenversicherung 19,1 % des _____ 1. Der Arbeitnehmer bezahlt eine Hälfte, der Arbeitgeber die andere Hälfte der _____ 2. Wenn man seinen _____ 3 verliert, erhält man eine Zeitlang Arbeitslosengeld. Das System dieser Versicherungen nennt man auch das soziale _____ 4.

> Gehalt   Netz   Beitrag   Job   ~~Arbeitslosen~~

Der Umwelt zuliebe – Fahrrad statt Auto!

das Fahrrad
der Fahrradweg

UMWELTVERSCHMUTZUNG

Die Luft:

Durch Industrie und Autoabgase ist die Luft stark verschmutzt. Viele Großstädte leiden unter Smog. Die Belästigung durch Lärm hat ebenfalls zugenommen.

> die Umwelt, verschmutzen, die Verschmutzung, die Umweltverschmutzung; das Abgas, der Smog, der Lärm unter etwas / unter jemandem leiden, jemanden belästigen, die Belästigung; zunehmen

Die Atmosphäre:

Die Umweltverschmutzung dringt bis weit in die Atmosphäre vor.

| Es gibt zu viel Kohlendioxid-Emissionen. | → | Die Ozonschicht wird zerstört. Das Ozonloch wächst. | → | Eine Klimakatastrophe droht. |

> vordringen, das Kohlendioxid = CO_2 (man spricht „c o zwei"), die Emission; das Ozon, das Loch, die Schicht; zerstören, die Zerstörung, wachsen; das Klima, die Katastrophe, die Klimakatastrophe, drohen

Das Wasser / Die Erde:

Die Qualität des Wassers hat sich durch Giftstoffe sehr verschlechtert. Das schadet der Gesundheit.

> die Qualität; das Gift, der Giftstoff / der Schadstoff, vergiften, jemandem schaden, der Schaden schlecht, verschlechtern

WAS KANN MAN TUN?

Der Staat: Zum Beispiel: Umweltschutz (*Maßnahmen zum Schutz der Natur vor Zerstörung*), Verbot von Umweltgiften; Entsorgung von Abfall, Recycling (*Glas, Papier, Plastik werden wieder verwertet*).
Die Bürger: Zum Beispiel: den Müll trennen (*Glas, Plastik, Papier etc. getrennt sammeln*), weniger Auto fahren, alternative / umweltfreundliche Energien nutzen, Strom sparen, wenig Chemikalien benutzen

> schützen, der Schutz, der Umweltschutz, der Umweltschützer, die ~in; die Maßnahme (*staatliche / wirtschaftliche Aktion*); die Natur, der Müll, der Abfall / der Mist (A), die Energie, alternativ, nutzen umweltfreundlich ↔ umweltfeindlich; die Natur, der Boden, die Energie, der Strom, den Müll trennen, wiederverwerten / wiederaufbereiten, entsorgen, die Entsorgung

1) Wie heißen die Substantive?

1. verschmutzen → *die Verschmutzung*
2. belästigen → _____
3. schaden → _____

4. schützen → _____
5. zerstören → _____
6. entsorgen → _____

2) Was passt?

Ergänzen Sie die Verben oder Substantive aus Übung 1 in der richtigen Form.

1. Das Kohlendioxid hat die Ozonschicht über dem Südpol schon stark *zerstört* .
2. Der Lärm der neuen Disko _____ die Nachbarn sehr.
3. Die _____ mancher Flüsse hat dazu geführt, dass keine Fische mehr darin leben können.
4. Sind Sie sicher, dass dieser Farbstoff dem menschlichen Organismus nicht _____ ?
5. Wir müssen die Natur vor den Eingriffen der Menschen _____ !

3) Was kann man da machen?

1. Die Ozonschicht wird durch CO$_2$ zerstört.
2. Die Luft in vielen Großstädten ist total verschmutzt.
3. Die Fische sterben in den Gewässern.
4. „Passives" Rauchen macht die Lungen kaputt.
5. Die Müllberge wachsen und vergiften den Boden.

a. Müll trennen und wiederaufbereiten.
b. Rauchen in öffentlichen Gebäuden verbieten.
c. Keine Sprays benutzen.
d. Weniger Auto fahren.
e. Keine industriellen Giftstoffe in die Flüsse leiten.

4) Da stimmt etwas nicht!

Diese Wörter gibt es nicht. Wie heißen die Wörter wirklich?

der ~~Auto~~stoff – die Abkatastrophe – der Gift~~verkehr~~ – die Naturtrennung – das Klimagas – der Müllschutz

1. *der Autoverkehr*
2. _____
3. _____
4. _____
5. _____
6. _____

5) Und was machen Sie?

Was machen Sie, um die Umwelt zu schützen? Kombinieren Sie, schreiben Sie Sätze und diskutieren Sie mit Ihrem Nachbarn / Ihrer Nachbarin.

rauchen   benutzen   wiederverwenden   entsorgen   sparen   ~~fahren~~
trennen   verwenden   ~~Fahrrad~~   Auto   Autobus / Straßenbahn
Müll   Papier   Chemikalien   Batterie
umweltfreundliche Energie   Haarspray   Strom ...

Ich fahre so oft wie möglich mit dem Fahrrad zur Arbeit. Ich ... _____

In Deutschland gibt es verschiedene Glaubensgemeinschaften.

| die Kirche | die Moschee | die Synagoge | der Tempel |

RELIGIONEN

In Deutschland, Österreich und der Schweiz gibt es verschiedene Glaubensgemeinschaften.

> die Religion, religiös; glauben, der Glaube, die Gemeinschaft, die Glaubensgemeinschaft

Das Christentum:

Die Christen (die Katholische und die Evangelische Kirche) sind die größte religiöse Gruppe.
In Österreich und in Bayern sind die meisten Leute katholisch. In Norddeutschland ist der größte Teil der Bevölkerung evangelisch. Am Sonntag gehen viele Leute in die Kirche und beten zu Gott. Die Bibel ist ihre wichtigste religiöse Schrift.

> katholisch, evangelisch / protestantisch; der Gott, zu Gott beten, das Gebet; die Bibel, die Schrift
> heilig, der / die Heilige, die Kirche

Der Islam:

Der Islam ist die zweitgrößte Glaubensgemeinschaft in Deutschland.

> der Moslem, die Moslimin, islamisch
> die Moschee; das religiöse Buch ist der Koran

Das Judentum:

Das Judentum ist eine der ältesten Weltreligionen.

> der Jude, die Jüdin, jüdisch
> die Synagoge; das religiöse Buch ist die Thora

Der Hinduismus:

Der Hinduismus ist die wichtigste Religion in Indien.

> der / die Hindu, hinduistisch; der Tempel

Der Buddhismus:

Der Buddhismus ist vor allem in Ostasien verbreitet.

> der Buddhist, die ~in, buddhistisch; der Tempel

SEKTEN

Neben den offiziell anerkannten Kirchen gibt es auch zahlreiche Sekten.

ANDERE WELTANSCHAUUNGEN

„Ich bin nicht religiös, aber ich habe eine humanistische Weltanschauung."

Das sagt man oft:
- Glaubst du an Gott? ◇ Ja, natürlich. – Grüß Gott! (*Begrüßung in Österreich und Süddeutschland*)
Gott sei Dank ist ihm nichts passiert. (= zum Glück)

1) Wie heißen die Substantive?

1. religiös　　　→ _die Religion_　　　　4. beten　　　→ _____
2. christlich　　→ _das_ _____　　　5. glauben　　→ _____
3. islamisch　　→ _____

2) Wie schreibt man das? Ergänzen Sie zwei oder drei Buchstaben:

1. In Bayern sind die meisten Menschen ka<u>th</u>olisch.　3. Das islamische Gebetshaus heißt Mosch__ .
2. Das jüdische Gebetshaus heißt S__ goge.　　　　　4. Wann ist eigentlich der Bu__ ismus entstanden?

3) Zu welcher Religion gehört das?

Ordnen Sie zu. Manche der Wörter passen mehrfach.

Christentum	Islam	Judentum
die Bibel,		

die Bibel　die Kirche　der Moslem　der Glaube　der Koran　die Moschee
die Synagoge　die Thora　der Gott　das Gebet

4) Was passt nicht in die Reihe?

1. Islam – Hinduismus – Humanismus– Buddhismus
2. die Kirche – die Synagoge – das Rathaus – der Tempel
3. islamisch – protestantisch – jüdisch – romanisch

5) Religiöses

Ergänzen Sie die fehlenden Wörter in der richtigen Form.

1. In den letzten Jahrzehnten sind viele Leute aus der evangelischen _Kirche_ ausgetreten.
2. In Deutschland gab es Anfang 2001 28 Millionen katholische _____ .
3. Neben den offiziellen Kirchen gibt es auch zahlreiche _____.
4. Der _____ ist in klassischem Arabisch geschrieben.
5. Durch die Zuwanderer aus Osteuropa ist die Glaubensgemeinschaft des _____ in Deutschland wieder gewachsen.
6. Der _____ ist in Indien entstanden, nun aber vor allem in anderen Ländern Ostasiens verbreitet.

Buddhismus　Sekte　Kirche　Judentum　Koran　Christ

der Stau, der Ferienbeginn
es kommt zu (+ Dativ)
(*es geschieht*)
die Richtung, kilometerlang

STAU AUF DER A8
Köln, 3. August.

Wegen des Ferienbeginns kam es auf der A8 Richtung Süden zu kilometerlangen Staus.

ETWAS BEGRÜNDEN

Es gibt mehrere Möglichkeiten, Gründe und Folgen auszudrücken:

Da die Ferien begonnen hatten, kam es zu kilometerlangen Staus.
Es kam zu kilometerlangen Staus, **weil** die Ferien begonnen hatten.
Es kam zu kilometerlangen Staus, **denn** die Ferien hatten begonnen.

da   (mit Nebensatz)
weil   (mit Nebensatz)
denn   (mit Hauptsatz)
(Konjunktionen, Subjunktion)

HINWEIS
In der gesprochenen Sprache hört man oft:
Es gab lange Staus, **weil – die Ferien hatten angefangen**.
(Der Sprecher macht eine kleine Pause und fährt mit dem Hauptsatz fort.)

Wegen / Aufgrund des Ferienbeginns kam es zu kilometerlangen Staus.

wegen / aufgrund + Genitiv
(Präpositionen)

Die Ferien hatten begonnen, **deshalb / deswegen / darum** kam es zu kilometerlangen Staus. Die Ferien hatten begonnen, auf der Autobahn kam es **deshalb / deswegen / darum** zu kilometerlangen Staus.

deshalb / deswegen / darum
(Adverbien)

Die Ferien hatten begonnen, **aus diesem Grund** kam es zu kilometerlangen Staus.
Der Grund für die kilometerlangen Staus war der Ferienbeginn.

aus diesem Grund

der Grund für …

• Wir saßen gestern drei Stunden im Stau!
◇ Na klar, die Ferien haben **ja** gerade begonnen.
Ich gebe es auf, ich habe **halt / eben** kein Glück.

ja   (Modalpartikel)
halt, eben   (Modalpartikel)
Diese Modalpartikel drücken aus, dass man den Grund schon kennt.

Gegensätze ⫸ 94; Art und Weise ⫸ 95; Zeitrelationen ⫸ 96

1) Wie können Sie die Gründe und Folgen ausdrücken?

1. Sie können nicht mit ins Schwimmbad, Sie haben noch viel zu tun.

    → Leider kann ich heute nicht mit ins Schwimmbad, _weil ich noch sehr viel zu tun habe._

2. Ihr Kind will draußen spielen, aber es ist sehr kalt.

    → Heute ist es zu kalt, _____!

3. Sie haben alle Fenster geschlossen, weil es so kalt ist.

    → _____ der Kälte habe ich alle Fenster zugemacht.

2) Finden Sie die Wörter:

Hier sind 9 Wörter versteckt. Markieren Sie sie und schreiben Sie sie an den Rand.

C	H	A	N	D	U	S	F	J	H	I	L	M	O	R	W
N	U	A	T	F	E	U	D	D	A	R	C	H	G	E	S
O	Y	E	C	D	T	W	E	I	L	L	Z	N	W	W	E
E	S	T	H	A	Z	E	N	T	T	F	V	S	E	Ö	Z
D	E	S	W	E	G	E	N	A	B	S	R	ß	G	L	J
A	E	P	R	B	R	M	T	I	E	O	S	E	E	B	S
K	L	S	R	E	U	K	P	Ä	M	E	B	E	N	U	U
I	D	F	K	A	N	W	H	A	T	R	S	G	Ü	N	T
E	A	C	T	Ö	D	A	R	U	M	O	H	S	F	X	Y

denn _____

_____

_____

_____

_____

_____

_____

_____

3) Was passt?

1. Man sollte nicht zu viel fernsehen,   a. aus diesem Grund macht sie am Morgen Gymnastik.
2. Da sie kein Kleingeld hat,   b. denn das ist schlecht für die Augen.
3. Sie geht nicht auf das Geburtstagsfest,   c. deswegen kauft sie sich weite Röcke und Hosen.
4. Sie mag gern bequeme Kleidung,   d. darum hat sie niemandem etwas erzählt.
5. Die Party soll eine Überraschung werden,   e. kann sie sich keinen Kaffee aus dem Automaten kaufen.
6. Sie möchte fit bleiben,   f. weil sie lieber allein sein möchte.

4) Schreiben Sie diese Sätze neu:

1. EstutmirsoLeidaberichkonntenichteherkommenweilichdenBusverpassthabe.
2. Bitteseinichtböseichhabe denBusnichtmehrbekommenundkonntedeshalbnichteherkommen.

5) Man kann nicht immer Erfolg haben

Auch sehr erfolgreiche Menschen haben ab und zu Misserfolge. Das passiert oft, _weil_ sie sich selbst nicht richtig sehen und eine Situation falsch einschätzen. Ein weiterer _____ 1 für Misserfolg ist Perfektionismus. Alles muss immer perfekt sein, _____ 2 ist man nie zufrieden und es kommt zu Stress. Manche Menschen haben auch Angst vor bestimmten Situationen und versuchen _____ 3 dieser Angst solche Situationen zu vermeiden, z.B. fliegen bei Flugangst. Andere produzieren ihren Stress selbst, _____ 4 sie können nicht „Nein" sagen.

aufgrund – ~~weil~~ – denn – deswegen – Grund

Sport *am Sonntag*

überparteilich
unabhängig
Ausgabe 4/2003

Max Thronau
hatte nach
20 km eine
Reifenpanne.
Trotzdem
wurde er
noch Dritter.

das Radrennen

die Reifenpanne

GEGENSÄTZE

Es gibt mehrere Möglichkeiten, Gegensätze auszudrücken:

Obwohl Max Thronau eine Reifenpanne hatte, wurde er Dritter.
Max Thronau wurde Dritter, **obwohl** er eine Reifenpanne hatte.
Max Thronau hatte eine Reifenpanne, **aber** er wurde noch Dritter.

> obwohl (mit Nebensatz)
> (Subjunktion)
> aber   (mit Hauptsatz)
> (Konjunktion)

Trotz seiner Reifenpanne konnte Max Th. noch einen dritten Platz belegen.

> trotz + Genitiv (Präposition)

Max Th. hatte eine Reifenpanne, **trotzdem** wurde er noch Dritter.
Max Th. hatte eine Reifenpanne, er wurde **dennoch** Dritter in dem Rennen.
Max Th. hatte einige Pannen in dem Radrennen, er wurde aber **trotz allem** noch Dritter.

> trotzdem
> dennoch / jedoch
> trotz allem
> (Adverbien)

Im Gegensatz zu seinem Kollegen Franz R. hatte Max Th. diesmal Glück.
M. Th. war nicht enttäuscht. **Im Gegenteil**, er freute sich über seinen dritten Platz.

> im Gegensatz zu
> im Gegenteil

• Gehst du dieses Jahr nicht zu dem Radrennen?
◇ **Doch**, natürlich!
Jetzt komm **doch** endlich!

> doch (als Antwort auf eine negative Frage)
> doch (als Modalpartikel; zur Verstärkung,
>   wenn der andere nicht gleich reagiert)

HINWEIS
Ich gehe **aber** trotzdem!
(Modalpartikel **aber** zur Verstärkung des Gegensatzes)

(Gründe und Folgen ◀||||| 93; Art und Weise |||▶ 95; Zeitrelationen |||▶ 96)

1) Was sagen Sie?

> „Ich gehe aber trotzdem!" „Aber das stimmt doch gar nicht!"
> „Im Gegenteil, ich freue mich!" „Es war trotz allem ein schöner Tag!"

1. An Ihrem Geburtstag hat es geregnet, sie konnten nicht im Garten feiern und haben das Fest im Haus gemacht. → *Es war ...*_____
2. Ihr Nachbar denkt, dass Sie seinen Hund schlecht behandelt haben. → _____
3. Ihre Verwandten befürchten, ihr Besuch könnte Sie stören. → _____
4. Wegen des kühlen Wetters möchte Ihr Freund nicht ins Schwimmbad gehen.
   → _____

2) Was passt?

1. Susanne hat sich erkältet   a. trotzdem hat sie noch nicht viel abgenommen.
2. Hanna ist krank geworden   b. obwohl sie sich immer warm angezogen hat.
3. Anna freut sich schon auf das Theater   c. denn sie möchte andere Kulturen kennen lernen.
4. Annette fährt gern in ferne Länder   d. jedoch ihre Eltern raten ihr zu einem praktischen Fach.
5. Roswitha geht zur Arbeit   e. weil sie nicht genügend Vitamine zu sich genommen hat.
6. Uschi macht eine Gemüse-Diät   f. da sie moderne Stücke sehr gern hat.
7. Renate will gern Malerei studieren   g. trotz ihrer Erkältung.

3) Was passt nicht in die Reihe?

1. weil – obwohl – da – denn
2. deswegen – trotzdem – darum – deshalb
3. deshalb – jedoch – aber – dennoch

4) Keine Rückenschmerzen mehr!

Viele Menschen leiden unter Rückenschmerzen. *Aber* es gibt Hilfe für sie, zum Beispiel viel schwimmen gehen, _____ 1 das die Rückenmuskulatur stärkt. Auch die Matratze, auf der man schläft, ist wichtig, _____ 2 sollte man hier nicht sparen. Viel Gemüse mit Magnesium essen, _____ 3 Magnesium entspannt die Muskulatur. Auch Akupunktur hilft bei Rückenschmerzen. Aber _____ 4 diese natürlichen Mittel sehr gut helfen, lassen sich viele Menschen lieber operieren. _____ 5 der Warnungen mancher Ärzte vertrauen sie eher auf eine Operation als auf Naturheilmittel. _____ 6 natürlichen Hilfsmitteln hilft aber eine Operation oft nicht so gut – Rückenschmerzen sind nämlich oft psychisch.

> obwohl – ~~aber~~ – trotz – im Gegensatz zu – weil – denn – deswegen

Auf diese Weise vermeiden Sie Überraschungen!

TV-TIPPS FÜR VERBRAUCHER

„Lesen Sie die Beschreibungen der Urlaubsprospekte immer genau durch. Auf diese Weise vermeiden Sie böse Überraschungen!"

| der Urlaubsprospekt |
| durchlesen |
| vermeiden |
| die Überraschung |

ART UND WEISE

Es gibt mehrere Möglichkeiten, die Art und Weise auszudrücken:

Lesen Sie die Urlaubsprospekte immer genau durch, **so / dadurch** vermeiden Sie böse Überraschungen.
Bestellen Sie Ihre Flüge per Internet – Bahnkarten können Sie jetzt **genauso / ebenso** buchen.

so / dadurch

genauso / ebenso
(*auf die gleiche Weise*)
(Adverbien)

Lesen Sie die Beschreibungen genau durch, **auf diese Weise** vermeiden Sie böse Überraschungen.
Bahnkarten können Sie jetzt **auf die gleiche Weise / auf dieselbe Weise** wie Flüge buchen.

auf diese Weise

auf die gleiche Weise /
auf dieselbe Weise

Man kann böse Überraschungen im Urlaub vermeiden, **indem** man die Prospekte vorher gut durchliest.
Dadurch, dass man die Beschreibungen immer genau liest, kann man böse Überraschungen leicht vermeiden.

indem   (mit Nebensatz)

dadurch, dass (mit Nebensatz)
(Subjunktionen)

Durch das genaue Lesen der Urlaubsprospekte habe ich böse Überraschungen immer vermieden. (*schriftlicher Stil, z.B. in einem Leserbrief*)
Am Abend kann ich nur noch **mit** der Lesebrille lesen.

durch + Akkusativ

mit + Dativ   (Instrument)
(Präpositionen)

> **Das sagt man oft:**
> Mach es so, wie ich es dir gesagt habe! Er macht es genauso wie ich. Ich denke ebenso wie Sie.
> • Guten Appetit! ◇ Danke ebenso / gleichfalls.

(Gründe und Folgen ◀‖‖ 93; Gegensätze ◀‖‖ 94; Zeitrelationen ‖‖▶ 96)

1) Was stimmt?

Unterstreichen Sie das richtige Wort.

1. Indem – Weil – <u>Obwohl</u>   er krank war, ging er zur Arbeit.
2. Denn – Dadurch, dass – Obwohl   sie das Rezept genau befolgte, wurde der Kuchen sehr gut.
3. Die Reise nach Ägypten war sehr teuer.   Trotzdem – Deshalb – Ebenso   beschloss sie, die Reise zu buchen.
4. Indem – Weil – Obwohl   es ihr im letzten Jahr so gut gefallen hatte, fuhr sie noch mal hin.

2) Was könnten Sie hier sagen?

„Ich denke ebenso wie Sie!"   „Ich mache es genauso!" „Mach es doch einfach so, wie ich es dir gezeigt habe!" „Danke gleichfalls!"   „Indem ich die Anweisungen genau befolgt habe."

1. Jemand beschreibt Ihnen, wie er die Preise vergleicht, bevor er eine Reise bucht.
   → _Ich mache es ..._ _____
2. In einer Versammlung erklärt jemand etwas, und Sie haben dieselbe Meinung.
   → _____
3. Ihre Freundin fragt Sie, wie Sie das neue Regal gebaut haben.
   → _____
4. Ihr Sohn kann die schwere Mathematikaufgabe immer noch nicht lösen.
   → _____
5. Jemand wünscht Ihnen ein schönes Wochenende.
   → _____

3) Ergänzen Sie:

Ergänzen Sie die Sätze.

1. Sie muss jetzt leider gehen, _weil ihr Mann auf sie wartet._ _____
2. Sie lernt die Vokabeln, _____
3. Er nimmt das Zimmer, _____
4. Sie spart viel Geld, _____
5. Sie raucht ständig, _____

obwohl weil	das ist ungesund alle neuen Wörter aufschreiben
indem	die Preise vergleichen ~~Mann wartet~~ es ist nicht gemütlich

4) Wie kann man das auch sagen?

Schreiben Sie die Sätze 1 bis 3 in den verschiedenen Formen auf.

1. Sie können die Unterschiede in der Aussprache erkennen, indem Sie genau zuhören.
   → _Durch_ _____ .
   → _____ ; _dadurch_ _____ .
   → _____ ; _auf diese Weise_ _____ .
2. Durch regelmäßiges Trainieren können Sie Ihre Leistungen im Sport sehr verbessern.
3. Dadurch, dass sie ständig Fragen stellt, lernt sie viel über ihre neue Umgebung.

Während des Studiums jobbte sie als Dekorateurin bei G & H.

ZEITRELATIONEN

Es gibt mehrere Möglichkeiten, Zeitrelationen auszudrücken:

Während sie studierte, jobbte sie als Dekorateurin.	während *(Sie tut beides gleichzeitig.)*
Als sie mit dem Studium begann, suchte sie sich einen Nebenjob.	als *(Zeitpunkt in der Vergangenheit)*
Bevor sie als Dekorateurin jobbte, hatte sie eine Stelle als Bedienung.	bevor *(1. Bedienung, 2. Dekorateurin)*
Nachdem sie das Studium beendet hatte, arbeitete sie als Chemikerin.	nachdem *(1. Studium, 2. Arbeit)*
Seit er studiert, muss er sich nebenher etwas Geld verdienen.	seit *(vom Beginn des Studiums an)*
Wenn er fertig ist, geht er ins Kino.	wenn *(Zeitpunkt in der Gegenwart)* *(Subjunktionen mit Nebensatz)*

Während des Studiums jobbte sie als Dekorateurin.	während + Genitiv
Zu / Bei Beginn des Studiums suchte sie gleich einen Job.	zu / bei + Dativ
Vor ihrem Job als Dekorateurin hatte sie eine Stelle als Bedienung.	vor + Dativ
Nach Beendigung des Studiums bekam sie eine Stelle als Chemikerin.	nach + Dativ
Seit dem Beginn seines Studiums muss er nebenher etwas Geld verdienen.	seit + Dativ *(Präpositionen)*

! HINWEIS
Dieser „nominale Stil" (Präposition + Nomen) wird besonders in geschriebener Sprache verwendet.

Jetzt arbeitet sie als Chemikerin. **Früher** hat sie mal als Dekorateurin gearbeitet.	jetzt – früher *(unbestimmte Zeit)*
Heute verdient sie ein gutes Gehalt. **Damals** verdiente sie nur wenig.	heute – damals *(bestimmte Zeit)*
1999 bekam sie endlich eine feste Stelle. **Davor** hatte sie immer nur gejobbt.	davor *(vor 1999: gejobbt)*
Zuerst arbeitete er in Stuttgart, **dann / danach** in Wien.	zuerst – dann / danach *(Aufzählung)* *(Adverbien)*

Ich geh' mal eben 'ne Zeitung holen!	eben, mal eben *(Modalpartikel)* *(drückt kurze Zeitspanne aus)*

Gründe und Folgen ◀|||| 93; Gegensätze ◀|||| 94; Art und Weise ◀|||| 95

1) Was kommt zuerst?

1. zuerst duschen, dann frühstücken → *Bevor ich frühstücke, dusche ich.*
→ *Nachdem ich geduscht habe, frühstücke ich.*

2. zuerst einen Termin machen, dann zum Arzt gehen → _____
3. zuerst die Preise vergleichen, dann kaufen → _____
4. zuerst nachdenken, dann meine Meinung sagen → _____

2) Welche Präposition passt?

Erinnern Sie sich noch an Herbert Rossmann aus Kapitel 60? Lesen Sie seinen Lebenslauf noch einmal und ergänzen Sie die passenden Präpositionen.

1. *Nach* _____ der Grundschule besuchte Herbert Rossmann 9 Jahre lang das Gymnasium.
2. _____ seines Studiums in München machte er ein Praktikum bei der Firma Siemens.
3. _____ seinem Auslandsaufenthalt in Mexiko arbeitete er 2 Jahre lang bei Siemens.
4. _____ 2001 ist er Abteilungsleiter bei derselben Firma.
5. _____ Beginn seiner Tätigkeit als Abteilungsleiter war er erst 26 Jahre alt.

3) Welche Subjunktion passt?

Wir bleiben bei Herbert Rossmanns Lebenslauf. Welche Konjunktionen fehlen hier?

1. *Als* Herbert Rossmann 19 Jahre alt war, begann er mit dem Studium an der TU München.
2. Schon _____ er zur Schule ging, hatte er sich immer für Technik interessiert.
3. Aber _____ er anfangen konnte zu studieren, musste er erst das Abitur machen.
4. _____ er zwei Jahre lang studiert hatte, bewarb er sich um ein Praktikum bei der Firma Siemens.
5. Nun arbeitet er schon ein paar Jahre bei der Firma. _____ er diese Stelle hat, fühlt er sich sehr wohl.
6. Auch der Aufenthalt in Mexiko hat ihm gefallen. Immer _____ er eine Gelegenheit hat, reist er wieder in das lateinamerikanische Land.

4) Sabine Herrmann, 37 Jahre

1985–1989 Schreibkraft bei AWA, Lübeck (Gehalt: 2300,– DM/Monat);
1990–1995 Sekretärin bei ILL, Hamburg (Gehalt: 4000,– DM/Monat);
1996 bis heute: Chefsekretärin bei der Firma Schulte, Rostock (Gehalt: 2600,– Euro/Monat).

Schreiben Sie einen kleinen Text über Sabine Herrmann und benutzen Sie dabei folgende Adverbien:

jetzt – früher   heute – damals   im Jahre ... – davor   zuerst – dann / danach

Sabine Herrmann arbeitet jetzt als .... Früher _____

• „Ach komm, lass uns doch mal Achterbahn fahren." ◇ „Auf keinen Fall! Da wird's mir immer schlecht."

Nein-Sagen

Es gibt mehrere Möglichkeiten, Nein zu sagen:

• Hat Laura Angst? ◇ Das glaube ich **kaum**. / Das glaube ich **weniger**.	kaum / weniger *(fast nicht)*
Laura fährt **nicht** Achterbahn, weil es ihr dabei schlecht wird.	nicht
Sie fährt **überhaupt nicht** / **gar nicht** gern schnell.	überhaupt nicht / gar nicht
Sie will **auf keinen Fall** Achterbahn fahren.	auf keinen Fall

Schriftlicher Stil:

Die Konsequenzen seiner Handlung hatte er **keinesfalls** voraussehen können.	keinesfalls
Die Partei wird **unter keinen Umständen** ihre Haltung ändern.	unter keinen Umständen

Helga fährt manchmal Achterbahn, aber Laura fährt **nie / niemals**.	nie / niemals *(zu keinem Zeitpunkt)*
Niemand hatte gesehen, wie der Einbrecher in die Wohnung kam.	niemand *(keine Person)*
Hanna suchte im ganzen Haus, aber die Brille war **nirgends** zu finden.	nirgends *(an keinem Ort)*

• Möchten Sie noch **etwas** sagen?	etwas ↔ nichts
◇ **Nein**, ich möchte **nichts** mehr sagen.	

Denise fährt **nicht** mit dem Auto, **sondern** mit dem Bus zur Arbeit.	nicht – sondern
Sie fährt gern Bus, da hat sie **weder** Stress **noch** hohe Benzinkosten	weder – noch *(beides nicht)*

> **! HINWEIS**
> Tim kann **nicht** gut Auto fahren. (nicht – Negation beim Verb)
> Denise hat gar **kein** Auto. (kein – Negation beim Nomen)

Das sagt man oft:
Nie und nimmer! Das kommt gar nicht in Frage! Das ist ja kaum zu glauben! Das macht nichts!

1) „kein" oder „nicht"?

Letzte Nacht habe ich überhaupt _nicht_ gut geschlafen. Ich habe einfach _____ 1 Ruhe gefunden.
Immer musste ich daran denken, dass Harry nun schon seit zwei Monaten _____ 2 Arbeit mehr hat.
Wie soll es denn weitergehen, wenn er _____ 3 bald eine neue Stelle findet?

2) Was sagen Sie, wenn ...?

1. Sie möchten nicht in dem kalten See schwimmen:
   → _Ich möchte auf keinen Fall in das kalte Wasser gehen!_ _____
2. Sie waren zu keinem Zeitpunkt in Ihrem Leben in einer Sauna:
   → _____
3. Sie möchten jemanden korrigieren: Die Wohnung ist nicht groß, sie ist klein.
   → _____
4. Sie haben im Unterricht den Text in keiner Weise verstanden:
   → _____
5. Sie wollen jemandem sagen, dass Sie keinen Menschen gesehen haben:
   → _____
6. Sie wollen ausdrücken, dass Sie keine Zeit und auch keine Lust haben, in die Disko zu gehen:
   → _____

> nicht, ... sondern   überhaupt nicht   noch nie   niemand   weder ... noch   ~~auf keinen Fall~~

3) Ehepartner sind oft sehr verschieden

Paul und Doris lieben sich, aber sie haben ganz andere Gewohnheiten.
1. Paul sieht jeden Abend fern, Doris sieht fast _nie_ fern, sie liest lieber.
2. Paul nimmt Milch und Zucker in seinen Kaffee, Doris nimmt _____ , sie trinkt ihn schwarz.
3. Doris möchte im Urlaub ans Meer, Paul möchte am liebsten _____ hinfahren und zu
   Hause bleiben.
4. Wenn sie mit dem Zug fahren, spricht Doris mit vielen Leuten, Paul spricht mit _____
   und versteckt sich hinter seiner Zeitung.
5. Aber beide sind sich einig, dass sie in den Ferien diesmal _____ viel besichtigen _____
   viel einkaufen wollen – sondern nur einmal richtig faulenzen.

4) Mit nichts zufrieden!

Elvira fühlt sich zur Zeit _nicht_ wohl. Sie ist mit _____ 1 zufrieden. Morgens kommt sie _____ 2
aus dem Bett, und würde am liebsten _____ 3 aufstehen. Vor dem Frühstück darf man sie
_____ 4 ansprechen, sonst reagiert sie gleich sehr nervös. „So früh morgens will ich mit _____ 5
sprechen", meint sie, „da bin ich noch _____ 6 in Form". Und warum fühlt sie sich so? Weil sie für
eine Prüfung lernt und abends sehr lange wach bleibt. Sie hat jetzt einfach _____ 7 Energie für
andere Sachen. Hoffentlich ist die Zeit bald vorbei!

> auf keinen Fall   gar nicht   kaum   keine   ~~nicht~~   nichts   niemand   nicht

Zwischen den meisten Staaten der Europäischen Union (EU) gibt es keine Grenzkontrollen mehr. Zwischen Deutschland und Frankreich gibt es enge kulturelle Beziehungen auf allen Ebenen. Zum Beispiel sind München und Bordeaux Partnerstädte.

Die Wirtschaftsbeziehungen zwischen der amerikanischen Westküste und den asiatischen Pazifikstaaten werden immer wichtiger.

die Partnerschaft:
die Partnerstadt, die Partnerregion
das Partnerland, die Partnerschule

afrikanisch
amerikanisch
asiatisch
australisch
europäisch

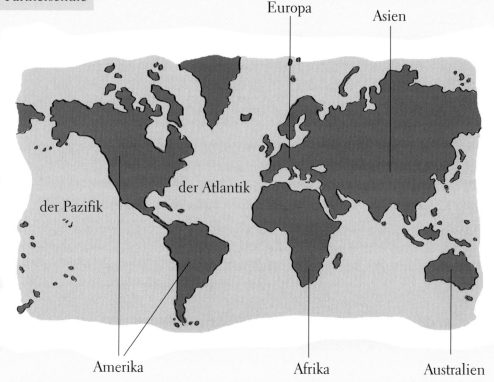

Europa   Asien

der Atlantik

der Pazifik

Amerika   Afrika   Australien

Kanada, die USA und Mexiko sind Nachbarstaaten. Zwischen diesen Ländern gibt es enge wirtschaftliche Beziehungen.

Die wirtschaftlichen und kulturellen Beziehungen zwischen Europa und Afrika haben eine lange Tradition.

(enge) wirtschaftliche kulturelle politische nachbarschaftliche	Beziehungen	der Kulturaustausch der Wissenschaftsaustausch der Schüleraustausch

die Welt, der Kontinent, der Staat, der Nachbarstaat, das Nachbarland, der Pazifikstaat
die Beziehung, die Wirtschaftsbeziehung, eng ↔ locker; die Küste
die Grenze, die Grenzkontrolle; die Tradition, die Ebene, der Austausch

Länder und Kontinente ◀▮▮▮ 4; Europa und die Europäische Union ◀▮▮▮ 83; Internationale Organisationen, Krieg und Frieden ◀▮▮▮ 84

1) Wie heißen die Adjektive?

1. Afrika   → _afrikanisch_
2. Amerika   → _____
3. Asien   → _____
4. Australien   → _____

5. Europa   → _____
6. Nachbarschaft   → _____
7. Kultur   → _____
8. Wirtschaft   → _____

2) Welches Wort passt?

1. Schüleraustausch, Wissenschaftsaustausch usw. gehören zu den
   a) wirtschaftlichen Beziehungen.
   b) kulturellen Beziehungen.
   c) politischen Beziehungen.

2. Ein Professor aus Österreich
   geht für ein Jahr an eine ägyptische Universität. Das ist
   a) ein Schüleraustausch.
   b) ein Kulturaustausch.
   c) ein Wissenschaftsaustausch.

3) Wie sagt man?

1. Westeuropa exportiert nach Osteuropa und umgekehrt, sie haben gute _Wirtschaftsbeziehungen_ .
2. Deutschland und die Schweiz haben eine gemeinsame Grenze, sie sind _____ .
3. Ein Zollbeamter fragt an der Grenze nach dem Ausweis, es gibt eine _____ .
4. Japan, China und Korea gehören zu den asiatischen _____ .
5. Rio de Janeiro liegt an der südamerikanischen _____ und Lima liegt an der
   südamerikanischen _____ .

4) Was kann man hier kombinieren?

1. _die Partnerstadt_
2. ____Grenz_____
3. ____Nachbar_____

4. ____Schüler_____
5. ____Wirtschafts_____
6. ____Atlantik_____

-küste   -land   -austausch
-staat   ~~stadt~~   -kontrolle
    - beziehungen

5) Beziehungen zwischen den Staaten der Welt

Ergänzen Sie die fehlenden Wörter aus der Liste unten.

1. Russland gehört nicht zur EU, aber es hat einen _Partnerschafts_-Vertrag mit der EU.
2. Auf den Zusammentreffen der wichtigsten _____ der Welt ist die Globalisierung
   der Wirtschaft immer ein zentrales Thema.
3. Zwischen den amerikanischen Staaten an der Westküste des Kontinents und den asiatischen Staaten
   gibt es enge _____.
4. Die Förderung der deutschen Sprache gehört zur auswärtigen _____
   Deutschlands.
5. Der Deutsche Akademische Austauschdienst ist für den _____ von
   Wissenschaftlern und Studenten zuständig.

die Kulturpolitik   der Industriestaat   ~~die Partnerschaft~~
der Austausch   die Wirtschaftsbeziehung

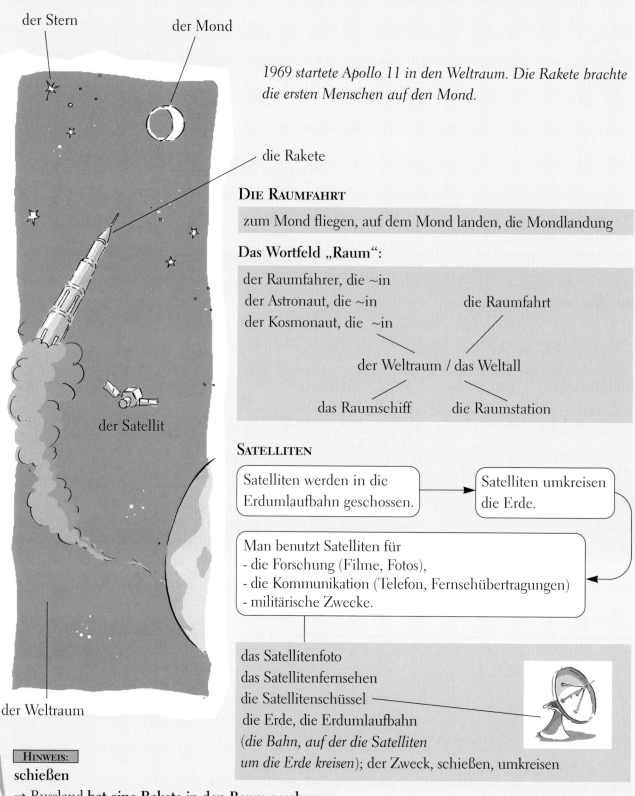

der Stern

der Mond

1969 startete Apollo 11 in den Weltraum. Die Rakete brachte die ersten Menschen auf den Mond.

die Rakete

DIE RAUMFAHRT

zum Mond fliegen, auf dem Mond landen, die Mondlandung

Das Wortfeld „Raum":

der Raumfahrer, die ~in

der Astronaut, die ~in   die Raumfahrt

der Kosmonaut, die ~in

der Weltraum / das Weltall

das Raumschiff   die Raumstation

der Satellit

SATELLITEN

Satelliten werden in die Erdumlaufbahn geschossen.

Satelliten umkreisen die Erde.

Man benutzt Satelliten für
- die Forschung (Filme, Fotos),
- die Kommunikation (Telefon, Fernsehübertragungen)
- militärische Zwecke.

das Satellitenfoto

das Satellitenfernsehen

die Satellitenschüssel

die Erde, die Erdumlaufbahn

(*die Bahn, auf der die Satelliten*

um die Erde kreisen); der Zweck, schießen, umkreisen

der Weltraum

HINWEIS:

schießen

→ Russland **hat eine Rakete in den Raum geschossen.**

→ **jemand schießt** mit einer Pistole **auf jemanden**

PLANETEN UND STERNE

Die Erde, der Mond, der Saturn, der Mars, die Venus, der Jupiter, ... sind Planeten.
Die Sonne ist ein Stern. Unser Sonnensystem gehört zur Milchstraße

der Planet

das Sonnensystem

gehören zu

die Milchstraße

1) Das Ende

Ergänzen Sie die Wortenden. Es fehlen zwei oder drei Buchstaben.

1. die Rake<u>te</u>
2. der Astron____
3. der Satel____

4. die Erdumlaufba___
5. der Mo___
6. der Plan___

7. das Raumschi___
8. das Welta____
9. die Milchstra____

2) Raum

Sammeln Sie alle Wörter mit „Raum" und mit „Satellit" auf der linken Seite und schreiben Sie sie mit ihrem Artikel auf:

Raum: <u>der Raumfahrer,</u>
Satellit: _____

3. Rund um die Erde

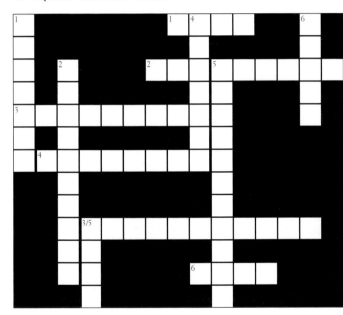

Waagrecht:

1. Planet, auf dem wir wohnen:
2. Satelliten … die Erde.
3. Anderes Wort für „Raumfahrer":
4. Erde, Mars, Jupiter sind …
5. Unser Sonnensystem ist ein Teil davon:
6. Der … umkreist die Erde.

Senkrecht:

1. Anderes Wort für „Weltraum":
2. … schießt man in die Erdumlaufbahn.
3. Ein Planet, der die Sonne umkreist:
4. Damit kann man zum Mond fliegen (Plural):
5. Eine … bleibt längere Zeit im Weltraum.
6. Die Sonne ist ein …

4) Eine Welt ohne Satelliten

Stellen Sie sich vor, es gäbe keine Satelliten mehr. Schreiben Sie auf, was es alles nicht mehr geben würde, und was alles nicht mehr funktionieren würde. Vergleichen Sie dann mit Ihrem Nachbarn / Ihrer Nachbarin.

5) Apollo 11

Ergänzen Sie. Nicht alle Wörter passen.

Am 16. Juli 1969 <u>startete</u> Apollo 11 zum Mond. Die _____ 1 hießen Armstrong, Collins und Aldrin. Armstrong und Aldrin _____ 2 am 20. Juli auf dem Mond. Collins blieb im Raumschiff und _____ 3 den Mond. Ein _____ 4 übertrug die Fernsehbilder zur Erde! Am 21. Juli betrat Armstrong als erster Mensch den Mond. Die erste _____ 5 von Menschen war geglückt!

> Astronaut   Satellit   Mondlandung   fliegen   landen   umkreisen   ~~starten~~   der Stern   die Rakete

Anhang

Alphabetische Wortliste

Die Zahlen verweisen auf die Kapitel, in denen das Wort vorkommt.

Wortakzent: andere – Betonung auf a, kurzes a; aktiv – Betonung auf i, langes i.

A

@ [εt] 2

abbiegen, bog ab, bin abgebogen 25

der Abend, -e 1, 9, 12, 18, 62

das Abendbrot, -e 17

das Abendessen, - 9, 12, 17

abends 12, 18

das Abenteuer, - 28

abenteuerlich 28

der Abenteuerroman, -e 65

aber 77, 85, 94

abfahren, fuhr ab, bin abgefahren 22, 63

die Abfahrt, -en 22, 50, 63

der Abfall, Abfälle 91

abfliegen, flog ab, bin abgeflogen 63

die Abgabe, -n 71

das Abgas, -e 50

abgeben, gab ab, habe abgegeben 63

abgehen, ging ab, ist abgegangen 25

der Abgeordnete, -n 80

abhängen, hing ab, habe abgehangen (Jugendsprache) 66

abheben, hob ab, habe abgehoben 15, 63

abholen 19, 40, 63, 77

das Abitur, -e 56, 60, 77

ablaufen, lief ab, ist abgelaufen 5

ablegen 22, 57, 58

ablehnen 63, 80

abmelden 79

die Abnahme, -n 89

abnehmen, nahm ab, habe abgenommen 17, 55, 63, 89

abonnieren 53

abraten, riet ab, habe abgeraten 78

abrechnen 63

abreisen 63

abschalten 54

die Abschiedsformel, -n 1

abschließen, schloss ab, habe abgeschlossen 58, 60, 63

die Abschlussprüfung, -en 57, 58

der Absender, - 15, 52

die Absenderin, -nen 52

die Absicht, -en 77

absteigen, stieg ab, bin abgestiegen 63

abstimmen 81

die Abstimmung, -en 80

die Abteilung, -en 60, 71

der Abteilungsleiter, - 60, 71

die Abteilungsleiterin, -nen 60, 71

abtrocknen 39, 63

abwaschen, wusch ab, habe abgewaschen 16, 63

die Abwechslung, -en 72

abwischen 63

achten 89

die Achterbahn, -en 97

die Achtung (nur Singular) 21, 78, 89

der Action-Film ['εkʃn], -e 65

addieren 18

Adieu! [a'diø:] 1

das Adjektiv, -e 61

die Adresse, -n 2, 15, 52, 79

die Adressleiste, -n 53

das Adverb, -ien 61, 93, 94, 95, 96

das Aerobic [ε'ro:bik] (nur Singular) 69

Afrika 4, 19, 98

Afrikaner, - 4

Afrikanerin, -nen 4

afrikanisch 98

aggressiv 86

ähnlich 85

die Ahnung, -en 44

der Akkusativ, -e 95

die Aktion, -en 64, 91

aktiv 59, 64

der Aktivurlaub, -e 28

der Alkohol, -e 43

alkoholabhängig 43

der Alkoholiker, - 43

die Alkoholikerin, -nen 43

der Alkoholismus (nur Singular) 43

der Alkoholkranke, -n 43

alkoholsüchtig 43

alle 67, 75, 76

die Allee, -n 25

allein 7

allein erziehend 7

alles 14, 24, 55

Alles Gute! 75

der Alltag (nur Singular) 75

die Alpen (nur Plural) 77

als 96

also 85

alt 2, 14, 36, 46, 88

der Altbau, Altbauten 47

das Altenheim, -e 90

das Alter, - 2, 36, 88, 90

alternativ 91

der Altersaufbau (nur Singular) 88

das Altersheim, -e 90

das Altertum, Altertümer 62

Amerika 4, 98

Amerikaner, - 4

Amerikanerin, -nen 4

amerikanisch 98

der Ammann, Ammänner (CH) 79

die Ampel, -n 21, 25

das Amt, Ämter 79, 80

sich amüsieren 68

an 49

an Bord gehen, ging an Bord, bin an Bord gegangen 22

die Ananas, -se 13, 14

anbieten, bot an, habe angeboten 43, 60, 63

anbinden, band an, habe angebunden 63

anbraten, briet an, habe angebraten 17, 63

andere 70

ändern 66, 97

anders 44, 89

anerkannt 92

der Anfang, Anfänge 63

anfangen, fing an, habe angefangen 66, 70

anfassen 32, 33, 63

das Angebot, -e 73, 74

angehen, ging an, ist angegangen 63

der/die Angeklagte, -n 82

angeln 28

angenehm 9, 32

der/die Angestellte, -n 59, 62, 71, 72

angezogen sein 34

die Angst, Ängste 37, 61, 64, 89, 97

ängstlich 37, 64

angucken 32

anhören 32

ankommen, kam an, bin angekommen 9, 22, 63

die Ankunft, Ankünfte 22

anlegen 15, 51

anmachen 48, 63, 66

anmelden 26, 79
annehmen, nahm an, habe angenommen 44, 77
anonym 23
anreisen 63
der Anruf, -e 52, 55
der Anrufbeantworter, - 55
anrufen, rief an, habe angerufen 23, 45, 46, 55, 85
der Anrufer, - 55
die Anruferin, -nen 55
anschaffen 48
anschalten 54, 63
anschauen 19, 24, 32, 46, 65
anschnallen 50
ansehen, sah an, habe angesehen 19, 24, 32, 63
die Ansicht, -en 44
anstoßen, stieß an, habe angestoßen 67
anstrengend 27
der Antrag, Anträge 63, 79
einen Antrag stellen 79
die Antwort, -en 94
antworten 46, 52, 87
der Anwalt, Anwälte 82
die Anwältin, -nen 82
die Anwendung, -en 61
die Anzahl (nur Singular) 52
die Anzeige, -n 46, 52, 53
anziehen, zog an, habe angezogen 40
der Anzug, Anzüge 34
anzünden 43
der Apfel, Äpfel 14, 45, 75
der Apfelbaum, Apfelbäume 47
der Apfelkuchen, - 14
die Apfelsine, -n 14
der Apfelstrudel , - 45
die Apotheke, -n 24, 40
der Apparat, -e 49, 55
der Appetit (nur Singular) 40
die Aprikose, -n 14, 75
der April, -e 11, 67
arabisch 10
die Arbeit, -en 3, 8, 59, 71, 72

arbeiten 2, 3, 4, 30, 58, 71, 72
der Arbeiter, - 3, 59, 71, 72
die Arbeiterin, -nen 3, 59, 71, 72
der Arbeitgeber, - 71, 72
die Arbeitgeberin, -nen 71, 72
der Arbeitnehmer, - 71, 72
die Arbeitnehmerin, -nen 71, 72
das Arbeitsamt, Arbeitsämter 3, 72
die Arbeitsanweisung, -en 31
die Arbeitsbedingungen (nur Plural) 72
das Arbeitsbuch, Arbeitsbücher 30, 31
die Arbeitsgenehmigung, -en 5
arbeitslos 3, 64, 72, 90
sich arbeitslos melden 72
der Arbeitslose, -n 90
das Arbeitslosengeld, -er 72, 90
die Arbeitslosenhilfe (nur Singular) 90
die Arbeitslosenversicherung, -en 90
die Arbeitslosigkeit (nur Singular) 3, 72, 90
der Arbeitsmarkt, Arbeitsmärkte 73
der Arbeitsplatz, Arbeitsplätze 3, 51, 72
der Arbeitsraum, Arbeitsräume 46
die Arbeitszeit, -en 3, 72
das Arbeitszimmer, - 47, 48
der Ärger (nur Singular) 38
ärgerlich 38
sich ärgern über 8, 38
arm 84, 90
der Arm, -e 33, 41, 69
die Armee, -n 84
der Ärmel, - 64
die Armut (nur Singular) 84, 90
arrogant 35
die Art, -en 68, 95

der Artikel, - 53, 61, 73
der Arzt, Ärzte 3, 40, 71, 76, 90
die Ärztin, -nen 3, 40, 71, 90
ärztlich 90
die Arztpraxis, Arztpraxen 40
der Asiate, -n 4
die Asiatin, -nen 4
asiatisch 98
Asien 4, 98
der Astronaut, -en 99
die Astronautin, -nen 99
das Asyl, -e 89
der/die Asylsuchende, -n 89
der Atlantik 98
die Atmosphäre, -n 18, 23, 91
ätzend 66
die Audio-Kassette, -n 30
auf 49
auf die gleiche Weise 95
auf diese Weise 95
auf dieselbe Weise 95
auf jeden Fall 59
auf keinen Fall 97
aufbauen 51, 63
aufblühen 63
aufdrehen 63
der Aufenthalt, -e 60
die Aufenthaltserlaubnis (nur Singular) 5
die Aufenthaltsgenehmigung, -en 5
die Aufforderung, -en 45
die Aufführung, -en 19
die Aufgabe, -n 31, 76
aufgeben, gab auf, habe aufgegeben 15
aufgrund 93
aufhalten, hielt mich auf, habe mich aufgehalten 66
aufheben, hob auf, habe aufgehoben 63
aufhören 55, 63
aufklären 63
auflegen 55
aufmachen 63
die Aufnahme, -n 67

aufnehmen, nahm auf, habe aufgenommen 15, 47, 54
aufpassen 50
aufräumen 48, 63, 76
aufregend 28
der Aufsatz, Aufsätze 31
aufschlagen, schlug auf, habe aufgeschlagen 30, 45
aufschreiben, schrieb auf, habe aufgeschrieben 61, 85
aufstehen, stand auf, bin aufgestanden 12, 63
der Auftrag, Aufträge 73
aufwachen 63
die Aufzählung, -en 96
der Aufzug, Aufzüge 26
das Auge, -n 32, 33, 62
der Augenblick, -e 55
der August, -e 11
aus diesem Grund 93
ausatmen 40
ausbilden 58
der Ausbilder, - 58
die Ausbilderin, -nen 58
die Ausbildung, -en 56, 58
der Ausdruck, Ausdrücke 66
ausdrücken 94
auseinander 7
auseinander ziehen 7
die Ausfahrt, -en 50
ausführlich 60
ausfüllen 63, 79
der Ausgang, Ausgänge 26
ausgeben, gab aus, habe ausgegeben 63
ausgehen, ging aus, bin ausgegangen 63
ausgeschlossen 89
ausgewandert 89
ausgezeichnet 9
die Auskunft, Auskünfte 55
das Ausland (nur Singular) 60, 73
der Ausländer, - 5, 89
die Ausländerfeindlichkeit, -en 89
die Ausländerin, -nen 5, 89
ausländisch 89

der Bürger, - 80, 83, 88, 90
die Bürgerin, -nen 83, 88
die Bürgerinitiative, -n 81
der Bürgerkrieg, -e 84
der Bürgermeister, - 53, 79
die Bürgermeisterin, -nen 53, 79
der Bürgersteig, -e 21
das Büro, -s 71
die Bürste, -n 39
der Bus, -se 21, 97
die Butter (nur Singular) 13, 62, 76

C

das Café [ka'fɛ], -s 18
die Cafeteria [kafetə'ri:a], -s / Cafeterien 26
der Camion [ka'miõ], -s (CH) 50
die CD [tse:'de:], -s (aus dem Engl. compact disc) 9, 32, 49
der CD-Brenner, - 51
die CD-ROM, -s 51
das CD-ROM-Laufwerk, -e 51
Celsius (ohne Artikel) 29
der Cent [sɛnt], -s 83
das Chalet [ʃa'le:], -s 28
der Charakter, -e 35
der Chef, -s 71
die Chefin, -nen 71
der Chefsekretär, - 71
die Chef-Sekretärin, -nen 59
die Chefsekretärin, -nen 71
der Chemikerin, -nen 96
die Chiffre, -n 46
die Chips [tʃɪps] (nur Plural) 13
der Chirurg, -en 42
die Chirurgin, -nen 42
chirurgisch 42
die chirurgische Station 42
der Christ, -en 92
der Christdemokrat, -en 81
die Christdemokratin, -nen 81
das Christentum (nur Singular) 92

die Christin, -nen 92
christlich 67
christlich-demokratisch 81
Ciao! [tʃau] 1
der Code [ko:d], -s 10
der Coiffeur [koa'fø:ʁ], -e (CH) 39
die Coiffeuse [koa'fø:zə], -n (CH) 39
die Cola, -s 13
der Computer [kɔm'pju:tɐ], - 30, 51, 62, 73
der Computer-Arbeitsplatz [kɔm'pju:tɐ], Computer-Arbeitsplätze 51
die Computerfirma [kɔm'pju:tɐ], Computerfirmen 4
die Computerkenntnisse [kɔm'pju:tɐ] (nur Plural) 59
der Computerkurs [kɔmpjutɐ], -e 58
das Computerspiel [kɔm'ju:tɐ], -e 70
cool [ku:l] 66
die Couch [kautʃ], -s / -en 48, 49
der Cousin [ku'zɛ̃:], -s 6
die Cousine [ku'zi:nə], -n 6
das Croissant [kroa'sã:], -s 14

D

da 55, 93
dabei 68
das Dach, Dächer 47
das Dachgeschoss, -e 47
dadurch 95
dadurch, dass 95
damals 96
die Dame, -n 36, 52, 89
die Damentoilette [toa'lɛtə], -n (= D) 26
danach 96
daneben 24
Dänemark 83
der Dank (nur Singular) 9, 45
danke! 1, 9, 14, 55

danke sehr! 45
danken 87
dann 45, 85, 96
darum 93
das 62
dass 95
die Datei, -en 51
der Dativ, -e 95, 96
das Datum, Daten 36, 52
dauern 54, 57
der Daumen, - 33
davor 96
dazugeben, gab dazu, habe dazugegeben 17
die Decke, -n 49
defekt 50
definieren 88
das Deka(gramm), - (A) 13
die Dekorateurin, -nen 96
die Delegation, -en 84
der/die Delegierte, -n 81
die Demokratie, -en 64, 80
demokratisch 64, 80
die Demonstration, -en 81
demonstrieren 81
denken, dachte, habe gedacht 33, 44, 59
denn 66, 93
dennoch 94
der 62
der Grund für 93
dermaßen 66
deshalb 93
das Dessert [dɛ'se:ʁ], -s 9, 18
deswegen 93
dasDetail [de'tai], -s 32
Deutsch (nur Singular) 31, 56
Deutsch als Fremdsprache (nur Singular) 61
deutsch, das Deutsche 62, 68
der/die Deutsche, -n 4, 88
der Deutschkurs, -e 58
Deutschland 4 , 79, 80, 83, 84, 88, 89, 98
der Deutschlehrer, - 61
deutschsprachig 18
der Dezember, - 11
der Dialog, -e 31, 84

die Diät, -en 17, 63
der Dichter, - 65
die Dichterin, -nen 65
dick 33, 34, 43
die 62
der Dienstag, -e 11, 62
dienstags 11
die Dienstleistung, -en 72
die Differenz, -en 10
das Ding, -e 18, 85
das Diplom, -e 57, 60
direkt 15, 18
der Direktor, -en 56, 62
die Direktorin, -nen 56, 62
der Dirigent, -en 19
die Dirigentin, -nen 19
die Diskette, -n 51
das Diskettenlaufwerk, -e 51
die Disko, -s 28
die Diskussion, -en 62, 86
diskutieren 8, 31, 35, 86
doch 9, 45, 75, 77, 78, 94
doch bitte 45
der Doktor, Doktoren 1, 40, 42, 57
der Doktortitel, - 57
das Dokument, -e 51, 83
der Dokumentarfilm, -e 54
der Dollar, -s 83
der Dom, -e 24
der Döner, - 68
der Donnerstag, -e 11
doof 66
der Doppelpunkt, -e 61
doppelt 89
die doppelte Staatsangehörigkeit (nur Singular) 89
das Doppelzimmer, - 23
das Dorf, Dörfer 27, 79
die Dose, -n 13, 63
dran (U für daran) 9, 70
draußen 29
drehen 65
drei 14
dritte 88
die Droge, -n 43
die Drogenberatungsstelle, -n 43

die Drogenkriminalität
(nur Singular) 82
drogensüchtig 43
die Drogentherapie, -n 43
die Drogerie, -n 14, 39
drohen 91
drücken 49
drucken 53
der Drucker, - 51
das Druckerkabel, - 51
du (Sie) 1
dunkel 33, 64
dunkelblau 64
dunkelbraun 64
dunkelrot 64
dünn 17, 33, 43
durch 95
durchfallen, fiel durch,
bin durchgefallen 57
durchlesen, las durch, habe
durchgelesen 95
die Durchwahl, -en 2
dürfen, durfte, habe gedurft
9, 14, 18, 27, 45, 78
dürfen, ich dürfte 77
der Durst (nur Singular) 17
durstig 17
die Dusche, -n 23, 39, 46
duschen 39
Düsseldorf 4
der Düsseldorfer, - 4
die Düsseldorferin, -nen 4
dynamisch 59

E

eben 93
die Ebene, -n 98
ebenfalls 91
ebenso 95
echt 66
die Ecke, -n 26
die EDV (= elektronische
Datenverarbeitung)
(nur Singular) 58
der EDV-Kurs, -e 58
egoistisch 35
die Ehe, -n 7, 88
die Ehefrau, -en 6
der Ehemann, Ehemänner
6
das Ehepaar, -e 6

der Ehepartner, - 6
die Ehepartnerin, -nen 6
das Ei, -er 13, 27
das Eichhörnchen, - 85
eigen 47, 69, 71
die Eigeninitiative
(nur Singular) 59
die Eigenschaft, -en 59
eigentlich 77
die Eigentumswohnung,
-en 47
die Eile (nur Singular) 12
einatmen 40
die Einbauküche, -n 16
der Einbrecher, - 97
die Einbürgerung, -en 89
einfach 20, 27, 44
die Einfahrt, -en 50
Einfluss nehmen, nahm
Einfluss, habe Einfluss
genommen 81
der Einfluss, Einflüsse 81,
83
der Eingang, Eingänge 2,
26, 49
eingewandert 89
einheimisch 89
der/die Einheimische, -n 89
die Einheit (nur Singular)
67
sich einigen 72
einjährig 60
einkaufen 13, 63
einkaufen gehen 20
die Einkaufsliste, -n 13
der Einkaufswagen, - 13
das Einkommen, - 71
die Einkommenssituation,
-en 90
einladen, lud ein, habe
eingeladen 9, 19, 63
die Einladung, -en 9
einmal 53
einnehmen, nahm ein,
habe eingenommen 12
einpacken 46, 63
die Einreise, -n 5
einreisen 5
einrichten 46, 48
einschalten 48, 51, 63
einschlafen, schlief ein,

bin eingeschlafen 63
das Einschreiben, - 15
einsteigen, stieg ein, bin
eingestiegen 21, 22, 63
einstellen 60, 63
eintreffen, traf ein, bin
eingetroffen 84
eintreten, trat ein, bin eingetreten 81
der Eintritt, -e 81
die Eintrittskarte, -n 19
der Einwanderer, - 89
die Einwandererin, -nen 89
die Einwanderung, -en 89
das Einwanderungsland,
Einwanderungsländer
89
einwerfen, warf ein, habe
eingeworfen 15
der Einwohner, - 4, 79, 88
die Einwohnerin, -nen 4,
79, 88
die Einwohnerkontrolle, -n
(CH) 79
das Einwohnermeldeamt,
Einwohnermeldeämter
26
das Einwohner-Meldeamt,
Einwohner-Meldeämter
79
einzahlen 15, 63
die Einzahlung, -en 15
das Einzelzimmer, - 23
einziehen, zog ein, bin
eingezogen 46
das Eis, - 13, 75
das Eisen (nur Singular) 58
elegant 16, 34, 64
die Eleganz (nur Singular)
47
elektrisch 16
der Elektroherd, -e 16
die Eltern (nur Plural) 6, 11
die E-Mail ['i:me:l], -s 2, 20,
51, 52, 53
die E-Mail-Adresse
['i:me:l], -n 53
das E-Mail-Programm
['i:me:l], -e 51
die Emission, -en 91
emotional 66

der Empfänger, - 52
die Empfängerin, -nen 52
empfehlen, empfahl, habe
empfohlen 78
die Empfehlung, -en 76, 78
das Ende, -n 54, 63
endlich 12, 52, 63
die Endstation, -en 63
die Energie, -n 16, 64, 91
energisch 64
eng 8, 83, 98
das Engagement
[ãgaʒə'mã]
(nur Singular) 59
engagieren [ãga'ʒi:rən] 89
engagiert [ãga'ʒi:rt] 59
Englisch (nur Singular) 56,
60
englisch, das Englische 62
der Englischkurs, -e 58
der Enkel, - 6
die Enkelin, -nen 6
das Enkelkind, -er 6
der Enkelsohn,
Enkelsöhne 6
die Enkeltocher,
Enkeltöchter 6
entlang 25, 26
entlassen, entließ, werde
entlassen 42, 72
entscheiden, entschied,
habe entschieden 82
die Entscheidung, -en 80,
82
entschuldigen 45, 85
die Entschuldigung, -en 13,
24, 25, 26, 31, 45, 85
entsorgen 91
die Entsorgung 91
entspannen 28
enttäuschen 38, 68
enttäuscht 38
die Enttäuschung, -en 38
die Entwicklung, -en 84
der Erdapfel, Erdäpfel (A)
14
die Erde (nur Singular) 84,
91, 99
das Erdgeschoss, -e 26, 47
die Erdkunde (nur
Singular) 56

die Geduld (nur Singular) 35

geduldig 35

die Gefahr, -en 41

gefährlich 37, 41

gefallen, gefiel, habe gefallen 48

das Gefängnis, -se 82

das Geflügel (nur Singular) 27

gefragt 59

gefroren 13

das Gefühl, -e 38

die Gegend, -en 46

gegeneinander 84

der Gegenkandidat, -en 81

die Gegenkandidatin, -nen 81

der Gegensatz, Gegensätze 64, 74, 94

gegensätzlich 64

gegenseitig 83, 89

das Gegenteil, -e 94

gegenüber 26

die Gegenwart (nur Singular) 96

das Gehalt, Gehälter 15, 59, 71, 72

die Geheimzahl, -en 10

gehen, ging, bin gegangen 1, 11, 15, 18, 19, 20, 21, 22, 23, 24, 25, 33, 37, 40, 49, 52, 56, 69

die Gehirnerschütterung, -en 41

gehören 49, 99

gehörlos 90

der/die Gehörlose, -n 90

der Gehsteig, -e (A, süddt.) 21

geil 66

die Geisteswissenschaft, -en 57

das Geld, -er 15, 24, 63, 74, 78, 96

die Gelegenheit, -en 60

gelten, galt, hat gegolten 74

die Gemeinde, -n 67, 79

die Gemeindeverwaltung, -en 79

gemeinsam 8, 83

die Gemeinschaft, -en 92

das Gemüse, - 13, 14, 17, 73

die Gemüsepfanne, -n 17

gemütlich 9, 28, 48, 69

genau 32, 77, 95

genauso 95

die Genehmigung, -en 5

generell 75

genießen, genoss, habe genossen 28, 68

der Genitiv, -e 94, 96

geografisch 88

das Gepäck (nur Singular) 23

gerade 10, 85

die gerade Zahl, -en 10

geradeaus 25, 26

das Gerät, -e 30, 55

geräumig 47

die Gerechtigkeit, -en 62, 81

das Gericht, -e 82

der Gerichtsprozess, -e 82

gering 72

die Germanistik (nur Singular) 57

gern(e) 9, 14, 15, 17, 18, 20, 37, 38, 45, 68, 69, 75, 97

die Gesamtschule, -n 56

das Geschäft, -e 67, 71, 73, 74, 76

die Geschäftsfrau, Geschäftsleute 62

der Geschäftsmann, Geschäftsleute 62

geschehen, es geschah, ist geschehen 45

das Geschenk, -e 9

die Geschichte, -n 3, 65, 83

geschieden 2, 7, 88

das Geschirr, -e 16

der Geschirrspüler, - 16, 62

die Geschwindigkeit, -en 41

die Geschwindigkeits-beschränkung, -en 41

die Geschwister (nur Plural) 6

Gesegnete Weihnachten! 67

der Geselle, -n 58

die Gesellen-Prüfung, -en 58

die Gesellin, -nen 58

die Gesellschaft, -en 88, 89

gesellschaftlich 88

das Gesetz, -e 67, 80, 82, 83, 88

gesetzlich 67

das Gesicht, -er 39

das Gespräch, -e 84

gestatten 78

gestern 19, 27, 29, 77

gesund 20, 27, 40, 69, 72, 75

die Gesundheit (nur Singular) 40, 69, 75, 91

Gesundheit! (CH) 67

das Getränk, -e 13, 18

das Getreide, - 73

getrennt 10

die Gewerkschaft, -en 72

der Gewinn, -e 73

gewinnen, gewann, habe gewonnen 70

der Gewinner, - 70

die Gewinnerin, -nen 70

die Gewissheit (nur Singular) 77

das Gewitter, - 29

das Gift, -e 91

der Giftstoff, -e 91

das Giro-Konto ['ʒiːro], Giro-Konten 15

die Glace [glas], -s (CH) 13

das Glas, Gläser 16, 45

glatt 33, 58

der Glaube (nur Singular) 92

glauben 10, 44, 76, 92, 97, 92

die Glaubensgemeinschaft, -en 92

gleich 13, 24, 26, 88, 89, 95

gleichberechtigt 88

die Gleichberechtigung (nur Singular) 88

gleichfalls 95

gleichzeitig 17, 96

das Gleis, -e 21, 63

die Glocke, -n 47

das Glück (nur Singular) 5, 37, 64, 70

glücklich 35, 37, 64, 67

die Glückszahl, en 10

der Glückwunsch, Glückwünsche 36, 67

die Glückwunschkarte, -n 36

die Glühbirne, -n 48

das Gold (nur Singular) 58

der Goldschmied, -e 58

die Goldschmiedin, -nen 58

der Gott, Götter 1, 92

der Gouda ['gauda], -s 13

der Grad, -e 29

die Grafik, -en 51

das Grafikprogramm, -e 51

das Gramm, -e 13, 14

die Grammatik, -en 30, 61

grasgrün 64

gratulieren 67, 81

das Graubrot, -e 14

greifen, griff, habe gegriffen 33

der Grenzbeamte, -n 5

die Grenzbeamtin, -nen 5

die Grenze, -n 5, 98

die Grenzkontrolle, -n 98

Griechenland 77, 83

die Grillparty ['paːɐti], -s 9

die Grippe, -n 40

groß 23, 25, 33, 41, 46, 47, 66, 72, 73

Großbritannien 4, 80, 83, 84

die Großeltern (nur Plural) 6, 64

die Großmutter, Großmütter 6

die Großstadt, Großstädte 91

der Großvater, Großväter 6

Grüezi! 1

grün 14, 64, 81

der Grund, Gründe 89, 93

das Grundgesetz, -e 88

die Grundschule, -n 56, 60

die Krankenkassa (A), Krankenkassen 41

die Krankenkasse, -n 41

der Krankenpfleger, - 3, 42

die Krankenpflegerin, -nen 42

die Krankenschwester, -n 3, 42

die Krankenversicherung, -en 41, 90

der Krankenwagen, - 41

die Krankheit, -en 40, 42, 43, 90

krankschreiben, schrieb krank, habe krank-geschrieben 40

die Krawatte, -n 34

der Kredit, -e 15

die Kreditkarte, -n 15, 18, 74

die Kreide, -n 30

der Kreis, -e 30, 79

die Kreuzfahrt, -en 22

die Kreuzung, -en 21, 25

der Krieg, -e 84

der Krimi, -s 20, 54, 65

der Kriminalfilm, -e 65

die Kriminalität (nur Singular) 82

die Kriminalpolizei (nur Singular) 82

der Kriminalroman, -e 20, 65

die Krise, -n 84

das Krisengebiet, -e 84

die Krisensituation, -en 84

kritisieren 80

die Küche, -n 16, 46, 47, 48, 68

der Kuchen, - 14, 16, 17, 36

die Küchenbenutzung, -en 46

das Küchenmesser, - 16

der Küchentisch, -e 16

die Küchenuhr, -en 48

der Kugelschreiber, - 30

die Kuh, Kühe 27

kühl 29

der Kühlschrank, Kühlschränke 16, 49

der Kuli, -s 30

die Kultur, -en 62, 64, 68, 83, 89

der Kulturaustausch, -e 98

kulturell 64, 83, 89, 98

sich kümmern um 90

der Kunde, -n 14, 73

kündigen 46, 71, 77

die Kündigung, -en 46

die Kundin, -nen 14, 73

die Kunst, Künste 65

der Künstler, - 65

die Künstlerin, -nen 65

das Kunstmuseum, Kunstmuseen 24

der Kunststoff, -e 58

kunterbunt 64

der Kurier, -e 96

der Kurs, -e 58

der Kursleiter, - 58

die Kursleiterin, -nen 58

der Kursteilnehmer, - 30, 31, 58

die Kursteilnehmerin, -nen 30, 31, 58

die Kurve, -n 41

kurz 2, 25, 33, 39, 45, 72

der Kuss, Küsse 68

küssen 33, 68

die Küste, -n 98

L

lachen 8

der Laden, Läden 73, 74

die Lage, -n 23, 46

das Lager, - 74

das Lammfleisch (nur Singular) 27

die Lampe, -n 48, 49

das Land, Länder 4, 18, 27, 28, 47, 79, 80, 83, 84, 88, 98

landen 22, 99

die Landeshauptfrau, -en (A) 79

der Landeshauptmann, Landeshauptmänner (A) 79

das Landesparlament, -e 79

die Landesregierung, -en 79

der Landkreis, -e 79

der Landrat, Landräte 79

die Landrätin, -nen 79

das Landratsamt, Landratsämter 79

die Landschaft, -en 27

die Landstraße, -n 25, 44, 50

der Landtag, - 79

der Landwirt, -e 3, 27

die Landwirtin, -nen 3

die Landwirtschaft, -en 27, 73

das Landwirtschaftsprodukt, -e 27

lang, lange 20, 28, 33, 34, 52, 64, 70, 98

langärmelig 64

langsam 21, 31, 40

langweilig 19, 27, 35, 65

der Laptop['lɛptɔp], -s 51

der Lärm (nur Singular) 91

lassen, ließ, habe gelassen 39, 76, 77

laufen, lief, bin gelaufen 19, 21, 33, 49

die Laune, -n 35, 37

laut 23, 29, 31, 46

läuten (A, CH, süddt.) 47

läuten 55

leben 2, 4, 7, 64, 68

das Leben, - 27

die Lebensgefahr, -en 41

lebensgefährlich 41

der Lebensgefährte, -n 7

die Lebensgefährtin, -nen 7

der Lebenslauf, Lebensläufe 60

der Lebensstandard, -e 90

der Lebensunterhalt (nur Singular) 90

lebhaft 64

lecker 9, 14, 17

das Leder, - 27

ledig 2

leer 74

legen 49

das Lehrbuch, Lehrbücher 30

die Lehre, -n 56, 57, 58

lehren 56, 57

der Lehrer, - 3, 30, 31, 56, 62

die Lehrerin, -nen 3, 30, 31, 56, 62, 70

die Lehrerschaft, -en 62

der Lehrling, -e 58

leicht 15, 27, 31, 41, 42

Leid tun 37, 45

das Leid, -en 9, 37, 45

leiden können 38

leiden, litt, habe gelitten 42, 91

leider 9, 26, 37, 55, 63, 76, 78

leihen, lieh, habe geliehen 30

leise 31

leisten 41

die Leistung, -en 72, 81

der Leiter, - 60

die Leiterin, -nen 60

die Leitseite, -n 53

die Leitung, -en 55

lenken 50

das Lenkrad, Lenkräder 50

lernen 3, 31, 56, 57, 61

lesen, las, habe gelesen 18, 20, 24, 31, 46, 53, 56, 61, 62, 65, 76

der Leser, - 65

die Leserin, -nen 65

letzter, letztes, letzte 11, 85

die Leute (nur Plural) 4, 10, 28, 66

liberal 81

der/die Liberale, -n 81

der Liberalismus (nur Singular) 81

das Licht, -er 48, 63

der Lichtschalter, - 48

lieb 18, 20, 35, 52, 78

die Liebe (nur Singular) 7, 38, 62, 65

lieben 7, 8, 20, 33, 38

der Liebesfilm, -e 65

der Liebesroman, -e 65

der Lieblingssport, Lieblingssportarten 69

das Lied, -er 19, 31, 32

liefern 74

die Lieferung, -en 74

liegen, lag, habe gelegen 28, 29, 42, 46, 49

der Lift, -e 26

die Linie, -n 21, 24

der Link, -s 53

linker, linkes, linke 24, 25, 81

links 13, 25, 26, 80, 81

die Liste, -n 13

der Liter, - 13

die Literatur, -en 57, 65

der Lkw, -s (Abkürzung für Lastkraftwagen) 50

das Loch, Löcher 91

locker 98

lockig 33

der Löffel, - 16

der Lohn, Löhne 59, 71, 72

London 4

der Londoner, - 4

die Londonerin, -nen 4

los 66

lösen, etwas lässt sich lösen 76

losfahren, fuhr los, bin losgefahren 22, 63

losgehen, ging los, bin losgegangen 63

die Lösung, -en 8

das Lotto (nur Singular) 10

die Luft, Lüfte 29, 91

die Luftfeuchtigkeit (nur Singular) 29

die Luftpost (nur Singular) 15

Lust haben (nur Singular) 66

die Lust, Lüste 19, 38

lustig 9, 19, 65

Luxemburg 83

der Luxus (nur Singular) 47

M

machbar 64

machen 1, 11, 12, 14, 15, 16, 17, 18, 20, 22, 24, 28, 56, 64, 65, 66, 69

machen, etwas lässt sich machen 77

das Mädchen, - 36, 62

der Magen, Mägen 33

mager 17, 43

die Magersucht (nur Singular) 43

magersüchtig 43

der Magister, - 57

mähen, mähen lassen 77

die Mahlzeit, -en 12, 17, 23

der Mai, -e 11, 62

die Mail [me:l], -s 53

mailen ['me:lən] 20, 53

der Makler, - 46

die Maklerin, -nen 46

mal 45, 75, 97

das Mal, -e 11

malen 62, 65

der Maler, - 65

die Malerin, -nen 65

die Mama, -s 6

die Mami, -s 6

manch, manche 10, 19

manchmal 8

die Mango, -s 75

der Mann, Männer 12, 62, 67, 88

das Männlein, - 62

männlich 88

die Mannschaft, -en 62

der Mantel, Mäntel 34

die Margarine, -n 13

die Marille, -n (A) 14

markieren 31

der Markt, Märkte 14, 73

der Marktplatz, Marktplätze 25

der Mars (nur Singular) 99

der März, -e 11, 67

die Maschine, -n 58

maskulin 62

die Maßnahme, -n 91

das Material, -ien 58

die Mathematik (nur Singular) 56, 57

die Matura (nur Singular) (A, CH) 56

die Maus, Mäuse 51

mausgrau 64

der Mechaniker, - 3

die Mechanikerin, -nen 3

das Medikament, -e 40, 73

die Medizin (nur Singular) 57

das Meer, -e 28

megageil 66

die Mehlspeise, -n 18

mehr 14, 63, 78, 88, 97

die Mehrheit, -en 80, 89

meinen 44, 85

die Meinung, -en 44, 62, 78, 86

meist 84

meistens 18

der Meister, - 58, 61, 64

meisterhaft 64

die Meisterin, -nen 58

die Meister-Prüfung, -en 58

das Meldeamt, Meldeämter 79

melden 55

die Melone, -n 45

die Menge, -n 73

die Mensa, -s / Mensen 18

der Mensch, -en 4, 19, 33, 64, 68, 89, 90, 99

menschenwürdig 90

das Menü [me'ny:], -s 18

die Messe, -n 4

messen, maß, habe gemessen 40

das Messer, - 16

die Metzgerei, -en 14

Mexiko 98

die Miete, -n 46, 47

mieten 46

der Mieter, - 46

die Mieterin, -nen 46

das Mietshaus, Mietshäuser 46

der Mietvertrag, Mietverträge 46

der Migrant, -en 89

die Migrantin, -nen 89

die Migration, -en 83, 89

die Milch (nur Singular) 13, 27, 49, 73

die Milchstraße (nur Singular) 99

mild 17

das Militär, -s 84

das Militärbündnis, -se 84

militärisch 84, 99

die Million, -en 62

die Minderheit, -en 89

das Mindesteinkommen, - 90

das Mineralwasser, - 13, 45

der Minister, - 80

die Ministerin, -nen 80

der Ministerpräsident, -en 79

die Ministerpräsidentin, -nen 79

das Minus (nur Singular) 10

minus 10, 71

mischen 70

der Mist (nur Singular) (A) 91

der Mistkübel, - (A) 48

mit 95

der Mitarbeiter, - 18

mitbringen, brachte mit, habe mitgebracht 9, 30

der Mitbürger, - 88

die Mitbürgerin, -nen 88

miteinander 68, 86

das Mitglied, -er 81, 83, 84

das Mitgliedsland, Mitgliedsländer 83

mitkommen, kam mit, bin mitgekommen 63, 76

mitnehmen, nahm mit, habe mitgenommen 76

der Mitschüler, - 8, 56

die Mitschülerin, -nen 8, 56

der Mitstudent, -en 8, 57

die Mitstudentin, -nen 8, 57

der Mittag, -e 12, 18, 62

das Mittagessen, - 9, 12, 17

mittags 12, 18

die Mitte, -n 11, 81

mitteilen 52, 87

Mitteleuropa 83

der Mittwoch, -e 11

die Möbel (nur Plural) 46, 48

das Möbelstück, -e 48

das Mobiltelefon, -e 55

möbliert 46
der Modalpartikel, - 93, 94
das Modalverb, -en 61
die Mode, -n 34
die Modekollektion, -en 34
der Moderator, -en 54
die Moderatorin, -nen 54
modern 16, 34, 48, 64
modisch 34
das Mofa, -s 50
mögen, ich möchte 15, 75,
     77
mögen, mochte, habe
     gemocht 9, 20, 38, 75
möglich 64, 76
möglicherweise 77
die Möglichkeit, -en 62, 76,
     94, 95
der Moment, -e 45, 55
momentan 2, 3
die Monarchie, -n 80
der Monat, -e 11, 53
das Monatsgehalt,
     Monatsgehälter 71
der Mond, -e 99
die Mondlandung, -en 99
der Monitor, -e 51
der Montag, -e 11, 62
montags 11
der Mord, -e 69, 82
der Mörder, - 82
die Mörderin, -nen 82
morgen 9, 29, 63, 66, 76,
     77, 78
der Morgen, - 1, 12, 62
morgens 12
die Moschee, -n 92
Moskau 4
der Moskauer, - 4
die Moskauerin, -nen 4
der Moslem, -s 92
die Moslimin, -nen 92
die Motivation, -en 59
der Motor, -en 50
das Motorboot, -e 28
das Motorrad, Motorräder
     50
müde 64
der Müll (nur Singular) 91
der Mülleimer, - 48
der Münchner, - 4

die Münchnerin, -nen 4
der Mund, Münder 32, 33
mündlich 12
das Münztelefon, -e 55
das Museum, Museen 19,
     24, 85
die Musik, -en 20, 32, 68
der Musikkurs, -e 58
die Musiksendung, -en 54
müssen, ich müsste 77
müssen, musste, habe
     gemusst 11, 76
der Mut (nur Singular) 64
mutig 75
mutlos 64
die Mutter, Mütter 6
die Muttersprache, -n 61
der Muttersprachler, - 61
die Muttersprachlerin, -nen
     61
die Mutti, -s 6
die Mütze, -n 34

N

nach 25, 96
nach Hause 21
nach und nach 17
der Nachbar, -n 8
die Nachbarin, -nen 8
das Nachbarland,
     Nachbarländer 98
die Nachbarschaft, -en 8
nachbarschaftlich 98
der Nachbarstaat, -en 98
nachdem 96
die Nachfrage, -n 73
nachfragen 85
nachher 79
der Nachmittag, -e 12
nachmittags 12
die Nachricht, -en 32, 53
die Nachrichten (nur
     Plural) 54
die Nachrichtensendung, -
     en 54
der Nachrichtensprecher, -
     54
die Nachrichtensprecherin,
     -nen 54
nachschlagen, schlug nach,
     habe nachgeschlagen 61

die Nachspeise, -n 18
nachsprechen, sprach nach,
     habe nachgesprochen 31
nächster, nächstes, nächste
     11, 25, 77
die Nacht, Nächte 1, 12,
     23, 62, 68
die Nachtarbeit, -en 3
der Nachteil, -e 88
der Nachtisch, -e 18
nachts 12
nah 25
die Nähe (nur Singular) 25,
     27, 47
der Name, -n 2, 19, 20, 52,
     55, 60
der Namenstag, -e 36, 67
die Nase, -n 32, 33
nass 29
national 80
der Nationalfeiertag, -e 67
der Nationalrat,
     Nationalräte (A, CH) 80
die Nationalratswahl, -en
     (CH, A) 81
die NATO (= das nord-
     atlantische Bündnis)
     (nur Singular) 84
die Natur, -en 62, 91
natürlich 27
die Naturwissenschaft, -en
     57
der Nebel, - 29
neben 13, 24, 49
nebenher 96
der Nebenjob, -s 96
die Nebenkosten (nur
     Plural) 46
die Nebenrolle, -n 65
die Nebensaison [zɛˈʒɔŋ]
     (nur Singular) 28
der Nebensatz, Nebensätze
     93, 94, 95, 96
neblig 29
der Neffe, -n 6
die Negation, -en 97
nehmen, nahm, habe
     genommen 18, 23, 24,
     39, 40, 45, 69, 76, 78
nein 97
nervös 35

nett 9, 35, 66
das Nettogehalt,
     Nettogehälter 71
das Netz, -e 53, 90
neu 16, 24, 46, 47, 51, 61,
     67, 72, 79
der Neubau, Neubauten 47
das Neue (nur Singular) 28
Neujahr (ohne Artikel) 67
New York [njuːˈjɔːk] 4
der New Yorker
     [njuːˈjɔːkɐ], - 4
die New Yorkerin
     [njuːˈjɔːkɐrɪn], -nen 4
nicht ... sondern 97
nicht 44, 64, 97
nicht ganz 85
die Nichte, -n 6
der Nichtraucher, - 43
die Nichtraucherin, -nen
     43
die Nicht-Raucherzone, -n
     43
nicken 33
nie 97
die Niederlande 83
sich niederlassen 89
niedrig 74
niemals 97
niemand 63, 97
das Nikotin (nur Singular)
     43
nikotinsüchtig 43
nimmer 97
nirgends 97
noch 14, 85, 94
noch etwas 18
noch mal 5, 85
das Nomen, - 61, 96, 97
nominal 96
das nordatlantische
     Bündnis (= NATO)
     (nur Singular) 84
der Norden (nur Singular)
     83
Nordeuropa 83
nordeuropäisch 83
nördlich 83
normal 15
normalerweise 11, 15
die Not, Nöte 84

die Notaufnahme, -n 41
der Notausgang,
    Notausgänge 26
die Note, -n 56
nötig 76
die Notrufnummer, -n 41
notwendig 76
die Notwendigkeit, -en 76
der November, - 11
die Nudel, -n 13
die Nummer, -n 10, 79
nur 20, 25, 75
nutzen 91

O

ob 77
obdachlos 90
der Obdachlose, -n 90
oben 26, 63
der Ober, - 18
der Oberkörper, - 40
das Objekt, -e 61
das Obst (nur Singular) 14,
    73, 75
der Obstsalat, -e 18
die Obsttorte, -n 14
obwohl 94
öde 66
oder 66
der Ofen, Öfen 16
offiziell 12, 52, 67, 83, 92
öffnen 18, 51, 53, 63, 67
oft, öfter 8, 11, 12, 18
ohne 15, 64, 90
das Ohr, -en 32, 33, 39
ökologisch 81
der Oktober, - 11
das Öl, -e 13, 17
die Olympischen Spiele
    (nur Plural) 69
die Oma, -s 6
die Omi, -s 6
der Onkel, - 6
online [ɔn'lain] 53
der Opa, -s 6
die Oper, -n 19
die Operation, -en 41, 42
operieren 41
das Opfer, - 82
die Opposition, -en 80

die Orange [o'rãːʒə,
    o'raŋʒə], -n 14
der Orangensaft,
    Orangensäfte 13
das Orchester, - 19
die Ordinalzahl, -en 36
die Ordination, -en (A) 40
ordnen 31
der Ordner, - 51
die Ordnung, -en 5, 62
das Ordnungsamt,
    Ordnungsämter 79
die Organisation, -en 72,
    83, 84
das Organisationsgeschick
    (nur Singular) 59
das Organisationstalent, -e
    59
organisieren 72
der Ort, -e 59, 69, 97
örtlich 59
der Ortsteil, -e 46
Ostasien 92
Ostdeutschland 67
der Osten (nur Singular) 83
die Osterferien (nur Plural)
    67
der Ostermontag, -e 67
(das) Ostern, - 11, 67
Österreich 4, 28, 79, 80, 83,
    84
der Österreicher, - 4
die Österreicherin, -nen 4
der Ostersonntag, -e 67
Osteuropa 83
osteuropäisch 83
östlich 83
der Overhead-Projektor
    [oːvɐhɛt], -en 30
das Ozon (nur Singular) 91
das Ozonloch (nur
    Singular) 91
die Ozonschicht (nur
    Singular) 91

P

das Päckchen, - 15
die Packung, -en 40
die Packungsbeilage, -n 40
die Pädagogik (nur
    Singular) 57

das Paket, -e 13, 15, 24
die Palme, -n 28
die Panne, -n 50
der Papa, -s 6
der Papi, -s 6
das Papier, -e 30, 63
der Papierkorb,
    Papierkörbe 49
die Paprika, -s 14, 17
der Paradeiser, - (A) 14
Paris 4
der Pariser, - 4
die Pariserin, -nen 4
der Park, -s 20
parken 24
parkieren (CH) 24
der Parkplatz, Parkplätze
    21, 50
die Parkuhr, Parkuhren 50
das Parlament, -e 80, 81
die Partei, -en 81, 97
das Parteiprogramm, -e 81
der Parteitag, -e 81
der / die Parteivorsitzende,
    -n 81
das Parterre [par'tɛrə], -s (A)
    26, 47
der Partner, - 7
die Partnerin, -nen 7
das Partnerland,
    Partnerländer 98
die Partnerregion, -en 98
die Partnerschaft, -en 98
die Partnerschule, -n 98
die Partnerstadt,
    Partnerstädte 98
die Party ['paːɐti], -s 9, 29
der Pass, Pässe 5
passen 16
passend 16
passieren 32, 41
die Passnummer, -n 10
der Patient, -en 40, 42
die Patientin, -nen 40, 42
die Pauschalreise, -n 28
die Pause, -n 22, 56, 72
der Pazifik 98
der Pazifikstaat, -en 98
das Pech (nur Singular) 10,
    70
pechschwarz 64

peinlich 32
die Pension, -en 23, 71
der Pensionär, -e 71
die Pensionärin, -nen 71
sich pensionieren lassen,
    ließ (mich) pensio-
    nieren, habe (mich)
    pensionieren lassen 71
der Pensionierte, -n (CH)
    71
der Pensionist, -en 3, 71
die Pensionistin, -nen 3, 71
per Express 15
die Person, -en 2, 62, 65, 97
der Personalausweis, -e 5
der Personalchef, -s 59
die Personalchefin, -nen 59
persönlich 52
die Petersilie (nur Singular)
    17
die Pfanne, -n 16
der Pfeffer (nur Singular)
    17
der Pfeil, -e 61
das Pferd, -e 27
das Pferdefleisch (nur
    Singular) 27
das Pflaster, - 39
die Pflaume, -n 14
die Pflege (nur Singular) 90
das Pflegeheim, -e 90
pflegen 42, 90
die Pflegeversicherung, -en
    90
die Pflicht, -en 72
das Pfund, -e 13, 14
die Pharmaindustrie
    (nur Singular) 73
die Physik (nur Singular)
    57
pikant 16
der PIN-Code ['pinkoːd], -s
    10
der Pinienkern, -e 17
die Pizza, -s (auch: Pizzen)
    13
der PKW, -s (Abkürzung für
    Personenkraftwagen) 50
das Plakat, -e 74
der Plan, Pläne 77
planen 8, 77

die Reiseleiterin, -nen 28
der Reisepass, Reisepässe 5
die Reisezeit, -en 28
relativ 83
die Religion, -en 92
religiös 67, 92
rennen, rannte, bin gerannt 21
renovieren 46, 47
die Rente, -n 71, 90
die Rentenversicherung, -en 90
der Rentner, - 3, 71
die Rentnerin, -nen 3, 71
die Reparatur, -en 50, 74
reparieren 50, 74, 77
reparieren lassen, ließ reparieren, habe reparieren lassen 77
die Reportage [repɔr'ta:ʒə], -n 54
der Reporter, - 53
die Reporterin, -nen 53
die Reservation, -en 22
reservieren 18, 19,22, 23, 75
das Restaurant [rɛsto'rã:], -s 18, 27, 67, 78
der Restaurantbesuch, -e 18
die Rettung, -en 41
das Rezept, -e 17, 40
der Rhythmus, -en 28
der Richter, - 82
die Richterin, -nen 82
richtig 27, 31, 61, 66, 79, 85
die Richtung, -en 25, 63, 93
riechen, roch, habe gerochen 32, 33
die Riesenfete, -n 36
der Riesenhunger (nur Singular) 17
riesig 37
das Rind, -er 27
das Rindfleisch (nur Singular) 27
das Risiko, Risiken 90
der Rock, Röcke 34
das Rockkonzert, -e 19
die Rockmusik, -en 19
das Rollenspiel, -e 31

der Rollstuhlfahrer, - 90
die Rollstuhlfahrerin, -nen 90
die Rolltreppe, -n 21
Rom 4
der Roman, -e 65
romantisch 22, 38
der Römer, - 4
die Römerin, -nen 4
römisch 10
der Röntgenarzt, Röntgenärzte 42
die Röntgenärztin, -nen 42
die Röntgenaufnahme, -n 42
die Röntgenstation, -en 42
rosa 64
rosarot 64
rot 10, 64
rotgrün 64
rüber 25
rufen, rief, habe gerufen 87
die Ruhe (nur Singular) 20, 42
der Ruhestand (nur Singular) 71
ruhig 23, 27, 46
der Ruhm (nur Singular) 43
ruhmessüchtig 43
der Rundfunk (nur Singular) 54
runter 25
runterfahren, fuhr runter, bin runtergefahren 25
runterkommen, kam runter, bin runtergekommen 63
der Russe, -n 4
die Russin, -nen 4
russisch, das Russische 62
Russland 4, 99

S

der Sachbearbeiter, - 52
die Sachbearbeiterin, -nen 52
die Sache, -n 69, 85
die Sachertorte, -n 14
die Säge, -n 58

sagen 12, 26, 44, 45, 85, 86, 87
die Sahne (nur Singular) 17
die Saison [zɛ'zɔŋ] (nur Singular) 28
die Salami, -s 13
der Salat, -e 14, 45
die Salbe, -n 40
das Salz, -e 17
salzig 14, 17
sammeln 81
der Samstag, -e 11
die Sandale, -n 34
der Sänger, - 19
die Sängerin, -nen 19
der Satellit, -en 99
das Satellitenfernsehen, - 99
das Satellitenfoto, -s 99
die Satellitenschüssel, -n 99
satt 9, 17, 84
der Saturn (nur Singular) 99
der Satz, Sätze 61
sauber 39
saudoof 66
sauer 14, 17, 32, 38
die S-Bahn, -en 21
das Schach (nur Singular) 70
Schach spielen 70
das Schachbrett, -er 70
die Schachfigur, -en 70
schade 37
schaden 91
der Schaden, Schäden 91
der Schadstoff, -e 91
das Schaf, -e 27
schaffen, schuf, habe geschaffen 84
der Schaffner, - 22
die Schaffnerin, -nen 22
der Schafskäse, - 27
der Schalter, - 15
scharf 17
schauen 32, 33
das Schaufenster, - 74
der Schaufensterbummel, - 24
der Schauspieler, - 3, 19

die Schauspielerin, -nen 3, 19
der Scheck, -s 15
sich scheiden lassen 7
die Scheidung, -en 7
scheinen, schien, hat geschienen 29
schenken 67
die Schere, -n 39
Schi fahren, fuhr Schi, bin Schi gefahren 20, 28, 69
Schi laufen, lief Schi, bin Schi gelaufen 28
der Schi, -er 20, 28, 69
die Schicht, -en 91
schick 34, 74
schicken 15, 41, 52, 74
schießen, schoss, habe geschossen 99
der Schifahrer, - 69
die Schifahrerin, -nen 69
das Schiff, -e 22
das Schilaufen (nur Singular) 41
das Schild, -er 14
schimpfen 86
der Schinken, - 13
die Schipiste, -n 28
der Schlafbereich, -e 48
das Schlafzimmer, - 46, 47
die Schlagzeile, -n 53
schlecht 19, 32, 33, 35, 40, 56, 65, 68, 74, 90, 91, 97
schlecht gelaunt 35
schlendern 21
schließen, schloss, habe geschlossen 21, 51, 53, 63, 67, 78, 84
schlimm 45
Schlittschuh fahren, fuhr Schlittschuh, bin Schlittschuh gefahren 28
Schlittschuh laufen, lief Schlittschuh, bin Schlittschuh gelaufen 28
der Schlittschuh, -e 28
das Schloss, Schlösser 49
Schluss machen 55
der Schluss, Schlüsse 17
der Schlüssel, - 49

die Sozialversicherung, -en
90

die Soziologie
(nur Singular) 57

die Spaghetti (nur Plural)
13

Spanien 83

spannend 19, 65

das Sparbuch, Sparbücher
15

sparen 15, 16

die Sparkasse, -n 24

das Spar-Konto, Spar-
Konten 15

der Spaß, Späße 20, 70

spät 9, 88

später 55

spazieren gehen, ging spazieren, bin spazieren
gegangen 21, 24, 69

der Spaziergang,
Spaziergänge 28

speichern 51

die Speise, -n 18

die Speisekarte, -n 18

der Speisewagen, - 22

der Spiegel, - 39, 48

das Spiel, -e 31, 70

die Spielanleitung, -en 70

spielen 8, 19, 31, 69, 70

der Spieler, - 70

die Spielerin, -nen 70

die Spielkarte, -n 70

die Spielregel, -n 70

die Spielsachen (nur
Plural) 70

das Spielzeug (nur
Singular) 70

das Spielzeugauto, -s 70

die Spielzeugeisenbahn,
-en 70

das Spital, Spitäler (A, CH)
41

spitze 66

die Spitze, -n 80

der Spitzer, - 30

der Sport (nur Singular) 11,
12, 20, 53

Sport treiben, trieb Sport,
habe Sport getrieben 20,
28, 69, 76

der Sport, Sportarten 56,
69, 94

die Sportart, -en 69

das Sportgerät, -e 69

die Sporthalle, -n 69

der Sportler, - 62, 69

die Sportlerin, -nen 62, 69

sportlich 34, 69

die Sportschau
(nur Singular) 54

die Sprache, -n 61, 62, 68,
83

die Sprachkenntnis, -se 2

sprachlich 83

die Sprachschule, -n 61

sprechen, sprach, habe
gesprochen 8, 31, 33, 55,
59, 61, 82, 86, 90

die Spritze, -n 41

die Spüle, -n 16

der Staat, -en 80, 88, 98

staatlich 67, 91

die Staatsangehörigkeit, -en
89

die Staatsgrenze, -n 5

die Stadt, Städte 24, 47, 71,
79

der Stadtbewohner, - 4

die Stadtbewohnerin, -nen
4

die Stadtbücherei, -en 24

der Stadtpark, -s 24, 47

der Stadtplan, Stadtpläne
24, 25

der Stadtpräsident, -en
(CH) 79

die Stadtpräsidentin, -nen
(CH) 79

die Stadtrundfahrt, -en 24

der Stadtteil, -e 46, 68

das Stadtteilfest, -e 68

stammen aus 89

das Standesamt,
Standesämter 79

ständig 66

stark 40, 42, 64, 66, 73, 91

starten 99

die Station, -en 42

statt 14, 91

stattfinden, fand statt, hat
stattgefunden 29, 68

der Stau, -s 21, 50, 93

das Steak [ste:k], -s 13

die Steckdose, -n 48

stecken 49

im Stehen 18

stehen, stand, habe ge-
standen 21, 34, 49, 88

die Stehlampe, -n 49

steigen, stieg, bin gestiegen
73, 90

die Stelle, -n 3, 59, 71, 96

stellen 30, 49, 79

die Stellenanzeige, -n 59

sterben, starb, bin gestorben
88

der Stern, -e 99

die Steuer, -n 71, 79

die Stewardess [stˈjuːɐdɛs],
-en 22

der Stiefel, - 34

die Stiege, -n 2

der Stift, -e 30

der Stil, -e 96, 97

die Stille (nur Singular) 87

stimmen 44

die Stimmung, -en 66

der Stock, Stöcke 10, 26

das Stockwerk, -e 26

die Strafe, -n 82

der Strand, Strände 28

die Straße, -n 2, 8, 21, 25,
41, 49

die Straßenbahn, -en 21, 85

der Straßenverkehr
(nur Singular) 21

streichen, strich, habe
gestrichen 46

das Streichholz,
Streichhölzer 43

der Streik, -s 72

streiken 72

der Streit, -e 7, 86

sich streiten, stritt mich,
habe mich gestritten 7,
8, 86

der Stress (nur Singular) 97

der Strom, Ströme 16, 46,
91

die Strumpfhose, -n 34

das Stück, -e 14

der Student, -en 3, 57, 62

die Studentin, -nen 3, 57,
62

das Studienfach,
Studienfächer 57

das Studienjahr, -e 57

studieren 3, 56, 57, 77

der Studierende, -n 3, 18

das Studio, -s 48

das Studium, Studien 56,
57, 58, 60, 62, 96

der Stuhl, Stühle 16, 30,
48, 49

stumm 90

der/die Stumme, -n 90

stundenlang 32

der Stundenlohn,
Stundenlöhne 71

der Sturm, Stürme 29

stürzen 41

das Subjekt, -e 61

die Subjunktion, -en 93, 94,
95, 96

das Substantiv, -e 61, 62

die Suche, -n 59, 62

suchen 3, 8, 13, 23, 25, 30,
46, 59, 71, 96, 97

die Sucht, Süchte 43

süchtig 43

der/die Süchtige, -n 43

der/die Suchtkranke, -n 43

der Süden (nur Singular)
83

Südeuropa 83

südeuropäisch 83

südlich 83

die Summe, -n 10

super 9, 66

superelegant 64

superklug 64

der Supermarkt,
Supermärkte 13

superteuer 64

surfen [ˈsəːfn̩] 20, 53

süß 14, 17, 18, 32, 35, 66

sympathisch 35

die Tüte, -n 13
die TV-Komödie, -n 54
der Typ, -en 66

U

die U-Bahn, -en 21, 24
die U-Bahn-Haltestelle, -n 21
üben 31, 61
über 25, 49, 88
überall 69
überfahren, überfuhr, habe überfahren 41
überfallen, überfiel, habe überfallen 82
überhaupt 75, 97
überhaupt nicht 97
überholen 41, 50
das Überholverbot, -e 41, 50
übernehmen, übernahm, habe übernommen 76
überqueren 41
die Überraschung, -en 95
überreden 86
die Überschrift, -en 53
übersetzen 31, 61
übersiedeln (A) 46
überweisen, überwies, habe überwiesen 74
die Überweisung, -en 15
überzeugen 86
die Übung, -en 30, 61
die Uhr, -en 12
die Uhrzeit, -en 12, 45
um 26
um Erlaubnis bitten, bat um Erlaubnis, habe um Erlaubnis gebeten 78
um Hilfe schreien, schrie um Hilfe, habe um Hilfe geschrien 87
um Rat fragen 78
die Umgangssprache, -n 66
umkreisen 99
sich ummelden 79
umrühren 16, 17
umschalten 54

umschreiben, umschrieb, habe umschrieben 85
der Umstand, Umstände 97
umsteigen, stieg um, bin umgestiegen 22
umtauschen 74
der Umweg, -e 44
die Umwelt, -en 81, 91
umweltfeindlich 91
umweltfreundlich 91
die Umweltpartei, -en 81
der Umweltschutz (nur Singular) 91
der Umweltschützer, - 91
die Umweltschützerin, -nen 91
die Umweltverschmutzung, -en 91
umziehen, zog um, bin umgezogen 46, 59, 79
der Umzug, Umzüge 46, 48, 59, 79
die Umzugsfirma, Umzugsfirmen 46
der Umzugskarton, -s 46
der Umzugswagen, - 46
unbedingt 17, 50, 59, 63
unbekannt 61, 64
unbestimmt 96
uncool [ʊnkuːl] 66
der Unfall, Unfälle 41
unfreundlich 23, 35, 64
ungeduldig 35
ungefährlich 37, 41
ungemütlich 64
ungerade 10
die ungerade Zahl, -en 10
unglaublich 90
unglücklich 35
die Unglückszahl, en 10
unhöflich 35
uninteressant 65
die Union, -en 83
die Universität, -en 8, 56, 57, 60, 62
unmöglich 64, 76
die UNO (= die Vereinten Nationen) 84
die UNO-Delegation, -en 84
der UNO-Soldat, -en 84

das Unrecht (nur Singular) 44
die Unschuld (nur Singular) 82
unschuldig 82
der Unsinn (nur Singular) 44
unsympathisch 35
unten 26, 49, 63, 88
unter keinen Umständen 97
unterhalten, unterhielt, habe unterhalten 31, 61, 86
unterhaltsam 65
die Unterhaltung, -en 65
die Unterhaltungssendung, -en 54
das Unterhemd, -en 34
die Unterhose, -n 34
die Unterlagen (nur Plural) 52
die Untermiete, -n 46
das Unternehmen, - 73
der Unternehmer, - 71, 72
die Unternehmerin, -nen 71
der Unterricht, -e 31, 56
unterrichten 56
die Unterrichtsstunde, -n 56
der Unterrock, Unterröcke 34
unterschreiben, unterschrieb, habe unterschrieben 46, 83
die Unterschrift, -en 81
unterstellen 23
unterstreichen, unterstrich, habe unterstrichen 31
der Unterstrich, -e 2
untersuchen 40
die Untersuchung, -en 40
die Unterwäsche (nur Singular) 32
unwichtig 35
die Urkunde, -n 79
der Urlaub, -e 11, 22, 28, 77
der Urlaubsprospekt, -e 95
das Urteil, -e 82
die USA 4, 84, 98

der US-Amerikaner, - 4
die US-Amerikanerin, -nen 4

V

der Vater, Väter 6, 62
der Vati, -s 6
der Vegetarier, - 17
die Vegetarierin, -nen 17
vegetarisch 17
die Venus (nur Singular) 99
verändern 33, 83, 89
die Veränderung, -en 83
die Veranstaltung, -en 68
verantwortlich für 59
die Verantwortung, -en 59, 81
das Verb, -en 61, 97
verbieten, verbot, habe verboten 78
verbinden, verband, habe verbunden 55
das Verbot, -e 78
verboten 43
der Verbraucher, - 95
die Verbraucherin, -nen 95
das Verbrechen, - 82
der Verbrecher, - 82
die Verbrecherin, -nen 82
verbreiten 92
verbringen, verbrachte, habe verbracht 8
verdienen 59, 71, 90, 96
der Verdienst, -e 59
die Vereinigten Staaten von Amerika (nur Plural) 4
die Vereinten Nationen (= UNO) (nur Plural) 84
die Vergangenheit (nur Singular) 96
vergessen, vergaß, habe vergessen 30, 39, 77
vergiften 91
der Vergleich, -e 64
das Vergnügen, - 43, 65
die Vergnügungssucht (nur Singular) 43
vergnügungssüchtig 43
verhaften 82
die Verhaftung, -en 82
verhandeln 72, 83, 84

weg 63

wegen 93

wegfahren, fuhr weg,
bin weggefahren 63

weggehen, ging weg,
bin weggegangen 66

das Weggli, - (CH) 14

wegschauen 32

wegsehen, sah weg,
habe weggesehen 32

wehen 29

wehtun, tat weh, hat
wehgetan 40

weiblich 88

(das) Weihnachten, - 67

der Weihnachtsfeiertag, -e
67

die Weihnachtsferien
(nur Plural) 67

das Weihnachtsfest, -e 67

das Weihnachtsgeld
(nur Singular) 72

die Weihnachtskarte, -n 67

weil 93

der Wein, -e 9, 18

die Weise, -n 95

das Weißbrot, -e 14

der Weißwein, -e 17

weit 25

weiter 25

weiterarbeiten 30

weiterbilden 58

die Weiterbildung
(nur Singular) 58

weiterfahren, fuhr weiter,
bin weitergefahren 25,
78

weiterhin 52

die Weiterreise, -n 5

welche, welchen, welches
85

die Welt, -en 20, 84, 98

das Weltall (nur Singular)
99

die Weltanschauung, -en 92

der Weltraum
(nur Singular) 99

die Weltreligion, -en 92

wenig 17, 63, 64, 72, 73, 88

weniger 97

wenn 96

die Werbeanzeige, -n 74

das Werbe-Argument, -e 74

werben, warb, habe
geworben 74

die Werbesendung, -en 74

die Werbung, -en 74

werden, ich würde 75, 77,
78

werden, wurde, bin
geworden 17

das Werk, -e 71

das Werkzeug, -e 58

der Westen (nur Singular)
83

der Western, - 65

Westeuropa 83

westeuropäisch 83

die Westküste, -n 98

westlich 83, 84

das Wetter, - 8, 29

der Wetterbericht, -e 29

wichtig 30, 35, 81, 84, 98

widersprechen, wider-
sprach, habe wider-
sprochen 44, 86

wie 1, 2, 29, 52, 85, 95

wieder 55, 77, 78

wiederaufbereiten 91

wiederholen 31, 85

Wiederschaun! 1

Wiedersehen! 1

wiederverwerten 91

Wien 4

der Wiener, - 4

die Wienerin, -nen 4

die Wiese, -n 27

der/die Wievielte 36

der Wille (nur Singular) 64

willensstark 64

willkommen 1, 20

der Wind, -e 29

windig 29

der Winter, - 11

der Winterhut, Winterhüte
34

der Winterstiefel, - 34

der Winterurlaub, -e 28

wirklich 9, 19, 65, 76, 78

die Wirtschaft
(nur Singular) 53, 73

wirtschaftlich 83, 91, 98

die Wirtschaftsbeziehung,
-en 98

die Wirtschaftskrise, -n 73

der Wirtschaftsminister,
- 80

die Wirtschaftspolitik
(nur Singular) 73, 80

die Wirtschaftswissenschaft,
-en 57

wissen, wusste, habe
gewusst 18, 20, 26, 31,
44, 45, 57, 77, 85

die Wissenschaft, -en 57

der Wissenschaftsaustausch,
-e 98

wo 2, 4, 13, 24, 25, 26, 49

die Woche, -n 11, 20, 53,
63

das Wochenende, -n 11, 66

wochentags 11

die Wochenzeitung, -en 53

woher 2, 4

wohin 11, 18, 49, 85

wohl 77

der Wohlstand
(nur Singular) 84

der Wohnbereich, -e 47

der Wohnblock,
Wohnblöcke 46

wohnen 2, 4, 7, 20, 27, 46,
47, 49, 64, 83

die Wohnfläche, -n 47

die Wohngemeinschaft
(= WG) 46

wohnhaft in 60, 64

das Wohnhaus,
Wohnhäuser 46

der Wohnort, -e 2

die Wohnung, -en 2, 46,
47, 90, 97

die Wohnungsanzeige, -n
46

die Wohnungsbesichtigung,
-en 46

die Wohnungseinrichtung,
-en 48

der Wohnungsmarkt,
Wohnungsmärkte 46

die Wohnungssuche, -n 46

die Wohnungstür, -en 48

das Wohnzimmer, - 46, 47,
48

die Wohnzimmerlampe, -n
48

die Wolke, -n 29, 64

wolkenlos 29, 64

die Wolle (nur Singular) 27

wollen, wollte, habe gewollt
20, 75, 76, 77

das World Wide Web
[vøelt'vait'vɛb]
(nur Singular) 53

das Wort, Wörter 31, 61,
62, 85

das Wörterbuch, Wörter-
bücher 31, 61

der Wortschatz,
Wortschätze 31

wunderbar 9, 16, 65

wunderschön 27

wundervoll 32

der Wunsch, Wünsche 75

wünschen 65, 75

der Würfel, - 70

würfeln 70

das Würfelspiel, -e 70

die Wurst, Würste 13, 18

das Würstchen, - 18

das Würstel, - 18

würzen 17

die Wut (nur Singular) 38

wütend 38

Y

der Yogakurs, -e 58

Z

die Zahl, -en 10, 89

zählen 10

zahlen 10, 18, 45, 90

der Zahn, Zähne 33, 39

der Zahnarzt, Zahnärzte
11, 40

die Zahnbürste, -n 39

die Zahncreme [kre:m], -s
39

die Zahnmedizin
(nur Singular) 77

die Zahnpasta, Zahnpasten
39

der Zahntechniker, - 58

die Zahntechnikerin, -nen 58

zauberhaft 65

der Zebrastreifen, - 21

der Zeichentrickfilm, -e 65

zeigen 30, 32, 33, 85

die Zeit, -en 11, 20, 45, 52, 75, 76, 77

die Zeit-Arbeit, -en 3

der Zeitpunkt, -e 96, 97

die Zeitrelation, -en 96

die Zeitschrift, -en 14, 24, 53

der Zeitschriftenladen, Zeitschriftenläden 14

die Zeitung, -en 20, 20, 53, 74

der Zeitungsartikel, - 53

die Zeitungsnachricht, -en 53

zentral 23, 46

das Zentrum, Zentren 46, 62

zerbrechlich 32

zerstören 91

die Zerstörung, -en 91

das Zertifikat, -e 58

der Zettel, - 30

das Zeugnis, -se 56

ziehen, zog, habe gezogen 7, 79

das Ziel, - 63

ziemlich 29, 65

die Ziffer, -n 10

die Zigarette, -n 14, 43

der Zigarettenladen, Zigarettenläden 14

das Zimmer, - 23, 26, 42, 46, 48, 75

die Zimmerreservierung, -en 23

die Zimmervermittlung, -en 23

der Zins, -en 15

die Zitrone, -n 14, 17

der Zoll, Zölle 5

der Zollbeamte, -n 5

die Zollbeamtin, -nen 5

zu 96

zu Ende 54

zu Fuß gehen, ging zu Fuß, bin zu Fuß gegangen 21

zu Hause 3, 11, 19, 28, 90

die Zucchini [tsʊˈkiːni], -s 17

der Zucker, - 64

zuckerfrei 64

zuerst 96

der Zug, Züge 21, 63, 75

der Zugbegleiter, - 22

die Zugbegleiterin, -nen 22

zugeben, gab zu, habe zugegeben 82

zugewandert 89

der/die Zugewanderte, -n 89

zugucken 32

zuhören 32, 33, 63

die Zukunft (nur Singular) 83

zum Beispiel 98

zumachen 45, 63

die Zunahme, -n 89

das Zündholz, Zündhölzer (A) 43

zunehmen, nahm zu, habe zugenommen 63, 89, 91

zur Zeit 63

Zürich 4

zurückbekommen, bekam zurück, habe zurückbekommen 74

zurückkommen, kam zurück, bin zurückgekommen 63

zusammen 7, 8, 10, 12, 14, 64

zusammen essen, aß zusammen, habe zusammen gegessen 12

zusammen sein, war zusammen, bin zusammen gewesen 37

zusammen wohnen 7

zusammenleben 7

das Zusammenleben, - 89

zusammenpassen 16

der Zusammenschluss, Zusammenschlüsse 84

zusammensitzen, saß zusammen, habe zusammen gesessen 12

zusammenwachsen, wuchs zusammen, ist zusammengewachsen 83

zusammenziehen 7

zuschauen 32

der Zuschauer, - 65

die Zuschauerin, -nen 65

zusehen, sah zu, habe zugesehen 32, 63

zustimmen 44, 80, 86

der Zuwanderer, - 89

die Zuwanderin, -nen 89

zuwandern 89

die Zuwanderung, -en 89

der Zweck, -e 99

zweifeln an 77

zweimal 20

die Zwei-Zimmer-Wohnung, -en 46

die Zwiebel, -n 17

zwischen 49, 98

die Zwischenprüfung, -en 56

Lösungen

1.

1) Was fehlt? Ergänzen Sie die Buchstaben.
1. Ihnen 2. Auf Wiedersehen 3. bis bald 4. Guten Abend
5. Grüß Gott! 6. wie geht es dir

2) Begrüßung oder Abschied?
Begrüßung: Gruezi!, Guten Tag!, Grüß dich!, Grüß Gott!,
Guten Abend!
Verabschiedung: Bis bald!, Adieu!, Ciao!, Baba!, Auf
Wiedersehen!, Gute Nacht!

3) Was passt zusammen?
2. Tschüs Uli, mach's gut / bis bald! 3. Auf Wiedersehen,
Herr Seebald, und bis bald! 4. Hallo Christian, wie geht's?

4) Zwei Dialoge
Dialog 1:
- Grüß dich, Klaus, wie geht es dir?
- Hallo, Ute, danke gut. Und dir?
- Auch gut, danke, aber ich bin in Eile.
- Ja dann – mach's gut!
- Du auch, tschüs!

Dialog 2:
- Tag, Herr Wuttke!
- Guten Tag, Frau Doktor Welke! So ein schöner Tag –
  haben Sie Zeit für einen Kaffee?
- Ja, gern – hier ist ja schon ein Café. Oh, es ist heute
  geschlossen.
- Na dann – vielleicht morgen? Auf Wiedersehen und
  einen schönen Tag noch!
- Danke, ebenfalls! Auf Wiedersehen!

5) Wen begrüßt man wie?
1. auch: Hi, Sven! 2. Hallo, Vera, wie geht's? / Grüß dich,
Vera! / Hi, Vera! 3. Guten Tag, Frau Mertens! 4. Guten
Tag, Herr (Dr.) Melcuk! 5. Grüß dich, Peter! / Hallo,
Peter! / Hi, Peter, (wie geht's)?

2.

1) Was passt?
2. a, 3. b, 4. e, 5. c

2) Was passt nicht?
1. höflich 2. grüßen 3. Adresse

3) der – das – die?
der: Beruf, Name, Wohnort, Punkt
das: Alter, Fax, Telefon
die: Telefonnummer, Vorwahl, Adresse, Straße

4) Kombinieren Sie:
der Vorname; die Telefonnummer, die Hausnummer;
der Bindestrich, der Unterstrich

5) Ergänzen Sie das Formular:
Bewerbung für ein Stipendium

Vorname:	Klaus
Familienname:	Meyertaler
Ihre Adresse: Straße, Hausnummer:	Geigerstr. 19
Postleitzahl:	80689
Wohnort:	München
Telefon:	(089) 55 68 71
Fax:	(089) 55 68 71-90
E-Mail:	K.Meyert@uni-muenchen.de
Alter:	25 Jahre
Beruf:	Student
Familienstand:	☐ ledig ☐ verheiratet ☐ geschieden
Sprachkenntnisse:	Deutsch, Englisch, Tschechisch (Anfänger)

6) Kennen lernen
Fragen: Wo wohnen Sie? / Wo wohnst du?, Woher
kommen Sie? / Woher kommst du?, Wo arbeiten Sie? /
Wo arbeitest du?, Wo studieren Sie? / Wo studierst du?,
Wie ist Ihre / deine Adresse?, Haben Sie Telefon? /
Hast du Telefon?, Wie ist Ihre / deine Telefonnummer?,
Wie ist Ihre / deine E-Mail-Adresse?

3.

1) Finden Sie Berufe und Tätigkeiten:

D	A	F	S	F	M	O	V	B	I	O	L	O	G	E	R	O
E	U	H	A	U	S	M	A	N	N	U	A	S	E	B	N	K
R	S	S	J	M	O	U	R	E	O	X	Z	Q	N	A	G	A
P	C	E	P	O	L	I	Z	I	S	T	I	N	L	W	A	U
S	H	C	A	N	I	E	T	S	K	L	T	I	A	Q	N	F
Z	Ü	R	S	C	V	J	W	Z	A	T	R	H	D	M	I	F
M	L	E	H	R	E	R	I	N	Y	F	R	I	S	E	U	R
E	E	S	A	L	X	H	F	L	Q	O	K	G	D	K	U	A
K	R	A	N	K	E	N	S	C	H	W	E	S	T	E	R	U
U	R	S	U	C	E	K	E	N	T	O	T	S	I	Z	T	S

der Biologe, der Hausmann, der Arzt, der Schüler, der
Friseur, die Polizistin, die Lehrerin, die Krankenschwester,
die Kauffrau

2) Ergänzen Sie:
der Arzt, die Ärzte
die Ärztin, die Ärztinnen

der Rentner, die Rentner
die Rentnerin, die Rentnerinnen

der Rentner, die Rentner
die Rentnerin, die Rentnerinnen

der Verkäufer, die Verkäufer
die Verkäuferin, die Verkäuferinnen

der Lehrer, die Lehrer
die Lehrerin, die Lehrerinnen

der Schüler, die Schüler
die Schülerin, die Schülerinnen

der Studierende, die Studierenden
die Studierende, die Studierenden
(= der Student, die Studenten)
(= die Studentin, die Studentinnen)

3) Sagen Sie es anders:
2. Ich bin berufstätig. 3. Ich studiere. 4. Ich bin Hausfrau / Hausmann. 5. Ich bin Arzt / Ärztin.

4) Pläne
1. feste Stelle 2. Einen Beruf 3. Student 4. Lehrer 5. Beruf 6. eine feste Stelle 7. arbeitslos

4.

1) Zu welchem Kontinent gehören diese Länder?
1. Asien: die Mongolei, China, Indien, Afghanistan, Japan, Indonesien
2. Afrika: Südafrika, Ägypten, Nigeria, Namibia
3. Europa: die Ukraine, Dänemark, Griechenland, Island, Italien, Luxemburg, Rumänien
4. Amerika: Argentinien, Guatemala, Kanada, Ecuador, Peru

2) Wie heißt der Kontinent / das Land / die Stadt?
2. Russland 3. Großbritannien 4. Rom 5. die Türkei 6. die USA 7. Polen 8. die Schweiz 9. Asien 10. Wien

3) Ich bin ...
2. Ich bin Deutscher / Deutsche. 3. Nein, ich bin Schweizer / Schweizerin. 4. Ich bin Russe / Russin. 5. Nein ich bin US-Amerikaner / US-Amerikanerin.

4) Wie heißt die Hauptstadt von ...?
2. Lissabon 3. Berlin 4. Pretoria 5. Warschau 6. Wien 7. Stockholm 8. Peking 9. Bern 10. Ottawa

5.

1) Wie heißen die Substantive?
1. die Einreise 2. die Erlaubnis 3. die Verlängerung 4. die Ausreise

2) Kombinieren Sie:
ein-: einlaufen, **be-:** beantragen, bekommen, **ver-:** verzollen, verreisen, verlängern, **aus-:** ausreisen, **ab-:** abreisen, ablaufen

3) Welcher Artikel?
a.
der: Zoll
das: Visum
die: Aufenthaltserlaubnis, Arbeitsgenehmigung, Reise, Grenze, Ausreise, Verlängerung

b.
Substantive mit der Endung **-ung** haben immer den Artikel **die**.
Substantive mit der Endung **-e** haben meistens den Artikel **die**.

4) Was stimmt?
1. gültig 2. zeigen 3. bekommen

5) Wie sagt man?
2. beantragen / bekommen 3. bekommen 4. verlängern

6) An der Grenze
• Guten Tag, die Ausweise bitte.
✧ Einen Moment – hier bitte.
  (–)
  Haben Sie etwas zu verzollen?"
✧ Nein.
• Na dann – gute Fahrt!
✧ Danke sehr.

6.

1) Ergänzen Sie:
die Großeltern: der Großvater, die Großmutter
die Eltern: der Vater, die Mutter
die Kinder: der Sohn, die Tochter
die Enkel: der Enkelsohn / der Enkel, die Enkeltochter / die Enkelin
die Geschwister: der Bruder, die Schwester
die Schwiegereltern: die Schwiegermutter, der Schwiegervater

2) Ordnen Sie die Generationen aus der Perspektive von „ICH":
Generation 1: Großeltern, Oma
Generation 2: Eltern, Vater, Mama
Generation 3: ICH, Schwester, Bruder
Generation 4: Kinder, Sohn, Tochter

3) Wer ist das?

4) Familienverhältnisse
2. Enkel 3. Eltern 4. Großeltern 5. Kinder

7.

1) Finden Sie Gegensätze:

streiten ↔ sich gut verstehen, zusammenleben ↔ allein leben, sich hassen ↔ sich lieben, die Hochzeit ↔ die Scheidung, Ehepartner ↔ Single

2) Lara und Mark

2. Lara verliebt sich sofort in Mark und Mark verliebt sich in Lara. 3. Zwei Monate später verloben sie sich. 4. Am 27. August 2000 heiraten Lara und Mark. 5. Bald streiten sich Lara und Mark. / Bald streiten sie sich. 6. Im Januar 2002 trennen sich Lara und Mark. / ... trennen sie sich.

4) Da stimmt etwas nicht!

Ein Film – So könnte es sein: Der Traummann lernt die Traumfrau kennen. Sie verlieben sich sofort ineinander. Ihre Eltern finden den Traummann nicht so sympathisch. Aber das ist doch nicht so wichtig! Er fragt sie: „Willst du mich heiraten?" Sie sagt sofort: „Ja!" Er schenkt ihr einen Verlobungsring. Sie heiraten. Zur Hochzeit kommt die ganze Verwandtschaft. Er versteht sich mit seinen Schwiegereltern nicht so gut. Sie streiten sich und dann trennen sie sich. Bald lassen sie sich scheiden. Zum Glück haben sie keine Kinder! Zehn Jahre später treffen sie sich zufällig wieder. Sie verstehen ihre alten Probleme nicht mehr. Sie ziehen wieder zusammen.

8.

1) Ergänzen Sie bitte:

der Freund, die Freundin
ein Freund, eine Freundin

der Bekannte, die Bekannte
ein Bekannter, eine Bekannte

der Kollege, die Kollegin
ein Kollege, eine Kollegin

der Kommilitone, die Kommilitonin
ein Kommilitone, eine Kommilitonin

der Mitschüler, die Mitschülerin
ein Mitschüler, eine Mitschülerin

2) Wie heißt der Plural?

2. die Freundinnen
3. die Mitschüler
4. die Bekannten
5. die Nachbarn

Wie heißt der Genitiv?

2. die Tochter meiner Freundin
3. die Eltern meines Mitschülers
4. die Freundin meines Bekannten
5. die Kinder meines Nachbarn

3) Soziale Beziehungen

1. bekannt 2. Mein Freund 3. Freund – befreundet
4. Kollege 5. Nachbar – Nachbarschaft

4) Welche Verben passen?

2. Duzt 3. sprechen 4. streitet 5. vertragen

9.

1) Was ist wann?

a. das Kaffeetrinken: am Nachmittag, c. das Frühstück: am Morgen, d. die Party: am Abend

2) Verben und Substantive

zu Mittag essen: das Mittagessen, Kaffee trinken: das Kaffetrinken, zu Abend essen: das Abendessen, heiraten: die Hochzeit, Geburtstag feiern: die Geburtstagsfeier (das Geburtstagsfest)

3) Welche Kombinationen sind möglich?

Mögliche Kombinationen: die Abschiedsparty, die Abschiedsfeier, das Abschiedsessen, das Abschiedsfest; das Arbeitsessen, das Gartenfest; die Geburtstagsparty, die Geburtstagsfeier, das Geburtstagsessen, das Geburtstagsfest; der Kaffeeklatsch

4) Small Talk – Was passt?

2. ausgezeichnet / toll 3. gemütlich 4. angenehm 5. zu spät 6. pünktlich

5) Was bringt man in Ihrem Land mit?

In Deutschland zum Beispiel:
1. ein Geschenk, Blumen, ...
2. eine Flasche Wein, Bier, Salat, Würstchen, ...
3. manchmal Blumen
4. Blumen, eine Flasche Wein, ...

6) Wortkombinationen

1. das Fest: lustig, nett, angenehm, langweilig, vielleicht: interessant
2. das Essen: gut, interessant, lecker, köstlich

7) Was gehört zusammen?

Die Party ist ganz super. Das Essen schmeckt ausgezeichnet. Tut mir Leid, wir sind spät dran.

10.

1) Ein Test

1. 244, 890, 3456, 1114
2. Die Zahl hat 9 Ziffern.
3. 187
4. arabische Zahlen

2) Richtig oder falsch?

1. R, 2. F, 3. R, 4. F

3) Einige deutsche „Zahl-Wörter"

1. Hausnummer – Postleitzahl 2. Geheimzahl 3. Minus
4. Ziffern

4) Was passt nicht in die Reihe?

1. buchstabieren 2. Adresse 3. teuer

5) Ordnen Sie die Wörter in die Tabelle ein:

Das kann man zählen: Geld, Lehrbücher, Menschen auf einem Kongress, Klavierstunden, Brot(e), Bonbons, Küsse, die Blumen auf der Wiese
Das kann man zahlen: ein Essen im Restaurant, einen Sprachkurs, Lehrbücher, Klavierstunden, Brot, Bonbons

11.

1) Ergänzen Sie die Buchstaben:
2. Vorige Woche 3. samstags oder dienstags 4. nächstes Jahr

2) Jahreszeiten
2. Im Herbst 3. Im Frühling 4. Im Winter

4) Terminplanung
3. am Samstag oder am Sonntag 4. Sonntags – letzten –
diesen 5. freitags

5) Finden Sie die Monate?

U	A	X	S	F	M	O	V	F	E	O	L	B	G	X	N	O	R
E	J	H	A	C	S	M	R	N	N	U	A	S	E	M	Y	K	D
J	U	S	J	M	O	J	R	E	S	E	P	T	E	M	B	E	R
P	L	E	J	A	N	U	A	R	S	T	I	N	L	I	A	U	U
S	I	C	A	N	I	N	T	S	K	O	K	T	O	B	E	R	K
Z	Ü	R	S	C	V	I	W	Z	A	T	R	H	D	I	W	F	O
M	A	E	H	R	E	A	U	G	U	S	T	I	S	M	U	R	A
E	K	F	E	B	R	U	A	R	Q	O	K	G	D	A	R	A	Q
O	R	A	D	K	E	N	Z	C	W	E	A	T	E	I	Z	U	E

Alle Monate haben den Artikel **der**.

12.

1) Wie bitte???
Jeden Morgen stehe ich um Viertel vor acht auf. Nach
dem Duschen fahre ich ins Büro. Dort frühstücke ich erst
mal und lese die Zeitung. Zu Mittag essen meine
Kollegen und ich in der Cafeteria. Nachmittags trinken
wir am Schreibtisch einen Kaffee. Um Viertel nach fünf
gehe ich nach Hause.

2) Wie sagt man diese Uhrzeiten?
offiziell: mündlich:
2. Es ist 24 Uhr. / Es ist Null Uhr.
3. Es ist fünfzehn Uhr fünfzehn.   Es ist Viertel nach drei.

3) Wie sagt man diese Uhrzeiten mündlich?
2. Es ist Viertel vor elf. 3. Es ist halb vier. 4. Es ist fünf vor
eins.

4) Was machen Frauen, Männer, Kinder wann?

morgens	vormittags	mittags	nachmittags	abends	nachts
aufwachen	in die Schule gehen	kochen	*spielen*	zu Bett gehen	schlafen
sich rasieren	zur Arbeit gehen		Kaffeetrinken	zu Abend essen	träumen
aufstehen	einen Imbiss einnehmen		Schularbeiten machen	ins Konzert gehen	
frühstücken	arbeiten		arbeiten		
			von der Schule nach Hause fahren		

13.

1) Wo finde ich was?

Milch, Eier, Käse	Getränke	Fleisch, Fisch	Nudeln, Reis
Quark	Mineralwasser	Schnitzel	Spaghetti
Joghurt	Orangensaft	Fischfilet	Basmatireis
Butter	Tee	Wurst	Lasagne
Topfen			

2) Was passt nicht in die Reihe?
1. Wurst 2. Öl 3. Regal

3) Wissen Sie das?
1. Glace 2. Taschentuch / Tempo-Taschentuch 3. Nudeln
4. Wurst 5. Fleisch

**4) Frau Andres schreibt einen Einkaufszettel und denkt
laut**
1. Pfund 2. Essig 3. Eier 4. Milch 5. Käse 6. Kartoffel-
Chips / Chips 7. Cola / Orangensaft / Mineralwasser /
Bier / Wein

5) Maßeinheiten
150 g / 15 dag / 1 Pfd. Schinken, 2 l Milch, 150 g / 15 dag /
1 Pfd. Margarine, 1 Paket Waschpulver

14.

1) Obst oder Gemüse?
Obst: 2. der Apfel 3. die Apfelsine 4. die Birne 5. die Marille
Gemüse: 6. der Salat 7. der Blumenkohl 8. die Bohne
(= die Fisole) 9. die Kartoffel 10. die Fisole (= die Bohne)

2) Süß oder salzig?
Süß: die Torte, das Gebäck (D)
Salzig: das Brötchen, die Brezel, das Baguette, das Gebäck
(A), die Semmel

3) Was hätten Sie gern?
1. „Ich hätte gern ein Baguette, drei Brötchen und eine
Brezel."
2. „Ich hätte gern ein Stück Torte, zwei Croissants und ein
halbes Brot."

4) Was passt nicht in die Reihe?
1. Birne 2. Brezel 3. Pflaume

5) Auf dem Markt
1. kosten 2. Kilo 3. geben 4. billig 5. nehme 6. ein Pfund
7. Haben 8. Stück 9. zwei Stück 10. macht 11. sind

15.

1) Geld, Geld, Geld – Welche Verben braucht man hier?
2. aufnehmen 3. wechseln 4. überweisen

2) Silbenrätsel
die Einzahlung, der Geldautomat, das Konto, das Paket,
die Briefmarke

3) Kombinationen
2. (Geld) einzahlen 3. (Geld) überweisen 4. (einen Kredit)
aufnehmen 5. (ein Konto) eröffnen 6. (ein Sparbuch)
anlegen

4) Geldüberweisung
Empfänger: Firma Gereke; Kontonummer: 1234 – 98765;
BLZ Empfängerbank: 580 112; Betrag: 60,00;
Verwendungszweck: Abonnement

5) Auf der Post
- Guten Tag, was kostet ein Brief nach Spanien?
- ✧ Einen Euro.
- Dann hätte ich gern fünf Briefmarken zu einem Euro.
- ✧ Möchten Sie Sondermarken?
- Nein danke. Und dann möchte ich dieses Paket aufgeben, nach Mexiko.
- ✧ Per Luftpost oder auf dem Seeweg?
- Wie lange dauert das?
- ✧ Luftpost eine Woche, Seeweg bis zu zwei Monaten.
- Dann bitte per Luftpost.
- ✧ Das macht insgesamt 48 Euro 50.

16.

1) der – das – die?
a.
der: Topf, Löffel, Tisch, Stuhl, Herd, Schrank
das: Messer, Glas, Geschirr
die: Küche, Tasse, Spüle, Pfanne, Gabel

b. Substantive mit einer Silbe sind meistens **maskulin**.

2) Was gehört zusammen?
2. der Geschirrspüler 3. der Kochtopf 4. das Brotmesser 5. der Kühlschrank

3) Was passt nicht?
1. essen 2. Tasse 3. Teelöffel 4. Tisch

4) Womit oder worin macht man das?
2. Mit dem Besteck isst man. 3. Im Ofen backt man. 4. Mit dem / In dem Kochtopf kocht man 5. Mit dem Geschirrspüler wäscht man ab. 6. Mit dem Teelöffel rührt man den Tee um.

5) Rund um die Küche

Kreuzworträtsel: BROTMESSER, HERD, PFANNE, SESSEL, TRINKEN, SPÜLE, OFEN

17.

1) Wie schreibt man das?
2. Isst 3. süß 4. Reis 5. ist 6. salziges 7. Mittagessen 8. fett 9. Frühstück

2) Saure Zitronen
Kuchen ist süß. Kaffee ist bitter. Soße ist salzig / fett / manchmal: süß. Suppe ist salzig / süß / fett.

3) Finden Sie Gegensätze:
Mögliche Gegensätze:
süß ↔ salzig / sauer / bitter
fett ↔ mager
lecker ↔ schlecht / bitter
mild ↔ scharf / salzig / bitter

4) Wie kann man noch sagen?
1. Sie ist Vegetarierin. 2. Er macht eine Diät.
(Er ist zu dick.) 3. – er ist satt.

5) Fette Gewinne
2. Paul ist wirklich attraktiv. 3. – da war ich wirklich wütend. 4. Die Politikerin gab eine aggressive Antwort. 5. Das Ergebnis ist aber schlecht.

18.

1) Die Speisekarte
Vorspeisen: die Suppe, der kleine Salat
Hauptspeisen: das Wiener Schnitzel, die Pizza, die Mehlspeise
Nachspeisen: das Zitroneneis, die Schokoladencreme, der Obstsalat, die Mehlspeise
Getränke: das Bier, der Saft, das Mineralwasser, der Rotwein, der Kaffee

2) Wohin gehen sie?
2. Sie geht zur Imbissbude „Bei Hilda" 3. Er geht / Sie gehen in das Restaurant „Aubergine". 4. Sie gehen ins Café „Mozart". 5. Er geht in die Uni-Mensa.

3) Eine Filmszene
1. Der Mann mit Hut setzt sich an den Tisch am Fenster. 2. Er liest nur kurz die Speisekarte. 3. Er bestellt ein Glas Wein. 4. Er will nichts essen. 5. Nach zehn Minuten bezahlt er und geht.

4) Wie kann man das höflicher sagen?
2. Ich hätte gerne die Speisekarte. / Können Sie mir (bitte) die Speisekarte bringen? / Bringen Sie mir bitte die Speisekarte. / Könnte ich bitte die Speisekarte haben / bekommen?
3. Frau Ober, ich möchte gerne noch ein Bier. / Frau Ober, ich hätte gerne noch ein Bier. / Frau Ober, können Sie mir bitte noch ein Bier bringen?
4. Ich möchte bitte bezahlen. / Bringen Sie mir bitte die Rechnung. / Können Sie mir bitte die Rechnung bringen? / Entschuldigung, kann ich bitte bezahlen?

19.

1) Was passt?
2. sich eine Ausstellung anschauen / ansehen 3. Eine Ballettgruppe tritt im „Deutschen Theater" auf 4. Karten fürs Kino reservieren / abholen 5. Heute spielt eine deutsche Rockband in der Uni-Mensa.

2) Ordnen Sie zu:

Theater: der Schauspieler, die Aufführung, die Eintrittskarte

Museum: Fotos, die Eintrittskarte, die Ausstellung, die Eröffnung, Bilder

Kino: die Filmvorstellung, die Eintrittskarte, Bilder

Konzerthalle: die Band, die Aufführung, die Sängerin, die Eintrittskarte

3) Wo macht man das?
2. zu Hause 3. im Kino 4. im Museum

4) Ergänzen Sie:
2. läuft 3. reservieren 4. spielt 5. bleibe

5) Ein trauriger Film
Gestern wollte ich mit einem Freund ins Kino gehen. Ich habe angerufen und zwei Karten reserviert. Ich war pünktlich beim Kino, aber mein Freund kam nicht. Darum musste ich mir den Film allein ansehen. (Es war eine tragische Liebesgeschichte.) Der Mann liebte eine Frau, die einen Mann liebte, der eine andere Frau liebte. Sehr kompliziert. (Es war eine tragische Liebesgeschichte.) Am Schluss waren alle allein. Ich war ganz traurig und bin gleich nach Hause gegangen. Das nächste Mal schaue ich mir einen lustigeren Film an!

20.

1) Was gehört zusammen?
2. Tennis spielen 3. tanzen gehen 4. Krimis lesen 5. im Internet surfen 6. sich mit Freunden treffen 7. Schi fahren 8. Musik hören 9. Sport treiben

2) Welche Wörter von der linken Seite passen zu den Artikeln?
der: Name, Spaß, Krimi, Freund, Park, Sport, Schi, Fußball

das: Hobby, Schwimmbad, Internet, Wochenende, (das Tennisspielen, das Fußballspielen, das Wandern, das Schifahren, das Tanzen)

die: Homepage, Katze, Zeit, Welt, Woche, Musik, Zeitung, Ruhe

5) Wortnetze
sich erholen: zum Beispiel: mit der Katze spielen, Musik hören, Krimis lesen, lange ausschlafen, ausruhen, Musik hören, die Zeitung lesen, sich mit Freunden treffen, wandern, tanzen

Sport: schwimmen, joggen, Fußball spielen, Schi fahren

21.

1) Was passt wohin?
U-Bahn: Fahrkarte, Bahnhof, Bahnsteig, Rolltreppe, Haltestelle

zu Fuß: Straße, Ampel, Rolltreppe, Zebrastreifen, gehen

Bus: Straße, Fahrkarte, Ampel, Bahnhof, Parkplatz, im Stau stehen, fahren, Zebrastreifen, Haltestelle

Auto: Straße, Ampel, Parkplatz, im Stau stehen, fahren, Zebrastreifen

Fahrrad: Straße, Ampel, fahren, Zebrastreifen

2) Was passt nicht?
1. stehen 2. Rolltreppe (bewegt sich selbst) 3. Lehrer (der einzige Beruf)

3) Silbenrätsel
das Auto, die Straße, der Zebrastreifen, der Automat, die Fahrkarte, der Parkplatz, die Ampel, der Bahnhof, das Fahrrad, der Radweg, der Fahrradweg

4) Nahverkehr
1. steht 2. Fahrkarte 3. fahren 4. S-Bahn 5. Fahrrad 6. radeln 7. Fahrradweg 8. bummeln 9. joggt

5) Was meinen Sie?
Mögliche Lösungen: (Es kommt auf den Verkehr an.)
U-Bahn-Fahren ist bequem, angenehm, billig / teuer (?), langweilig, sicher, schnell; **Zu Fuß gehen** ist langsam, gesund (?), gefährlich (?), billig, angenehm, flexibel, langsam; **Busfahren** ist angenehm (?), sicher (?), gefährlich (?), stressig (?), langsam (?) billig / teuer (?); **Fahrradfahren** ist gesund (?), gefährlich, billig, angenehm, stressig (?), flexibel, langsam

22.

1) Wie bewegen sie sich?
2. gehen 3. fahren 4. fahren 5. fliegen 6. laufen, rennen, joggen, gehen, fahren, fliegen (je nach Sportart)

2) Was macht man da?
2. e, 3. a, 4. f, 5. d, 6. b

3) Anfang und Ende
1. im Internet nachschauen → einen Flug buchen → einsteigen → abfliegen → landen
2. auf den Fahrplan schauen → eine Fahrkarte kaufen → einsteigen → umsteigen → ankommen

4) Was machen diese Leute?
2. Der Zugbegleiter kontrolliert die Fahrkarten. 3. Der Tourist macht eine Reise. / Der Tourist geht ins Reisebüro.
4. Die Stewardess bedient die Passagiere im Flugzeug.

5) Womit fahren Sie gern / nicht gern?
Mögliche Adjektive: interessant ↔ langweilig, anstrengend, bequem, schnell ↔ langsam, stressig, ökologisch, individuell, modern ↔ unmodern, exotisch

23.

1) Welcher Artikel?
der: Komfort, Preis, Fernseher, Service
das: Hotel, Zimmer, Bad, Frühstücksbuffet, Frühstück
die: Lage, Pension, Atmosphäre, Verkehrsverbindung, Zimmervermittlung

2) Wie sagt man das?
2. die Halbpension 3. die Pension 4. das Einzelzimmer 5. die Zimmervermittlung 6. das Frühstücksbuffet

3) Hotel Imperial
großer Komfort, freundliche Atmosphäre, vernünftige Preise, gute Verkehrsanbindung

4) Finden Sie die Gegensätze:
1. laut ↔ leise 2. familiär ↔ anonym 3. unfreundlich ↔ freundlich 4. billig ↔ teuer

5) Fragen über Fragen
1. Gut. Wie lange bleiben Sie? 2. Was kostet das Einzelzimmer? 3. Gibt es einen Hotelparkplatz? 4. Liegt das Hotel ruhig? 5. Um wie viel Uhr muss man das Zimmer verlassen? Und was mache ich mit dem Gepäck?

24.

1) Wo findet man das?
2. eine Bank / eine Sparkasse 3. Touristen-Information 4. Kunstmuseum 5. Buchhandlung 6. Fußgängerzone

2) Hallo, Christian, ich komme bald nach Hause ...
Wo: Wohin:
Ich bin gerade <u>im Kaufhaus</u>
                 und dann gehe ich noch <u>zur Sparkasse</u>.
Ich bin gerade <u>im Rathaus</u>
                 und dann gehe ich noch <u>zur Post</u>.
Ich bin gerade <u>im Krankenhaus</u>
                 und dann gehe ich noch <u>zur Apotheke</u>.
Ich bin gerade <u>im Theater</u>
                 und dann gehe ich noch in <u>die Bar</u>.

3) Silbenrätsel
das Rathaus, das Krankenhaus, die Sparkasse, die Buchhandlung, die Bibliothek, die Apotheke

4) Eine E-Mail nach Hause
1. ausleihen 2. eröffnet 3. Post 4. Ausstellung

25.

1) der – das – die?
die: Nähe, Straße, Allee, Gasse, Ampel, Kreuzung, Seite
(Sie haben es richtig gemacht: Es gibt hier nur Wörter mit „die".)

2) Wie heißt das Gegenteil?
1. nah ↔ fern / weit 2. auf der linken Seite ↔ auf der rechten Seite 3. die Straße rauffahren (hinauffahren) ↔ runterfahren (hinunterfahren)

3) Ordnen Sie die Wegbeschreibung:
Zum Elisabeth-Krankenhaus? Da können Sie leicht zu Fuß gehen. Gehen Sie zuerst hier die Opernallee entlang. Danach immer geradeaus, bis Sie an eine Tankstelle kommen. Rechts von der Tankstelle geht die Sylvia-Straße ab. Nach etwa 150 m kommen Sie an eine Kreuzung. Dort biegen Sie nach links ab. Das Krankenhaus ist auf der linken Seite, ein kleines Stück weiter.

Oder:
Zum Elisabeth-Krankenhaus? Da können Sie leicht zu Fuß gehen. Gehen Sie zuerst hier die Opernallee entlang. Nach etwa 150 m kommen Sie an eine Kreuzung. Dort biegen Sie nach links ab. Danach immer geradeaus, bis Sie an eine Tankstelle kommen. Rechts von der Tankstelle geht die Sylvia-Straße ab. Das Krankenhaus ist auf der linken Seite, ein kleines Stück weiter.

4) Welche Verben passen?
2. gehen 3. fahren 4. nehmen 5. abbiegen

5) Entschuldigung, wo ist bitte die Post?
1. Kreuzung 2. links 3. bis 4. über 5. rechten

26.

1) der – das – die?
der: Aufzug, Gang, Eingang, Stock, Lift
das: Zimmer, Gebäude, Erdgeschoss, Stockwerk, Parterre
die: Treppe, Toilette, Ecke

2) Wie heißt das Gegenteil?
1. nach oben 2. unten rechts 3. der Ausgang 4. die Treppe hinuntergehen (runtergehen)

3) Schreiben Sie einen Dialog:
A: Entschuldigen Sie, wo ist bitte das Bauamt?
B: Im dritten Stock, Zimmer 311.
A: Und wo ist der Lift? / Gibt es hier einen Lift?
B: (Ja.) Im Gang hinten rechts.
A: Vielen Dank.

4) In einem Gebäude kann man ...
2. den Lift nehmen 3. die Treppe hinaufgehen 4. auf dem Gang (entlang) gehen / warten 5. um die Ecke gehen / biegen (aber nicht abbiegen)

5) Was sagen Sie, wenn ...
2. Wo kann ich mich (hier) zu einem Deutschkurs anmelden? 3. Gibt es hier (im Institut) einen Aufzug? / Können Sie mir sagen, ob es hier einen Aufzug gibt? 4. Wo ist bitte die Toilette? Können Sie mir sagen, wo die Toilette ist? 5. Tut mir Leid, aber ich weiß es (das) nicht. / Tut mir Leid, das weiß ich auch nicht.

27.

1) Was kann man hier machen?
1. in den Bergen wandern / die Ferien verbringen / Blumen pflücken 2. auf dem Land die Ferien verbringen 3. im See schwimmen 5. auf der Wiese Blumen pflücken 6. auf dem Pferd reiten 8. im Dorf übernachten / spazieren gehen / wohnen 9. im Wald spazieren gehen 10. auf dem Bauernhof übernachten / reiten / wohnen

2) Was passt nicht?
1. Frühstück 2. Papagei 3. Schülerin

3) Landleben
2. erholsam – langweilig 3. gesund 4. anstrengend 5. einfach

4) Ordnen Sie die Wörter zu drei Gruppen:
Aktivitäten / Tätigkeiten / was man tun kann: essen, sich ausruhen, wandern, lesen
Tiere: das Schwein, das Rind, der Hund, das Pferd, das Huhn
Teile der Landschaft: der Berg, der Feldweg, der See, das Feld, der Fluss

28.

1) Wie heißen die Verben?
2. spazieren gehen 3. reisen 4. Schlittschuh fahren

2) Was stimmt?
1. erholt 2. kennen gelernt 3. preiswert

3) Wie schreibt man das?
2. Heiße R<u>h</u>ythmen 3. das <u>R</u>ichtige 4. abenteuerlich

4) Was passt?
1. einen Spaziergang machen 3. in der Disko bis spät in die Nacht tanzen 4. früh am Abend schlafen gehen 6. Schlittschuh laufen 7. Golf spielen 8. faulenzen und oft nichts tun

5) Ruhig oder aktiv?
Frau Zett: fährt Motorboot, tanzt in der Disko bis spät in Nacht, taucht im Meer, spielt Golf, läuft Schlittschuh
Herr Ypsilon: macht einen Spaziergang, geht früh am Abend schlafen, faulenzt und tut oft nichts

6) Im Reisebüro
Mögliche Lösungen:
2. In der Nebensaison, da ist es billiger.
4. Ich möchte etwas erleben, aktiv sein.
6. Ich fahre lieber mit der Bahn, also keine Fernreise. Ich möchte die Reise auch gern alleine organisieren.
7. Dann wäre die Ostsee genau das Richtige für Sie.

29.

1) Welches Wort passt?
1. b, 2. c, 3. a

2) Was passt nicht in die Reihe?
1. nass 2. Mauer 3. feucht

3) Finden Sie die Fehler?
So ist es richtig: 1. Die Sonne sch<u>ein</u>t. 2. Die Straße ist immer noch nass, aber jetzt regnet <u>es</u> nicht mehr. 3. Wenn die Temperatur unter null Grad sinkt, friert <u>es</u>.

4) Ein Kreuzworträtsel

5) Was bedeuten diese Symbole?
1. bewölkt 2. sonnig 3. teils heiter, teils bewölkt 4. etwas Regen

30.

1) Wo, womit und mit wem kann man das machen?
1. im / mit dem Lehrbuch / Heft, mit den Mitschülern, mit dem Lehrer / der Lehrerin, mit dem Kassettenrekorder
2. mit dem Lehrer / der Lehrerin, mit den Mitschülern
3. mit dem Kuli, im Arbeitsbuch, im Heft
4. mit dem Radiergummi, im Heft, mit dem Lehrer / der Lehrerin, mit den Mitschülern
5. mit dem Kuli, mit dem Radiergummi, mit dem Kassettenrekorder, im Heft, im Lehrbuch, im Arbeitsbuch, mit dem Lehrer / der Lehrerin
6. im Lehrbuch, im Arbeitsbuch
7. mit dem Kassettenrekorder

2) Was gibt es im Klassenzimmer?
Geräte: der Overhead-Projektor, der Kassettenrekorder, der Videorekorder
Möbel: die Tafel, das Schwarze Brett, der Tisch, der Stuhl / der Sessel
Arbeitsmittel: die Tafel, der Tafelwischer, die Kreide, die Audiokassette, die Videokassette, der Zettel, das Lehrbuch, das Arbeitsbuch, das Heft, der Kuli / der Kugelschreiber, der Stift / der Bleistift, der Spitzer, der Radiergummi, der Schreibblock, das Blatt Papier

3) Was ist das?
1. ein Blatt Papier 5. + 6. ein Kuli / ein Kugelschreiber

4) Was brauchen Sie zum Deutschlernen?
2. Vokabelheft 3. Computer 4. Papier

31.

1) Markieren Sie die Adjektive:
leicht, schwierig, richtig

2) Ordnen Sie die Sätze:

Lehrer / Lehrerin	Kursteilnehmer / Kursteilnehmerin	beide
Hören Sie bitte zu.	Könnten Sie das bitte noch einmal erklären?	Bitte wiederholen Sie.
Welchen Satz verstehen Sie nicht?	Entschuldigung, ich habe eine Frage.	Ist das Verb regelmäßig?
Machen Sie bitte Aufgabe 2.		Sind Sie verheiratet?
Bitte wiederholen Sie.		Wie bitte?
		Ich weiß nicht.
		Wie finden Sie Rockmusik?
		Wo wohnen Sie?
		Woher kommen Sie?

3) Ergänzen Sie die Fragen:
2. Wie schreibt / buchstabiert man „See"? 3. Welche Übung (machen wir)? / Welche Übungen sind Hausaufgaben? 4. Wo steht (ist) die Übung? / Wo sind wir jetzt? 5. Heißt es „du sprechst"? / Ist „sprechen" regelmäßig? 6. Können Sie den Komparativ noch einmal erklären? / Wie bildet man den Komparativ? / Wie ist das mit dem Komparativ? / Wie war das mit dem Komparativ?

4) Was sagen Sie in dieser Situation?
2. Können Sie das Wort / den Satz noch einmal wiederholen?
3. Wie spricht man das (Wort) aus?
4. Können Sie die Regel noch einmal erklären? / Ich habe die Regel nicht verstanden. Können Sie sie noch einmal erklären?
5. Ich möchte bitte eine Frage stellen. / Kann ich noch eine Frage stellen? / Kann ich bitte etwas fragen?
6. Wie heißt der Plural von „Baum"?
7. Wie sagt man „Rockband" auf Deutsch?

32.

1) Mit allen Sinnen
2. Das riecht angenehm / interessant. 3. Das Bild sieht interessant aus. 4. Das schmeckt sehr süß.

2) Womit macht man das?
schmecken: mit dem Mund
riechen: mit der Nase
fühlen: mit der Hand, mit den Fingern, mit der Haut
sehen: mit den Augen
hören: mit den Ohren

3) Was passt?
2. Sehen 3. Fühl 4. ist – schmeckt 5. anfassen 6. verstehen

4) Ein schrecklicher Film!
1. wegsehen / wegschauen 2. hingesehen / hingeschaut
3. hinsehen / hinschauen / zuschauen / zusehen

5) Die müssen Sie ...
2. zuhören 3. Sieh ... hin / Schau ... hin 4. sehen Sie genau zu / schauen Sie genau zu 5. seh ich mir an / schau ich mir an / **U**: gucke ich mir an

33.

1) Ordnen Sie:
der Kopf: die Augen, das Kinn, der Mund, die Ohren
die Hand: die Finger, der Daumen
das Bein: das Knie

2) Ein Kreuzworträtsel

3) Suchen Sie die Gegensätze
1. dick ↔ dünn 2. groß ↔ klein 3. schön ↔ häßlich
4. helle Haare ↔ dunkle Haare 5. lang ↔ kurz 6. glatte Haare ↔ lockige Haare

4) Was macht man womit?
1. **Mit / Auf den Beinen**: stehen, laufen
2. **Mit den Händen**: winken, klatschen, anfassen
3. **Mit dem Mund**: küssen, singen, essen, sprechen
4. **Mit dem Kopf**: denken, nicken
5. **Mit den Fingern**: zeigen, Klavier spielen

34.

1) Welcher Artikel?
a.
der: Schuh, Rock, Mantel, Hut, Stiefel, Pullover
das: Kostüm, Hemd
die: Hose, Bluse, Jacke, Socke, Mütze

b.
Substantive mit der Endung -e sind meistens **feminin**.

2) Kombinationen
der Wintermantel, das Winterhemd, die Winterstiefel, die Sommerstiefel (?), der Sommermantel, die Sommerhose, das Sommerhemd, die Unterwäsche, die Unterhose, das Unterhemd, die Freizeithose, das Freizeithemd

3) Zuordnungen

Das bedeckt

den Oberkörper	die Beine	die Füße	den Kopf
die Bluse, die Jacke, das Hemd, der Pullover, das T-Shirt, das Unterhemd	der Rock, der Jupe (CH), die Hose, die Freizeithose, die Jeans, die Strumpfhose	die Schuhe, die Sandalen, die Stiefel, die Socken	der Hut, die Mütze

4) Wenn es kalt ist ...
warme Winterschuhe, warme Winterstiefel, ein warmer Winterhut, eine warme Wintermütze, ein dicker Pullover, ein warmer Wintermantel, warme Unterwäsche, eine dicke Jacke, eine warme Hose, eine Mütze

5) Was sagen Sie in diesen Situationen?
1. Der Anzug steht dir aber gut! / Du siehst aber schick aus! 2. Zieh dich warm an! / Zieh etwas Warmes an! / Setz eine Mütze auf! 3. Du siehst aber schick aus! Hast du etwas vor? / Gehst du heute aus? / Du hast dich aber schön gemacht! Was ist los? / Hast du heute Geburtstag?

6) Was zieht man wann an?
Beispiel deutschsprachige Länder:1. c, 2. a / b, 3. c, 4. c, 5. a

35.

1) Veränderungen
1. unfreundlich 2. unhöflich 3. unsympathisch 4. langweilig / uninteressant 5. alt 6. arm

2) Nur Geduld
2. das Interesse 3. das Glück 4. das Verständnis 5. die Höflichkeit 6. die Langeweile

3) Finden Sie die Wörter:

C	H	A	N	D	U	S	F	J	O	H	U	M	O	R	W
N	U	N	F	R	E	U	N	D	L	I	C	H	G	E	S
O	Y	E	C	H	T	W	Q	U	M	L	Z	N	G	W	E
E	S	T	H	A	Z	E	N	T	K	F	V	S	E	Ö	Z
V	I	T	A	L	E	N	T	A	B	S	Ü	ß	C	L	J
N	E	P	R	B	U	M	L	I	E	B	S	E	W	A	S
K	L	I	A	E	T	K	P	Ä	M	E	R	A	V	U	U
I	D	F	K	A	B	W	H	A	R	R	O	G	A	N	T
E	A	C	T	Ö	P	L	B	R	G	E	E	S	F	E	Y
V	D	N	E	R	V	Ö	S	M	C	I	T	E	A	R	S
S	E	R	R	O	Z	M	U	Q	A	T	Z	K	Y	Q	W

4) Susis Traummann
2. Er hat einen sehr guten / tollen Charakter. 3. Er hat viel Geduld. 4. Er ist sehr sportlich. 4. Er hat immer gute Laune. 6. Er ist sehr verständnisvoll. 7. Er ist sehr reich. 8. Er ist leider nicht sehr intelligent.

36.

1) Welche Endung?
2. der achtundzwanzigste 3. Den zweiten oder den dritten?

2) Welcher Tag ist heute?
1. Heute ist der einunddreißigste März zweitausenddrei.
2. Heute haben wir den einunddreißigsten März zweitausenddrei.
3. Gestern war der dreißigste März zweitausenddrei.
4. Am achtundzwanzigsten Achten siebzehnhundertneunundvierzig. 5. Am vierundzwanzigsten Dezember.

3) Wünsche und Träume
1. Kind 2. Mädchen / Jungen / Jugendliche 3. Eltern / Erwachsenen – jung / Kinder 4. Jungen und Mädchen 5. Erwachsenen / Eltern – Kinder – Jugendliche

37.

1) Welche Gefühle sind das?
2. Bedauern 3. Hoffnung 4. Freude 5. Sorge

2) Welche Verben passen?
2. tut 3. macht 4. freue 5. hoffe

3) Wie reagieren Sie? Was sagen Sie?
2. „Ich freue mich schon riesig darauf." 3. „Das freut mich sehr." / „Das ist ja toll!" 4. „Wie schade!" 5. „Das tut mir sehr Leid." 6. „Ich mache mir Sorgen."

4) Drücken Sie Ihre Gefühle aus!
2. „Das ist aber schade für dich!" / „Das tut mir Leid für dich." / „Oh, –" 3. „Oh, wie schön!" / „Das finde ich schön." / „Für uns ist das ein Glück." / „Das ist ja toll!" / „Darüber freue ich mich sehr." 4. „Ach, mach dir darüber keine Sorgen!" / „Darüber würde ich mir keine Sorgen machen." 5. „Ich hoffe, es ist eine gute Schule." / Ich hoffe, dass es eine gute Schule ist." / „Hoffentlich / Sicher ist es eine gute Schule."

38.

1) Welche Gefühle sind das?
2. Ärger / Wut 3. Enttäuschung 4. Ärger 5. Liebe

2) Leserbrief: Liebe Frau Brigitte!
1. ärgerlich / wütend / sauer 2. enttäuscht / ärgerlich über 3. Wut 4. traurig

3) Wie reagieren Sie? Was sagen Sie?
2. „Ich hasse das!" 3. „Bist du immer noch sauer?" 4. „Doch, doch, ich habe dich sehr gern." 5. „Da bin ich aber sehr enttäuscht!" 6. „Das ist aber traurig!"

4) Welche Gefühle drücken Sie hier aus?
2. d, 3. a, 4. b

39.

1) Was passt?
1. die Zähne putzen 3. aufs Klo gehen 4. sich die Haare kämmen 6. die Haare schneiden lassen 7. die Fingernägel schneiden 8. eine Creme aufs Gesicht tun

2) Welche Wörter haben eine besondere Aussprache?
4., 5.

3) Was kann man schneiden, waschen, putzen?
schneiden: den Bart, die Fingernägel
waschen: den Bart, die Hände, das Handtuch, die Ohren
putzen: das Badezimmer, die Fingernägel, die Ohren, das WC, die Zähne

4) Womit macht man das?
2. mit der Zahnbürste 3. mit der Seife 4. mit der Schere

5) Liebe Iris, ...
1. duschen 2. ein Bad 3. Haarewaschen 4. Bürsten 5. Kämmen 6. rasieren / duschen 7. die Zähne (zu) putzen

40.

1) Wie heißt das Gegenteil?
2. ausatmen 3. der Facharzt 4. sich (wieder) anziehen

2) Was stimmt?
1. krankgeschrieben 2. frei machen 3. gehustet

3) Ergänzen Sie die passenden Wörter:
2. gemessen 3. verschreiben 4. Tropfen 5. Apotheke

4) Der Arzt sagt:
2. (Wo) Haben Sie Schmerzen? 3. Machen Sie bitte den Oberkörper frei. 4. Sie haben hohes Fieber. 5. Ich muss Ihren Hals untersuchen.

5) In der Arztpraxis / In der Ordination (A)
4. Patient: Wenn ich atme, tut mir die Brust weh. / Mir tut die Brust weh, wenn ich atme. 6. Patient: Gestern habe ich hohes Fieber gehabt, 40 Grad. 8. Patient: Ja, bitte. Und schreiben Sie mich bitte krank!

41.

1) Was stimmt?
1. gebrochen 2. Verletzte 3. leicht

2) Wie sagt man dazu?
2. Geschwindigkeitsbeschränkung 3. Notaufnahme
4. Erste Hilfe leisten

3) Ich konnte leider nicht eher schreiben ...
1. km/Stunde 2. Geschwindigkeitsbeschränkung 3. Kurve
4. sehen 5. bremsen 6. leicht 7. Krankenhauses 8. untersucht 9. Gehirnerschütterung

4) Die Polizei stellt Fragen
Mögliche Antworten:
2. Klaus: Also, ich fuhr ganz normal auf der Landstraße, so ungefähr 80 km pro Stunde. Dann gab es eine Geschwindigkeitsbeschränkung von 40 km. Genau in der Kurve überholte uns ein schwarzer Sportwagen. Er konnte das Auto nicht sehen, das uns entgegenkam. Erst in der letzten Sekunde ist er genau vor uns nach rechts gefahren. Ich konnte gerade noch bremsen. Dabei bin ich gegen einen Baum gefahren.
4. Klaus: Genau 40 km pro Stunde.
6. Klaus: Ja, meine Freundin / Frau. Sie ist mit dem Kopf gegen die Scheibe gestoßen. Aber zum Glück ist sie nur leicht verletzt, denn sie war angeschnallt.
7. Polizei: Dann fahren Sie jetzt am besten ins Krankenhaus (ins Spital, A), in die Notaufnahme.

42.

1) Wo passiert das?
1. b, 3. d, 4. e, 5. c

2) Was passt nicht in die Reihe?
1. die Verletzung 2. leiden 3. der Schmerz

3) Schreiben Sie diese Sätze neu:
• Guten Tag! Ich möchte meine Schwester besuchen. Sie liegt auf der Intensivstation. Sie wurde gestern am Magen operiert.
✧ Dann fahren Sie bitte mit dem Aufzug in den vierten Stock. Besuchszeit ist bis achtzehn Uhr.

4) Wer macht das?
der Arzt / die Ärztin: einen Patienten entlassen, bei der Geburt helfen, einen Patienten behandeln
der Krankenpfleger / die Krankenschwester: eine Patientin röntgen, einem Patienten Tabletten bringen, einen Patienten waschen, das Bett machen

5) Was bedeutet das?
2. Diese Aktion war sehr anstrengend.

6) Was assoziieren Sie mit „Krankenhaus"?
Mögliche Antworten:
positiv: Ruhe, Erholung, freundliche Krankenschwester / freundlicher Krankenpfleger, gute / nette / kompetente Ärzte, gute Pflege, Hygiene, Sauberkeit, gute Information, nettes Zimmer, netter Bettnachbar / nette Bettnachbarin, akzeptables Essen, nette Besucher, wieder gesund werden, ...

negativ: schwere Operation, unruhige Nächte, Schmerzen, Angst, schlechtes Essen, zu kleines Zimmer, zu viele Mitpatienten im Zimmer, unfreundliche Krankenschwester / unfreundlicher Krankenpfleger, inkompetente / unfreundliche Ärzte, mangelnde Hygiene / Sauberkeit, fehlende / nicht genügend Information, zu viele (laute) Besucher, sehr früh geweckt werden, keine private Atmosphäre, ...

43.

1) Welches Wort passt?
1. b, 2. c, 3. c, 4. a

2) Da stimmt etwas nicht!
2. das Rauschgift 3. die Magersucht 4. die Drogentherapie
5. der Sozialarbeiter

3) Finden Sie die Wörter:

D	A	F	S	F	M	O	V	K	I	O	P	A	G	L	N	R
E	F	E	U	E	R	Z	E	U	G	U	A	S	E	R	T	D
R	S	X	J	M	O	U	R	E	O	X	L	S	N	G	A	C
E	R	T	Z	I	P	H	R	N	E	S	K	U	L	E	B	U
S	H	H	A	N	I	E	T	S	K	L	O	C	A	C	L	K
Z	V	E	R	G	N	Ü	G	E	N	T	H	H	D	I	E	O
M	L	R	H	R	S	R	I	N	Y	F	O	T	S	P	T	A
E	E	A	A	L	X	H	F	L	Q	O	L	G	D	L	T	Q
K	R	P	L	U	R	M	E	I	W	E	S	T	E	R	E	E
U	N	I	K	O	T	I	N	N	T	O	T	S	I	Z	T	F
O	X	E	M	N	R	U	V	A	B	C	Y	Q	E	D	F	W

der Alkohol, das Feuerzeug, das Nikotin, das Vergnügen, die Therapie, die Sucht, die Tablette

4) Was kann süchtig machen?
Das kann süchtig machen: Marihuana, Kaffee, Tabletten, Alkohol, Zucker (?), Arbeit, Erfolg
Das macht (normalerweise) nicht süchtig: Mineralwasser, Bücher, Fleisch, Käse

44.

1) Darf man lügen?

die Meinung sagen	zustimmen	widersprechen und seine Meinung verteidigen
Also, ich finde ... ... aber ich meine trotzdem Ich meine trotzdem ...	Na ja, das stimmt schon, ... Ja, da hast du Recht.	Da bin ich ganz anderer Meinung ... Ich glaube nicht, ...

2) Pro und kontra Fernsehen
a. Die richtige Reihenfolge:
A – E – C – B – D –F
b.

die Meinung sagen	zustimmen	widersprechen und seine Meinung verteidigen
	Judith hat Recht ... Genau!	Du hast ja keine Ahnung ... Das stimmt nicht ... Das ist doch Quatsch!

3) Herr Unsinn und Herr Quatsch
1. Unsinn 2. Ich finde 3. Da haben Sie Recht 4. Ich finde trotzdem 5. Na ja, wenn Sie meinen

45.

1) Was ist höflich?
höflich (a.): 2, 3, 5; unhöfllich (b.) 4, 6

2) Was wollen diese Leute wirklich „sagen"?
2. a, 3. d, 4. b

3) Das kann man auch höflich sagen
2. Ich hätte gern ein halbes Kilo Bananen und ein Kilo Äpfel.
3. Ach bitte, stellen Sie doch das Handy aus. / Könnten / Würden Sie bitte das Handy ausstellen? / Darf ich Sie bitten, das Handy auszustellen. / Stellen Sie doch bitte mal das Handy aus! *Sehr höflich*: Wären Sie so freundlich, das Handy auszustellen?
4. (Entschuldigung, ...) Können Sie mir bitte sagen, wo es hier zum Hotel „Meridian" geht?
5. Können Sie mir bitte helfen, den Koffer zu tragen. / Ach bitte, könnten Sie mir helfen, der Koffer ist so schwer.
6. Kann ich mal (bitte) euer Telefon benutzen? / Darf ich mal euer Telefon benutzen? Ich muss dringend zu Hause anrufen.

4) Was sagen Sie, wenn ...
1. Oh, entschuldigen Sie bitte, das wollte ich nicht / das tut mir Leid / hoffentlich habe ich Ihnen nicht weh getan.
2. Vielen Dank für die Einladung.
3. Möchten Sie sich setzen? / Bitte setzen Sie sich doch! Nehmen Sie doch bitte Platz!
4. (Entschuldigung, ...) Könnten Sie das bitte noch einmal wiederholen? / Bitte wiederholen Sie das noch einmal.
5. Bitte sehr. Gern geschehen. / Bitte, bitte, gern geschehen.

46.

1) Wie heißen die Substantive?
2. die Kündigung 3. die Besichtigung 4. der Umzug

2) Welches Verb passt?
1. ein möbliertes Zimmer mieten 2. den Mietvertrag kündigen 3. zur Untermiete wohnen 5. eine Wohnung einrichten 7. in eine neue Wohnung einziehen 8. in eine andere Stadt umziehen

3) Endlich habe ich eine Wohnung gefunden!
1. Zimmer 2. 1-oder 2-Zimmer-Wohnungen
3. Wohngemeinschaften 4. Chiffre 5. Vermieter 6. angesehen 7. Kaution 8. Strom 9.Wasser 10. Heizung 11. Mietvertrag 12. einziehen

4) Mieter und Vermieter
1. Ist die Wohnung noch frei / noch zu haben?
3. Wie viel kostet die Wohnung? / Wie hoch ist die Miete?
5. Muss man eine Kaution bezahlen?
7. Liegt die Wohnung zentral? / Wo liegt die Wohnung eigentlich / genau?
9. Kann ich die Wohnung besichtigen / anschauen / ansehen?

47.

1) Wie schreibt man das?
2. Aussicht 3. Tiefgarage 4. geklingelt

2) Was ist wo?
1. eine Terrasse, einen Keller (Wohnung im Erdgeschoss), eine Garage, eine Klingel, einen Aufzug, eine Wohnungstür
2. einen Garten, einen Balkon, eine Terrasse, einen Keller, einen Dachboden, eine Garage, eine Einfahrt, eine Klingel, einen Aufzug, eine Haustür

3) Welche Wörter haben eine besondere Aussprache?
2., 5., 6.

4) Wie sagt man das?
2. aufnehmen 3. renoviert 4. klingeln

5) Komm, ich zeig dir mal unsere neue Wohnung!
1. das Esszimmer 2. der Küche 3. das Wohnzimmer
4. den Balkon 5. Garten 6. Kinderzimmer 7. Flur

48.

1) In welchen Raum passt das?
Wohnzimmer: der Esstisch, das Klavier, der Sessel, der Teppich, das Sofa, der Fernseher, das Bücherregal, der Fauteuil, die Couch, der Vorhang, der Stuhl
Flur, Küche: die Garderobe, der Spiegel, der Hocker, der Mülleimer, der Mistkübel
Arbeitszimmer: der Schreibtisch, das Bücherregal, der Stuhl, der Vorhang, der Teppich, der Fernseher
Schlafzimmer: der Polster, der Kasten, der Spiegel, das Bett, der Teppich, der Kleiderschrank, der Sessel (?), das Bücherregal (?)

2) Zuordnung
1. kaufen, anschaffen, aufräumen 2. anmachen, einschalten, ausmachen 3. putzen, einrichten, aufräumen, heizen

3) Was kann man hier kombinieren?
2. das Bücherregal 3. die Steckdose 4. der Kleiderschrank
5. das Kinderzimmer 6. die Küchenuhr 7. die Elektroheizung 8. die Wohnungstür

4) Die neue Wohnung meines Freundes
Wenn ich in die Wohnung komme, stehe ich erst mal im Flur. Die Garderobe ist voll mit Mänteln, Hüten und Jacken. Vom Flur aus gehe ich ins Wohnzimmer. Ich setze mich auf die gemütliche Couch. Nun kommt das Esszimmer. Ich probiere die Stühle rund um den Esstisch aus: sehr bequem! Dann gehe ich ins Schlafzimmer. Der Kleiderschrank ist ja riesig! Das Bad ist direkt neben dem Schlafzimmer. Darin ist eine Dusche, aber keine Badewanne. Als letztes sehe ich mir das Arbeitszimmer an. An allen Wänden Bücherregale mit technischer Literatur.

49.

1) Im Büro

2. Die Prospekte befinden sich im großen Aktenschrank.
3. Frau Schick sucht eine Telefonnummer in ihrem Notizbuch. 4. Die Telefonnummer steht ganz hinten im Buch. 5. Frau Schick bleibt heute bis 18 Uhr im Büro. 6. Um 18 Uhr geht sie zum Aufzug und drückt auf den Knopf mit dem Zeichen ▼.

2) Wie heißt das Verb?

2. Setzen 3. hängen 4. liegen 5. stecken 6. stecken (tun) 7. sitzt 8. gelegt 9. steht 10. hängen

3) Was kann man setzen, legen, stellen, ...?

setzen: eine Puppe, ein Kind, sich selbst
legen: eine Puppe, einen Bleistift, einen Schlüssel, ein Blatt Papier, ein Bild, einen Ausweis, ein Kind, Geld, sich selbst, einen Prospekt
stellen: einen Schreibtisch, einen Computer, eine Puppe, eine Vase, einen Schrank, eine Lampe, ein Bild (mit Ständer im Rahmen), einen Kassettenrekorder, ein Kind, sich selbst
hängen: eine Lampe, einen Schlüssel, ein Bild, einen Vorhang, einen Prospekt (?)
stecken: einen Bleistift, einen Schlüssel, ein Bild, ein Blatt Papier (z.B. in den Briefkasten) einen Ausweis, Geld, einen Prospekt

4) Wohin gehört das?

1. in den Schrank 2. auf dem Boden – in das Kassettenregal 3. liegen in einer Ecke – stellt sie in das Bücherregal 4. liegen auf dem großen Tisch – legt in die Schublade – wirft ... in den Papierkorb – hängt sie an die Wand 5. steht zwischen der Tür und dem Schrank – stellt unter den Tisch 6. stehen unter den Fenstern – stellt sie um die Tische.

50.

1) Wie heißen die Substantive?

2. die Bremse 3. die Ausfahrt 4. die Fahrt

2) Gespräch im Auto

2. leer 3. beschädigt 4. schnell 5. kaum noch 6. vorsichtig

3) Welche Verben passen zu den Substantiven?

Man kann einen Wagen: fahren, reparieren, lenken, beschädigen, aufräumen, lieben (?), tanken, überholen, mieten
Man kann eine Wohnung: einrichten, beschädigen, aufräumen, renovieren, lieben (?), besichtigen, mieten

4) Fahrschule

2. Bei der Einfahrt in die Autobahn müssen Sie die Vorfahrt beachten.
3. Rechts fahren, und links überholen!
4. An der Ausfahrt Köln-Ost bitte rausfahren.
5. Bei einem Stoppschild müssen Sie vollständig bremsen!

5) In der Autowerkstatt: Wörter im Kontext erraten

2. ~~Laakiir~~ Lenkrad 3. ~~LRRSOs~~ Lastwagen / LKWs
4. ~~Appkors~~ Abgas 5. ~~Epekirs~~ Ersatzteile / Reifen
6. ~~Wribble~~ Wagen

51.

1) Welche Wörter haben eine besondere Aussprache?

4., 5.

2) Was kann man anfassen?

den Monitor, die Festplatte, die Maus, die Diskette

3) Worauf kann man etwas speichern?

auf der Festplatte, auf (der) Diskette, auf (der) CD-Rom

4) Was passt zusammen?

2. öffnen 3. einschalten 4. anlegen 5. (ab)speichern

5) Jetzt arbeite ich auf meinem Computer

den Computer einschalten → das Programm öffnen → einen Text schreiben → den Text speichern → den Text ausdrucken – den Computer ausschalten

52.

1) Wie schreibt man das?

2. die Adresse 3. Herzliche Grüße 4. Lieber 5. geehrte 6. Ihnen

2) Wann schreibt man was?

Anredeformeln	So kann man anfangen	Abschiedsformeln
persönlicher Brief: Liebe ..., / Lieber ..., Meine liebe ..., Mein lieber ..., Lieber Herr ..., Liebe Frau ...,	persönlicher Brief: Wie geht es dir / euch / Ihnen? Ich habe schon lange nichts mehr gehört, deshalb schreibe ich heute ... Endlich habe ich Zeit, dir zu antworten ...	persönlicher Brief: Herzliche Grüße, ... Herzlich ... Bis bald!
offizieller Brief: Sehr geehrte Frau ..., Sehr geehrter Herr ..., Sehr geehrte Damen und Herren, ...	offizieller Brief: ... in Beantwortung Ihrer Anfrage / Ihres Schreibens ... Bezug nehmend auf Ihre Anfrage / Ihr Schreiben	offizieller Brief: Mit freundlichen Grüßen Hochachtungsvoll

3) Wie sagt man dazu?

2. die Adresse 3. der Empfänger 4. das Faxgerät / die Faxnummer

4) Persönlich und offiziell

persönlicher Brief

Lieber Thomas,
vielen Dank für deine nette Postkarte aus Freiburg. Ich habe mich sehr darüber gefreut. Mir geht es gut – aber ich habe nicht viel Zeit.
Ich rufe dich bald mal an!

Herzlich, deine Sabine

offizieller Brief

Sehr geehrte Damen und Herren,
ich würde gerne einen Französischkurs machen. Könnten Sie mir Informationsmaterial zu Ihrem Kursangebot und den Kurspreisen zuschicken?
Vielen Dank im Voraus.

Mit freundlichen Grüßen,
Simon Grandi

5) Lieber Peter, ...
Mögliche Lösung:
Lieber Peter, vielen Dank für deinen Brief und die Einladung, dich in Hamburg zu besuchen. Ich möchte dich ja wirklich sehr gern besuchen / Ich würde sehr gern kommen, aber ich habe zur Zeit so viel zu tun / so viel Arbeit. Vielleicht kann ich dich in zwei, drei Monaten besuchen, wenn ich weniger zu tun habe.
Hoffentlich sehen wir uns bald wieder. / Ich hoffe, dass wir uns bald wiedersehen.
Herzlichen Gruß, dein ... / deine ...

53.

1) Da stimmt etwas nicht!
2. die Pressekonferenz 3. die Überschrift 4. die Schlagzeile 5. der Zeitungsartikel

2) Welche Wörter haben eine besondere Aussprache?
3., 5., 6., 7.

3) Wie sagt man dazu?
2. der Journalist / die Journalistin 3. der Link
4. der Zeitungsartikel 5. die Anzeige 6. die Überschrift / die Schlagzeile

4) Was gehört zusammen?
2. a, 3. b, 4. c

54.

1) der – das – die?
der: Fernseher, Videorekorder, Fernsehsender, Radiosender, Film
das: Radio, Fernsehen, Programm
die: Sendung, Nachricht, Fernbedienung, Video-Kassette

2) Formulieren Sie die Regel:
1. Substantive mit der Endung **-er** haben häufig den Artikel **der** (= maskulin).
2. Substantive mit der Endung **-ung** haben immer den Artikel **die** (= feminin).

3) Was passt?
2. anschauen / ansehen 3. umschalten 4. anschalten / einschalten / anmachen 5. aufnehmen

4) Zuordnung
1. das Radio anschalten / ausschalten, hören 2. den Fernseher anschalten / ausschalten 3. einen Film sehen / aufnehmen / ansehen

55.

1) „Telefonwörter"
das Telefongespräch, der Telefonanruf, das Telefonbuch, die Telefonauskunft, die Telefonzelle, die Telefonsäule, die Telefonkarte, das Münztelefon, das Kartentelefon, das Mobiltelefon

2) Wie sagt man das?
2. verbinde 3. besetzt 4. aufgelegt

3) Wie kann man noch sagen?
2. Die Leitung ist besetzt. 3. Das Telefon klingelt.

4. Guten Tag, hier spricht ... / mein Name ist ... 5. Hast du auch ein Handy. 6. Einen Moment, ich verbinde.

4) Wann sagen Sie das?
2. e, 3. d, 4. a, 5. c

5) Ein Anruf bei Ihrer Freundin
Möglicher Dialog:
● Ach, guten Tag, Herr ... Hier spricht ... Ist Anika da? / Kann ich mal (bitte) mit Anika sprechen?
◇ Ja, einen Moment bitte.
◆ Hallo, Peter, wie geht's / nett, dass du anrufst. Aber ich habe gerade gar keine Zeit. Ruf doch bitte morgen noch einmal an. / Kannst du mich morgen noch mal anrufen?
● Ja, o.k. / Alles klar! Ich ruf' dich dann morgen noch einmal an. Bis dann!
◆ Ja, bis dann!

56.

1) In welcher Schule sind diese Leute wahrscheinlich?
2. im Gymnasium 3. in der Berufsschule 4. an der Universität

2) Was passt nicht in die Reihe?
1. die Matura 2. Zeugnis 3. zahlen

3) Eltern sprechen über ihre Kinder
2. Gymnasium 3. (Grund-)Schuljahr 4. Lehre 5. Studium

4) Die Lehrerin kommt in die Klasse (5. Schuljahr)
2. Heute schreiben wir eine Englischarbeit. 3. Ich hoffe, ihr habt alle die neuen Wörter gelernt. 4. Nach der Klassenarbeit könnt ihr in die Pause gehen.

5) Ein Lebenslauf
1. Abitur 2. Universität 3. studierte 4. Lehrer 5. Geographie / Erdkunde

57.

1) Was kann man an der Universität studieren?
Anglistik, Chemie, Jura, Medizin, Wirtschaftswissenschaften, Psychologie, Rechtswissenschaften, Informatik

2) Studienberatung
2. Mathematik oder Informatik 3. Pädagogik / Erziehungswissenschaft 4. Biologie

3) Wie sagt man in der Schule und wie an der Uni?
Schule: das Zeugnis, das Abitur, die Lehrerin / der Lehrer, lernen, das Schuljahr, der Mitschüler / die Mitschülerin, die Matura, die Klassenarbeit, die Klasse, die Note, die Prüfung

Universität: das Semester, studieren, lernen, der Titel, der Magister / die Magistra, der Doktor, die Professorin / der Professor, der Student / die Studentin, der Kommilitone / die Kommilitonin, das Seminar, die Klausur, die Note, die Vorlesung, die Prüfung, die Forschung

4) Was stimmt?
2. gewusst 3. lernen 4. ablegen

5) „Kennen" oder „wissen"?
1. weiß 2. weiß 3. kennt 4. weiß 5. kennt

58.

1) der – das – die
der: Lehrer, Ausbilder, Auszubildene, Beruf
das: Gold, Silber, Praktikum
die: Lehre, Weiterbildung, Berufsschule, Auszubildende, Prüfung

2) ausbilden, Ausbilder, Ausbildung, Auszubildender?
2. auszubilden 3. Ausbilder 4. Ausbildung

3) Was passt nicht in die Reihe?
1. das Metall 2. Zertifikat 3. ausziehen

4) Was gehört dazu?
Berufsausbildung: die Lehre, der Betrieb, das Abschlusszeugnis, der Goldschmied
Weiterbildung: das Zertifikat, der Kursleiter, der Kurs, die Volkshochschule, der Teilnehmer

59.

1) Wie heißen die Substantive?
2. die Bewerbung 3. die Kenntnisse 4. die Jobsuche 5. der Verdienst 6. der Umzug

2) Wie heißen die Adjektive?
2. belastbar 3. motiviert 4. teamfähig 5. kooperationsfähig 6. engagiert

3) Was passt zusammen?
2. Ich bin bereit, Verantwortung zu übernehmen.
3. Ich könnte auch / Ich möchte gern meine Arbeitsstelle wechseln / die Stelle wechseln / in eine andere Stadt umziehen.
4. Ich möchte gern in eine andere Stadt umziehen / die Stelle wechseln / Englisch und Russisch sprechen / eine Tätigkeit als Koch.
5. Ich kann in eine andere Stadt umziehen / Englisch und Russisch sprechen / meine Arbeitsstelle wechseln / die Stelle wechseln.
6. Ich möchte mich um die Tätigkeit als Ingenieur bewerben.

4) Beim Personalchef
Mögliche Antworten:
2. Ja, ich arbeite seit drei Jahren als Kassiererin bei Aldo, aber ich möchte die Stelle wechseln.
4. Ich habe den Realschulabschluss, danach habe ich drei Jahre die Berufsschule besucht und eine Lehre als Friseuse / Frisörin gemacht. Aber ich konnte den Beruf nicht ausüben, ich bin allergisch gegen bestimmte Shampoos.
6. In der Schule habe ich drei Jahre Englisch gelernt.
8. Bei Aldo habe ich 1250 Euro im Monat verdient, aber ich möchte mein Gehalt verbessern.

5) www.arbeitenzuhaus.com
1. suchte 2. beworben 3. frei / selbst

60.

1) Was passt?
(Grundschule → Gymnasium) → Abitur → Studium → Praktikum → Auslandsaufenthalt → Diplom → Tätigkeit → Auslandsaufenthalt → Berufserfahrung → Stelle → Abteilungsleiter

2) Was kann man hier kombinieren?
2. der Lebenslauf 3. der Auslandsaufenthalt
4. der Abteilungsleiter 5. die Fremdsprachenkenntnisse
6. die Ingenieurswissenschaften 7. der Personalchef
8. das Arbeitsteam

3) Wie schreibt man das?
2. schlo<u>ss</u> 3. Ingen<u>ieur</u> 4. halbjäh<u>riges</u>

4) Welche Verben benutzt man hier?
2. gemacht / abgelegt 3. begann 4. machen 5. erwarb
6. einstellen

61.

1) Was für Wörter sind das?
Substantive: das Fragezeichen, die Fremdsprache, der Text, das Adjektiv, die Sprache, das Wörterbuch, die Regel, der Fehler, das Verb, die Übung, der Plural, die Ausnahme, die Muttersprache, das Wort, der Buchstabe, die Angst, der Artikel, der Punkt
Verben: übersetzen, lernen, machen, lesen, üben, sich unterhalten, sprechen, nachschlagen, reden
Adjektive: schwer, neu, leicht, schwierig, richtig, unbekannt, klug
Adverbien: dort, zuerst, hier, heute, gern

2) Wo ist das Subjekt, wo ist das Objekt?
<u>Subjekt</u> – <u>Objekt</u>
2. Wenn <u>ich</u> <u>einen Text</u> lese, schlage <u>ich</u> nur <u>wenige Wörter</u> im Wörterbuch nach. 3. <u>Max</u> lernt nicht gern <u>Regeln</u> – aber <u>er</u> spricht sehr viel mit Muttersprachlern und übt <u>sein Deutsch</u>.

4) Was machen Sie in dieser Situation?
2. Ich notiere es und lerne es auswendig. / Ich schreibe es in eine Vokabelliste. 3. Ich übersetze ihn in meine Muttersprache. 4. Ich suche eine Tabelle mit der Adjektivdeklination in einer Grammatik. / Ich versuche, mir selbst eine Tabelle zu machen und mich an die Formen zu erinnern 5. Ich höre oft deutsche Radiosendungen (Deutsche Welle) und sehe mir interessante deutsche Fernsehsendungen an. / Ich versuche, so viel wie möglich mit Muttersprachlern zu sprechen.

62.

1) Ergänzen Sie die Bezeichnungen für männliche / weibliche Personen:
2. der Kaufmann 3. der Pole 4. die Kollegin
5. das Mädchen 6. die Arbeiterin 7. die Französin 8. der Bankkaufmann 9. der Angestellte 10. der Hausmann

2) Welche Substantive sind <u>nicht</u> maskulin / neutrum / feminin?

1. nicht maskulin: das Fenster, die Nacht, die Butter
2. nicht neutrum: der Reichtum, der Besen, der Irrtum
3. nicht feminin: der Russe, das Auge, der Käse

3) Ergänzen Sie das Substantiv mit dem richtigen Artikel:

2. die Sprache 3. keinen Fernseher 4. Reichtum – die Gesundheit

4) Eltern und Kinder

deine Flasche – deine Hand – mein Kind – den Mund – den Kopf – eine warme Hose – die grüne Jacke – die Augen – ins kuschelige Bett

63.

1) Was passt nicht?

2. aufsteigen / ansteigen
3. aufschalten / wegschalten
4. aufholen / wegholen / einholen
5. einfüllen / auffüllen / zufüllen

2) Synonyme

2. d, 3. a, 4. c, 5. e

3) Ordnen Sie:

anmachen: einschalten
weggehen: losfahren – ausgehen – abfliegen
ausmachen: aufhören
anhören: anschauen – hinschauen

4) Gegensätze

2. rauf 3. abheben – einzahlen 4. ausgegangen – an

5) Welche Perspektive?

a) weggehen – hinfahren – hinfliegen – hinschauen
b) herschauen – herkommen

64.

1) Aus einem Roman

Sonniger – <u>unfreundlicher</u> – schmuck<u>lose</u> – Atem<u>lose</u> – ängst<u>lich</u> – <u>un</u>bekannte – zufäll<u>ig</u> – rauch<u>ige</u> – zyn<u>ischen</u> – dreibein<u>igen</u> – <u>un</u>mögl<u>ich</u>

2) Ergänzen Sie die Reihe:

2. der Kapitalist, die ~in; kapitalistisch 3. akademisch
4. vegetarisch 5. die Bürokratie, bürokratisch 6. realistisch
7. der Feminismus, feministisch 8. harmonisch

3) Bedeutungen

2. b, 3. b, 4. a (*Man kann diese Suppe essen, aber gut schmeckt sie nicht!*), 5. b

4) Finden Sie die Gegensätze:

ängstlich ↔ mutig, unmöglich ↔ machbar, sorglos ↔ besorgt, flach ↔ bergig, unglücklich ↔ glücklich, salzfrei ↔ salzreich

5) Was kann man kombinieren?

dunkelblau, dunkelgrün, dunkelgelb, dunkelrot, dunkellila, dunkelgrau

hellblau, hellgrün, hellgelb, hellrot, helllila, hellgrau
kunterbunt, pechschwarz, mausgrau

65.

1) Buchwerbung

2. spannend – gut – brutal 3. unterhaltsam –lustig

2) Ergänzen Sie:

1. der Autor, die ~in / der Dichter, die ~in (der Schriftsteller, die ~in) – der Leser, die ~in
2. der Film – das Publikum / der Zuschauer, die ~in
3. der Maler, die ~in / der Künstler, die ~in

3) Was tun diese Leute?

1. e: Ein Regisseur dreht / macht einen Film. 2. c: Das Publikum sieht / schaut einen Film an. 3. d: Der Künstler malt ein Bild. 5. a: Der Leser liest einen Roman.

4) Wovon handelt dieser Film / dieses Buch?

1. Das Thema von „Vom Winde verweht" ist der Amerikanische Bürgerkrieg. 2. Das Buch „Die Blechtrommel" handelt von einem kleinen Jungen in Nazi-Deutschland. / Das Thema des Buches „Die Blechtrommel" ist das Leben eines kleinen Jungen in Nazi-Deutschland. Das Thema von „Die Blechtrommel" ist … 3. Der Film „Paris, Texas" handelt von einer unglücklichen Liebesgeschichte in Texas (USA). / Das Thema des Films „Paris, Texas" ist eine unglückliche Liebesgeschichte in Texas (USA). Das Thema von „Paris, Texas" ist …

5) Filmtitel

2. Das Gold der Sierra Madre 3. Die Rache des Kung Fu / Rambo schlägt wieder zu 4. Der Kommissar / Mord im Orient-Express 5. Drei Männer und ein Baby 6. Krieg der Sterne 7. Neue Abenteuer von Mickey Maus

66.

1) Echt!

2. Heute bis du <u>aber</u> <u>wirklich</u> nicht gut drauf! 3. Die Hausaufgaben öden mich <u>dermaßen</u> an! 4. Diese Musik ist <u>ja</u> <u>total</u> uncool! 5. Die Stimmung war gestern <u>supergut</u>. 6. Arbeit finde ich <u>richtig</u> ätzend.

2) Was heißt das?

2. Das finde ich wirklich langweilig! 3. Das gefällt mir prima / sehr! 4. Ich hab' Lust, (einfach nur) faul zu sein. 5. Das gefällt mir überhaupt nicht!

3) Wie heißt die Standardform?

1. • Hallo Heinz, wie geht es dir?
2. ◇ Prima, das hier ist ein prima Café, nicht wahr?
3. • Ja, echt gut. Du sag mal, was machst du denn heute Abend so?
4. ◇ Heute Abend? Ich weiß nicht, vielleicht gehe ich noch weg, warum?
5. • In eine Kneipe?
6. ◇ Nein, es gibt eine Fete bei Klaus, da will ich mal vorbeischauen. Und du?
7. • Keine Ahnung. Ich habe heute irgendwie nicht so einen Bock auf eine Fete. Ich werde mal sehen, was ich mache.

5) Projekt: Was heißt ...

1. tanzen 2. sich schick machen 3. auf die Nerven gehen
4. super 5. schnell fahren 6. sehr gut / cool (echt krass)
7. verstehen 8. eine SMS (= short message service) per
Handy verschicken

67.

1) Offiziell und privat / persönlich

offiziell: der 1.Mai, Ostern, Neujahr, Weihnachten, Tag
der deutschen Einheit, Heilige Drei Könige
privat / persönlich: die Konfirmation, der Hochzeitstag,
die Taufe, der Namenstag, der Geburtstag

2) Besondere Tage

der Feiertag, der Nationalfeiertag, der Weihnachtsfeiertag,
der Karfreitag, der Ostersonntag, der Ostermontag, der
Geburtstag, der Namenstag

3) Wie sagt man?

2. wünschen 3. anstoßen 4. feiern

4) Ergänzen Sie:

2. gutes / glückliches 3. Frohe / Fröhliche 4. Prost

5) Was wird gefeiert?

1. e, 2. d, 3. b, 5. c

6) Geschenke und Gratulationen

2. zur 3. zum 4. zum

68.

1) Ergänzen Sie:

2. exotisch 3. der Stadtteil 4. etwas genießen 5. sich amüsieren 6. stattfinden 7. verstehen 8. sich küssen 9. sich verständigen

2) Was passt?

2. genießen 3. amüsieren 4. besuchen 5. feiern

3) Wie kann man noch sagen?

1. c, 2. d, 3. a

4) Sagen Sie das anders:

2. Sie haben die Wahl. 3. Hier ist für jeden etwas dabei.
4. Jeder amüsiert sich auf seine Weise.

5) Eine ideale Welt

2. Man verständig sich auch ohne Worte. 4. Jeder kann
sich auf seine Art amüsieren. 6. Alt und Jung verstehen
sich gut.

6) Wie heißen die Substantive?

2. die Harmonie 3. die Verschiedenheit 4. die Exotik
5. der Kuss 6. die Enttäuschung

69.

1) Ergänzen Sie:

1. fit 2. spiele – gucke 3. joggen 4. fahren 5. hältst – trainiere

2) Wie sagt man dazu?

2. die Schwimmerin 3. der Wanderer 4. der Tennisplatz
5. der Fußballer / der Fußballspieler 6. der Tennisschläger

3) Rund um den Sport

T	E	N	N	I	S	P	L	A	T	Z	Y	D	W	Z	U	I	O	D
D	S	C	E	S	C	H	I	F	A	H	R	E	N	E	R	S	C	V
W	Q	V	D	Ü	H	N	Z	T	R	E	D	S	M	I	O	P	P	E
E	R	K	O	P	W	A	N	D	E	R	N	W	E	F	F	F	D	X
A	S	T	R	A	I	N	I	N	G	X	V	B	B	I	X	S	M	K
Q	S	R	Z	O	M	A	N	N	S	C	H	A	F	T	S	D	E	B
M	E	Q	Y	C	M	B	U	J	K	L	Ö	L	E	N	W	P	M	C
W	M	C	K	A	E	R	O	B	I	C	E	L	W	E	Y	Q	O	Ä
J	O	G	G	E	N	R	K	L	M	F	D	W	E	S	P	O	R	T
Y	Ü	B	R	T	Z	J	K	D	E	A	O	B	D	S	W	S	D	X
A	D	F	J	X	L	R	M	Y	Z	B	C	N	O	T	H	Q	R	S

4) Sport ist Mord!

3. statt: fallen → fahren 4. statt: schützen → schwimmen
5. statt: wobben → joggen 6. statt: heben → halten 7. statt:
verlieren → verletzen 8. statt: sage den anderen zu → rufe den
anderen zu

70.

1) Wie heißt das?

2. der Würfel 3. die Karten 4. die Puppe 5. die Spielanleitung

2) Kombinationen

1. b, e: das Spielzeugauto, die Spielzeugeisenbahn 2. d:
der Puppenwagen 3. a: das Würfelspiel 4. c, f: die
Spielregel, das Spielbrett 5. a, f: das Schachspiel, das
Schachbrett 5. a. das Video-Spiel

3) Wie sagt man das?

2. So, jetzt bist du dran. 3. Wer gibt? 4. Jetzt darfst du mal
anfangen.

4) Was passt nicht?

Diese Wörter passen nicht:
2. angegeben – vergeben 3. anmachen – gehen 4. gewinnt
– gewannt – gewinnen

5) Sprichwörter

1. b, 2. c, 3. a

71.

1) Wer arbeitet wo?

2. c, 3. b, 4. a

2) Ergänzen Sie:

maskulin	feminin	maskulin Plural	feminin Plural
der Angestellte	die Angestellte	die Angestellten	die Angestellten
der Beamte	die Beamtin	die Beamten	die Beamtinnen
der Rechtsanwalt	die Rechtsanwältin	die Rechtsanwälte	die Rechtsanwältinnen
der Selbstständige	die Selbstständige	die Selbstständigen	die Selbstständigen
der Rentner	die Rentnerin	die Rentner	die Rentnerinnen

3) Silbensalat

2. das Monatsgehalt 3. der Ruhestand 4. die Arbeitgeberin
5. der Stundenlohn 6. die Sekretärin

4) Wie heißt das noch?
1. / eine Rentnerin 2. ein Abteilungsleiter / eine Abteilungsleiterin 3. ein Unternehmer / eine Unternehmerin – ein Selbstständiger / eine Selbstständige 4. ein Kollege / eine Kollegin 5. ein Arbeiter / eine Arbeiterin

5) Was passt?
2. zahlen 3. kündigen 4. wechseln

6) Was gehört zusammen?
2. d, 3. a. 4. b

72.

1) Gutes Gehalt
ein gutes, geringes, hohes, sicheres Gehalt; gute Arbeitsbedingungen; ein großer, hoher, guter, sicherer Profit; kurze, lange Arbeitszeiten; gute Produkte; ein guter, sicherer Arbeitsplatz; geringe, große, hohe Flexibilität; geringe, hohe, große Kosten

2) Wie heißt das Substantiv?
2. die Forderung 3. die Organisation 4. der Streik 5. das Interesse 6. die Bewerbung

3) Welches Wort mit „Arbeit" passt?
2. der / die Arbeitslose, die Arbeitslosigkeit
3. der Arbeitgeber, die ~in 4. das Arbeitslosengeld
5. die Arbeitszeit

4) Ergänzen Sie:
2. melden 3. verhandeln 4. streiken

5) Die Gewerkschaften fordern:
2. Wir fordern kürzere Arbeitszeiten! 3. Wir fordern sichere Arbeitsplätze! 4. Wir fordern bessere Arbeitsbedingungen!

6) Glück im Unglück
1. sich arbeitslos 2. bewarb sich 3. fand 4. neue Stelle

73.

1) Wer macht was?
2. macht / produziert 3. verkaufen

2) Ergänzen Sie:
2. der Import 3. der Kauf 4. handeln 5. der Verkauf 6. der Export

3) Gute Zeiten und schlechte Zeiten
a. ... es gibt weniger Aufträge, die Industrie produziert weniger Waren.
b. Die Menschen kaufen mehr Produkte, es gibt mehr Aufträge und die Industrie produziert mehr Waren.

4) Wie sagt man?
2. exportiert 3. Verluste / Schulden 4. großes Angebot (von Waren) 5. macht Gewinn(e) 6. importiert 7. Es macht pleite.

5) Wer produziert das?
2. die High-Tech-Industrie 3. die Pharmaindustrie 4. die Autoindustrie

6) Wie heißt das Gegenteil?
2. der Gewinn 3. die Nachfrage steigt 4. verkaufen

74.

1) Was passt nicht in die Reihe?
1. das Sonderangebot 2. die Kreditkarte 3. schick

2) Schlechter Service
2. Überweisungen 3. Umtausch 4. Reparaturen 5. Service

3) Werbung oder keine Werbung?
Werbung: kostenlose Reparatur, prima Qualität, schnelle Lieferung, gute Beratung
keine Werbung: langsamer Service, kein Umtausch möglich, hohe Preise, Verkauf nur bei Barzahlung

4) Werben und Verkaufen
der Sonderverkauf, die Kreditkarte, das Werbeangebot, die Werbeanzeige, die Werbesendung, der Werbeprospekt, das Schaufenster, der Schlussverkauf

5) Wie wirbt man?
2. die Zeitungsanzeige 3. das Schaufenster, das Plakat 4. der Werbeprospekt

75.

1) „würde" oder „hätte"?
3. Würdest 4. hätte 5. hätte

2) „möchte(n)" oder „mag (mögen)"
2. mag 3. Möchten 5. Möchten 6. mögen

3) Was wünschen Sie sich?
Mögliche Antworten:
Ich wünsche mir ... das rote Abendkleid ... / 10 gelbe Rosen / das neueste Computer-Modell / ein neues Auto.
Ich hätte gern ... 2 Pfd. Emmentaler (Rest wie: Ich wünsche mir ...).
Ich wäre gern ... ein berühmter Erfinder / ein bisschen mutiger / weniger schüchtern.
Ich würde gern ... besser Schi fahren / Russisch lernen / einmal nach Afrika reisen.

4) Wie sagt man das normalerweise – oder – wie sollte man das sagen?
2. Ich wünsche mir im nächsten Jahr Gesundheit / für nächstes Jahr Gesundheit. 3. Ich möchte bitte / Ich würde gern etwas bestellen. 4. Können / Könnten Sie mir (bitte) ein Zimmer für den 1. Juli reservieren?

5) Was sagen Sie in dieser Situation?
2. Hätte ich das nur nicht gesagt! / Zu der Person selbst: „Oh, das tut mir Leid, entschuldigen Sie bitte."
3. Ich wäre gern charmanter. / Ach wäre ich doch charmanter! / Ich wünsche / wünschte, ich wäre charmanter! / Wenn ich doch charmanter wäre!
4. Ich wünschte, es gäbe Traubensaft. / Gäbe es doch einen Traubensaft! / Wenn es doch einen Traubensaft gäbe! / Leider gibt es keinen Traubensaft! / Wie schade, es gibt keinen Traubensaft!
4. Ich hätte gern mehr Geld. / Ach hätte ich doch mehr Geld! / Wenn ich doch mehr Geld hätte! / Ich wünschte mir, ich hätte mehr Geld!

76.

1) Was bedeutet dasselbe?
1. e, 3. f, 4. a, 5. c, 6. b

2) Positiv und negativ
2. Ja, natürlich kann ich das. / Ja, das ist möglich. / Ja, das lässt sich machen.
Nein, leider kann ich das nicht. / Nein, das ist leider unmöglich. / Nein, ich bin nicht dazu in der Lage. / Nein, das geht leider nicht.
3. **Ja** bitte, das ist wichtig. / Ja, schreiben Sie sie noch. / Ja, das ist unbedingt nötig. / Ja bitte, tun Sie das.
Nein, das brauchen Sie nicht zu tun. / Nein, das ist nicht notwendig / nötig. Nein, das muss nicht sein.
4. **Ja**, das muss sein. / Ja, das ist leider notwendig. / Ja, unbedingt! **Nein**, er muss nicht unbedingt kommen. / Nein, er braucht nicht (unbedingt) zu kommen. / Nein, das ist nicht (unbedingt) nötig. / Nein, das muss er nicht.

3) Muss man, soll man, kann man oder lässt sich das machen?
2. darf / kann 3. sollen 4. kann – muss 5. lassen 6. müssen 7. kann (mag) 8. sollen / können 9. lässt 10. Sollen

77.

1) Was passt?
2. vorhaben 3. planen 4. lassen 5. vermuten 6. vornehmen

2) Was gehört zusammen?
2. d, e, 3. a, 4. e, 5. b

3) Was antworten Sie?
Mögliche Antworten:
2. Ja, ich habe es fest vor. / Ich weiß es noch nicht so genau. 3. Ich habe keine festen Pläne. 4. Ich wasche meinen Wagen nicht selbst, ich lasse ihn waschen. 5. Wir wissen es nicht genau. / Wir haben noch keine festen Pläne für heute Abend. / Wir haben es fest vor.

4) Was wissen Sie genau?
(Wir wissen nicht, was Sie genau wissen, / was Sie nicht genau wissen, / was Sie annehmen ... usw. – deshalb gibt es hier keine Lösungen, aber so müssen Sie es sagen:
Ich weiß genau, dass ... Ich weiß nicht genau, ob ... Ich nehme an, dass ... Ich kann mir gut vorstellen, dass ...)

78.

1) Welche Antwort passt?
1. e, 3. d, 4. b, 5. c

2) Kannst du mir einen Rat geben?
2. Dann geh und frag beim Fundbüro nach! / Geh doch zum Fundbüro und frag nach! 3. Probier es doch mal so: Schalte den Drucker aus und dann wieder ein. (Vielleicht funktioniert er dann wieder.) 4. Ich rate dir, Salz draufzuschütten, dann gehen die Flecken weg! 5. Ich würde etwas Sahne (Schlagobers, A) nachgießen.

3) Hannes Eltern sind schlecht gelaunt
1. Nein, heute erlaube ich es dir nicht.
2. Nein, heute nicht! Es ist zu kalt! / Ich warne dich: Es ist

zu kalt. / Das solltest du nicht machen, es ist zu kalt! / Mach das lieber nicht, es ist zu kalt! / Du weißt doch, dass es noch zu kalt ist!
3. Nein, das geht leider nicht, ich brauche mein Auto heute selbst. / Nein, ich erlaube es nicht, dass du mit meinem Auto fährst. / Nein, du darfst nicht. / Nein, ich leihe ihn dir nicht. / Nein! Heute nicht! / Kommt nicht in Frage!

4) Welches Verb passt?
1. empfehlen 2. sollten / müssen 3. Soll 4. Kann 5. mag 6. verspreche

79.

1) Was gehört wohin?
das Dorf: die Gemeindeverwaltung, der Ammann, der Bürgermeister, die Bürgermeisterin
die Stadt: die Bürgermeisterin
der Landkreis: das Landratsamt, die Landrätin
das Bundesland: der Landtag, der Ministerpräsident

2) Wohin müssen Sie?
2. Standesamt 3. Meldeamt 4. Standesamt

3) Bürokraten!
1. ausfüllen 2. stellen 3. anmelden

4) Was passt nicht?
1. das Bundesland 2. der Einwohner 3. der Landkreis

5) Erteilen Sie Ratschläge:
1. Sie müssen zur Kfz-Zulassungsstelle gehen und Ihr Auto anmelden.
2. Sie müssen sich beim Meldeamt abmelden.
3. Ja, natürlich. Sie müssen für das Kind beim Standesamt eine Geburtsurkunde beantragen.

6) In Deutschland gibt es keine ...
sondern: 2. Bundesländer 3. Bürgermeister

80.

1) Wie heißen die Minister?
2. die Wirtschaftsministerin 3. der Innenminister

2) Welche Funktionen haben diese Personen/Institutionen?
2. wählt die Minister aus 3. berät die Gesetze / beschließt die Gesetze / wählt den Bundeskanzler 4. wählen den Bundestag 5. kontrolliert die Regierung / kritisiert die Gesetze 6. schlägt die Gesetze vor

3) Kombinieren Sie:
erraten, vorschlagen, bestimmen, beraten, abstimmen, ablehnen, abraten, zustimmen

4) Was passt wohin?
2. lehnen ... ab 3. vorgelegt / vorgeschlagen 4. ernannt 5. beraten

5) Ergänzen Sie:
2. regieren 3. kritisieren 4. entscheiden

6) Wie sagt man das?
2. die Opposition 3. kritisieren 4. ablehnen 5. ernennen

7) Bundes ...
der Bundeskanzler, die ~in; der Bundestag, der Bundes-

präsident, die ~in; die Bundesregierung, der Bundesrat, das Bundesland

81.

1) Die Liberalen sind dagegen
2. Die Sozialdemokraten 3. Die Konservativen sind dagegen. 4. Die Grünen sind dafür. 5. Die Sozialisten sind dafür.

2) Ein Interview
1. aus der 2. in die 3. in einer

3) Wie sagt man dazu?
2. Gegenkandidat 3. Politikerin 4. Mitglied

4) Werden Sie politisch aktiv!
2. Sammeln Sie Unterschriften gegen den Bau der Autobahn!
3. Beschweren Sie sich bei den Politikern über den schlimmen Verkehr!
4. Demonstrieren Sie für bessere öffentliche Verkehrsmittel!

5) Ein Parteitag der Konservativen
Um 9 Uhr hielt der alte Parteivorsitzende eine Rede. Danach stimmten die Delegierten über das neue Parteiprogramm ab. Um 11 Uhr wählten die Delegierten die neue Parteivorsitzende, Rita Koch. Gleich nach der Wahl gratulierte ihr der Gegenkandidat Martin Wendlinger. Dann hielt Frau Zasche eine Rede.

82.

1) Trennbar oder nicht trennbar?
trennbar: spricht jemanden frei
nicht trennbar: er verhaftet jemanden, überfällt eine Bank, verurteilt jemanden, entscheidet etwas, verteidigt jemanden, ermordet jemanden, beweist etwas

2) Gegensätze
2. das Opfer 3. jemanden verurteilen 4. der Richter / der Kläger

3) Wie sagt man das?
1. verhaften 2. zugegeben 3. beweisen

4) Ein Zeitungsbericht
1. Verhaftung 2. Mord

5) Rund um Recht und Gesetz

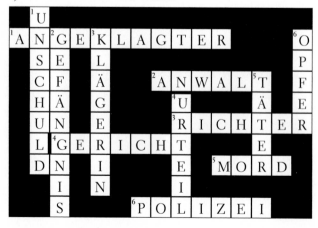

83.

1) Die EU und der Euro
2. der Europäische Gerichtshof 3. das Europäische Parlament 4. Euro-Raum / Euro-Zone 5. Europäische Kommission

2) Was passt?
1. beschließt 2. Verhandlungen 3. beitreten 4. gemeinsam 5. zusammengewachsen

3) Wie heißt das Adjektiv / das Verb?
2. kulturell 3. verändern 4. verhandeln

4) Das ist Europa!
1. Einflüsse 2. verschiedene 3. Zukunft

5) Süden, Osten, Norden, Westen
2. Finnland ist ein nordeuropäisches Land. 3. Italien ist ein südeuropäisches Land. 4. Weißrussland ist ein osteuropäisches Land.

84.

1) UNO und NATO

UNO: 2. auf der ganzen Welt für ... 3. zu bewahren

NATO: 1. Sitz in Brüssel 2. Militärbündnis 3. westliche Länder sind Mitglied

2) Definitionen
2. Ein Bürgerkrieg 3. Ein Feind 4. eintreffen 5. Ein Mitglied 6. Ein Soldat 7. Armut

3) Weltpolitik
2. Wir müssen Frieden schaffen! / Wir müssen für den Frieden kämpfen.
3. Wir müssen den Frieden bewahren.
4. Wir müssen gegen die Armut kämpfen / die Armut bekämpfen.
5. Der Reichtum auf der Welt muss gerechter verteilt werden.

4) Positiv – Negativ
positive Entwicklung, zum Beispiel: Frieden, Wohlstand für alle, Sicherheit, genügend zu essen für alle, genügend Wasser, medizinischer Fortschritt für alle, Zugang zu Bildung für alle, Demokratie, Gleichberechtigung für die Menschen, Kontrolle des Bevölkerungswachstums, Klimaschutz, Umweltschutz, internationale Verträge für Frieden und Fortschritt in der Welt, ...

negative Entwicklung, zum Beispiel: Krieg, immer mehr Armut und Hunger in vielen Ländern, Bürgerkriege, Unterdrückung, Diktaturen, Klima-Katastrophen, Unterschied zwischen reichen und armen Ländern wächst, viele regionale Konflikte, ...

85.

1) Ergänzen Sie:
2. wiederholen 3. richtig 4. schreiben 5. buchstabieren

2) Wo – was – wohin ...?
2. Entschuldigung, wo muss ich aussteigen?
3. Wen soll ich anrufen?
4. Was soll ich mit dem Antragsformular machen?
5. Mit wem soll ich sprechen?

3) Was passt zusammen?
2. d, 3. a, 4. b, 5. e

4) Wie sagt man das?
2. Würden Sie mir das bitte aufschreiben? / Bitte schreiben Sie mir das hier auf einen Zettel.
3. Also, habe ich das richtig verstanden: Ich soll zum Alexanderplatz zurückfahren und in die U-Bahn Linie 3 umsteigen?
4. Entschuldigung, das habe ich nicht verstanden. Könnten Sie das bitte nochmal wiederholen?

86.

1) Kommunikationsprobleme
1. überreden 2. schimpfen 3. Beschweren 4. widersprechen 5. unterhalten

2) Wie heißt das Substantiv / das Verb?
2. sprechen 3. sich beschweren 4. widersprechen
5. die Zustimmung 6. warnen 7. die Diskussion
8. die Unterhaltung

3) Erzähl doch noch eine Geschichte!
2. gewarnt 3. die / deine Meinung sagen 4. Sag
5. versichere 6. erzählt

4) Was machen diese Leute?
2. warnen 3. erzählen 4. überreden – (widerwillig) zustimmen 5. zustimmen 6. sich beschweren 7. verraten

87.

1) Welche Verben passen zusammen?
1. jemandem antworten 2. jemanden um etwas bitten – jemandem danken 3. sich bei jemandem nach etwas erkundigen – jemandem etwas mitteilen

2) Grüßen
1. ... von Herrn Maier ausrichten 2. Ich soll euch (ganz) herzlich von meinem Lehrer (Herrn X) grüßen.
3. Grüßen Sie bitte Ihren Mann von mir, Frau Sievers.
4. Stefan, grüß doch (unseren Freund) Karl ganz herzlich von mir, (wenn du ihn siehst).

3) Bitten
3. Darf ich dich bitten, dich beim Reisebüro nach Flügen für mich zu erkundigen?
4. Könntest du mich bitte heute zum Essen einladen?

4) Danke!
3. Paul, ich danke dir / vielen Dank, dass du dich beim Reisebüro nach Flügen für mich erkundigt hast.

4. Sabine, ich danke dir / vielen Dank, dass du mich zum Essen eingeladen hast.

5) Wie heißen die Substantive?
2. die Frage 3. die Bitte 4. der Ruf 5. die Mitteilung
6. das Versprechen 7. der Vorschlag 8. der Schrei
9. der Dank

6) Endlich Ruhe!
2. schrieen 3. schwiegen

88.

1) Wie heißen die Adjektive?
2. gleichberechtigt 3. jugendlich 4. gesellschaftlich
5. kindlich 6. männlich

2) Wie sagt man das?
2. die Senioren 3. die Bevölkerung
4. die Gleichberechtigung 5. die Benachteiligung

3) Hier stimmt etwas nicht!
1. weibliche Bevölkerung / Gesellschaftsgruppen
2. gleichberechtigte Gesellschaftsgruppen 3. ältere Väter, ältere Bevölkerung, ältere Gesellschaftsgruppen
4. benachteiligte Gesellschaftsgruppen, benachteiligte Väter, benachteiligte Jugendliche 5. gesellschaftliche Rechte

4) Welches Verb fehlt hier?
2. gibt 3. sterben 4. bekommen

5) Frauen in der Gesellschaft
1. doppelt 2. Gleichberechtigung 3. benachteiligt

89.

1) Wie heißen die Verben?
2. achten 3. fliehen 4. zunehmen 5. einwandern
6. integrieren

2) Wie heißt das Gegenteil?
2. anders / verschieden 3. die Abnahme 4. eingewandert
5. die Mehrheit 6. ausschließen

3) Welches Wort passt?
2. eingewandert 3. Einwanderungsland
4. die Einwanderer 5. einwandern

4) Was passt nicht?
1. Ausländerfeindlichkeit 2. Einheimischer 3. verändern

5) Ergänzen Sie:
2. auswandern 3. Einheimischer 4. Toleranz

6) Der Liedermacher Benny wirbt für mehr Verständnis
1. Rassismus 2. Probleme 3. achten

90.

1) Was stimmt?
1. Armut 2. Arbeitslosengeld 3. Behandlung

2) Wie heißen die Substantive?
2. die Pflege 3. die Betreuung 4. das Leben

3) Finden Sie die Fehler?
1. falsch: seine Einkommung – richtig: sein Einkommen
2. falsch: Rente – richtig: Beiträge – falsch: Beiträge –
richtig: Rente
3. falsch: Armtum – richtig: Armut

4) Ein Kreuzworträtsel

5) Soziales
2. Gehalts (Gehalt: Was man durch die Arbeit in einer
Firma / einem Betrieb verdient; die Rentenversicherung
wird vom Gehalt berechnet. Einkommen: Dazu gehört
auch auf andere Weise erworbenes Geld.) 3. Beiträge
4. Job 5. Netz

91.

1) Wie heißen die Substantive?
2. die Belästigung 3. der Schaden 4. der Schutz 5. die
Zerstörung 6. die Entsorgung

2) Was passt?
2. belästigt / stört 3. Verschmutzung 4. schadet 5. schützen

3) Was kann man da machen?
2. d, 3. e, 4. b, 5. a

4) Da stimmt etwas nicht!
2. der Giftstoff 3. die Klimakatastrophe 4. das Abgas
5. die Mülltrennung 6. der Naturschutz

5) Und was machen Sie?
Mögliche Antworten:
Ich benutze nur umweltfreundliche Energien. Ich höre
auf mit dem Rauchen. Ich benutze kein Haarspray. Ich
spare Strom. Ich trenne meinen Müll. Ich verwende
Papier wieder / zweimal: Ich schreibe auf die Vorderseite
und auf die Rückseite. Ich verwende keine Chemikalien
bei der Hausarbeit. Ich fahre weniger Auto. Ich benutze
den Autobus oder die Straßenbahn. Ich verwende keinen
chemischen Dünger. Ich entsorge Batterien.

92.

1) Wie heißen die Substantive?
2. das Christentum 3. der Islam 4. das Gebet
5. der Glaube

2) Wie schreibt man das?
2. Synagoge 3. Moschee 4. Buddhismus

3) Zu welcher Religion gehört das?
Christentum: der Glaube, die Kirche, der Gott, das Gebet
Islam: der Moslem, der Glaube, der Koran, die Moschee,
der Gott, das Gebet
Judentum: der Glaube, die Synagoge, die Thora, der Gott,
das Gebet

4) Was passt nicht in die Reihe?
1. Humanismus 2. das Rathaus 3. romanisch

5) Religiöses
2. Christen 3. Sekten 4. Koran 5. Judentums
6. Buddhismus

93.

1) Wie können Sie die Gründe und Folgen ausdrücken?
2. ... deshalb / darum / deswegen kannst du nicht draußen
spielen. 3. Wegen

2) Finden Sie die Wörter:

3) Was passt?
2. e, 3. f, 4. c, 5. d, 6. a

4) Schreiben Sie die Sätze neu:
1. Es tut mir so Leid. Aber ich konnte nicht eher kommen,
weil ich den Bus verpasst habe. 2. Bitte sei mir nicht böse.
Ich habe den Bus nicht mehr bekommen und konnte
deshalb nicht eher kommen.

5) Man kann nicht immer Erfolg haben
1. Grund 2. deswegen 3. aufgrund 4. denn

94.

1) Was sagen Sie?
1. Es war trotz allem ein schöner Tag. 2. Aber das stimmt doch gar nicht! 3. Im Gegenteil, ich freue mich! 4. Ich gehe aber trotzdem!

2) Was passt?
2. e, 3. f, 4. c, 5. g, 6. a, 7. d

3) Was passt nicht in die Reihe?
1. obwohl 2. trotzdem 3. deshalb

4) Keine Rückenschmerzen mehr!
1. weil 2. deswegen 3. denn 4. obwohl 5. Trotz
6. Im Gegensatz

95.

1) Was stimmt?
2. Dadurch, dass 3. Trotzdem 4. Weil

2) 1. Ich mache es genauso! 2. Ich denke ebenso wie Sie!
3. Indem ich die Anweisungen genau befolgt habe.
4. Mach es doch einfach so, wie ich es dir gezeigt habe.
5. Danke gleichfalls!

3) Ergänzen Sie:
2. Sie lernt die Vokabeln, indem sie alle neuen Wörter aufschreibt. 3. Er nimmt das Zimmer, obwohl es nicht gemütlich ist. 4. Sie spart viel Geld, weil / indem sie die Preise vergleicht. 5. Sie raucht ständig, obwohl das ungesund ist.

4) Wie kann man das auch sagen?
1. → Durch genaues Zuhören können Sie die Unterschiede in der Aussprache erkennen.
  → Hören Sie genau zu; dadurch können Sie die Unterschiede in der Aussprache erkennen.
  → Hören Sie genau zu; auf diese Weise können Sie die Unterschiede in der Aussprache erkennen.
2. → Sie können Ihre Leistungen im Sport sehr verbessern, indem Sie regelmäßig trainieren.
  → Trainieren Sie regelmäßig; dadurch können Sie Ihre Leistungen im Sport sehr verbessern.
  → Trainieren Sie regelmäßig; auf diese Weise können Sie Ihre Leistungen im Sport sehr verbessern.
3. → Durch ständiges Fragen lernt sie viel über ihre neue Umgebung.
  → Sie stellt ständig Fragen; dadurch lernt sie viel über ihre neue Umgebung.
  → Sie stellt ständig Fragen; auf diese Weise lernt sie viel über ihre neue Umgebung.

96.

1) Was kommt zuerst?
2. Bevor ich zum Arzt gehe, mache ich einen Termin aus. Nachdem ich einen Termin ausgemacht habe, gehe ich zum Arzt.
3. Bevor ich kaufe, vergleiche ich die Preise. Nachdem ich die Preise verglichen habe, kaufe ich.
4. Bevor ich meine Meinung sage, denke ich nach. Nachdem ich nachgedacht habe, sage ich meine Meinung.

2) Welche Präposition passt?
2. Während 3. Vor 4. Seit 5. Zu / Bei

3) Welche Subjunktion passt?
2. während 3. bevor 4. Als / Nachdem 5. Seit 6. wenn

4) Sabine Herrmann, 37 Jahre
Sabine Herrmann arbeitet jetzt als Chefsekretärin. Früher hat sie als Schreibkraft und Sekretärin gearbeitet. Sie verdient heute ein gutes Gehalt. Damals verdiente sie nicht so gut. Seit 1996 hat sie eine Stelle als Chefsekretärin. Davor war sie als Sekretärin angestellt. Zuerst arbeitete sie in Lübeck, dann in Hamburg und danach in Rostock.

97.

1) „kein" oder „nicht"
1. keine 2. keine 3. nicht

2) Was sagen Sie, wenn ...?
2. Ich war noch nie in einer Sauna. 3. Die Wohnung ist nicht groß, sondern klein. 4. Ich habe den Text überhaupt nicht verstanden. 5. Ich habe niemand(en) gesehen. 6. Ich habe werder Zeit noch Lust, in die Disko zu gehen.

3) Ehepartner sind oft sehr verschieden
2. nichts 3. nirgends 4. niemand(em) 5. weder – noch

4) Mit nichts zufrieden!
1. nichts 2. kaum 3. gar nicht 4. auf keinen Fall
5. niemand(em) 6. nicht 7. keine

98.

1) Wie heißen die Adjektive?
2. amerikanisch 3. asiatisch 4. australisch 5. europäisch
6. nachbarschaftlich 7. kulturell 8. wirtschaftlich

2) Welches Wort passt?
1. b, 2. c

3) Wie sagt man?
2. Nachbarstaaten / Nachbarländer 3. Grenzkontrolle
4. Pazifikstaaten 5. Rio de Janeiro: Ostküste – Lima: Westküste

4) Was kann man hier kombinieren?
2. die Grenzkontrolle 3. der Nachbarstaat 4. der Schüleraustausch 5. die Wirtschaftsbeziehungen
6. der Atlantikstaat / die Atlantikküste

5) Beziehungen zwischen den Staaten der Welt
2. Industriestaaten 3. Wirtschaftsbeziehungen
4. Kulturpolitik 5. Austausch

1) Das Ende

2. der Astron<u>aut</u> 3. der Satel<u>lit</u> 4. die Erdumlaufb<u>ahn</u>
5. der Mo<u>nd</u> 6. der Plan<u>et</u> 7. das Raumschi<u>ff</u> 8. das Welta<u>ll</u>
9. die Milchstra<u>ße</u>

2) Raum

Raum: die Raumfahrt, die Raumfahrerin, das Raumschiff,
die Raumstation, der Weltraum
Satellit: das Satellitenfoto, das Satellitenfernsehen,
die Satellitenschüssel

3) Rund um die Erde

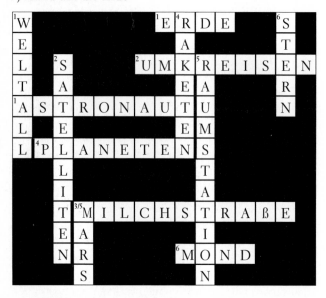

4) Eine Welt ohne Satelliten

Es gäbe kein Satellitenfernsehen mehr; man könnte
nicht über Satelliten von einem Kontinent zum anderen
telefonieren; es gäbe weniger Forschung im Weltall;
die Wetterprognosen würden wieder unsicherer werden;
es gäbe aber auch keine Spionagesatelliten.

5) Apollo 11

1. die Astronauten 2. landeten 3. umkreiste 4. Satellit
5. Mondlandung